고객이 원하는 제품과 서비스를 창조하는 방법

**가치 제안 설계로 시작하라**

# Value Proposition Design

밸류 프로포지션 디자인

1판 2쇄 인쇄 2019년 11월 15일
1판 1쇄 발행 2018년 2월 20일

저자 | 알렉스 오스터왈더, 예스 피그누어, 그렉 버나다, 앨런 스미스  역자 | 조자현
인쇄 | 코리아피앤피  발행인 | 손호성
펴낸곳 | 아르고나인미디어그룹

등록 | 제 312-2013-000016호  주소 | 서울 서대문구 연희동 136-31 제니 더 플래인 2층 202호  전화 | 070.7535.2958  팩스 | 0505.220.2958
e-mail | atmark@argo9.com  Home page | http://www.argo9.com

ISBN 979-11-5895-119-1  03320

※ 값은 책표지에 표시되어 있습니다.
※ 〈생각정리연구소〉는 〈아르고나인미디어그룹〉의 브랜드입니다.

VALUE PROPOSITION DESIGN: How to Make Stuff People Want(9781118968055/ 1118968050)
by Alexander Osterwalder, et. all.

고객이 원하는 제품과 서비스를 창조하는 방법

**가치 제안 설계로 시작하라**

# Value Proposition Design

# 밸류 프로포지션 디자인

strategyzer.com/ko/vpd

**저자**
알렉스 오스터왈더
예스 피그누어
그렉 버나다
앨런 스미스

**디자인**
티리시 파파다코스

생각정리연구소

## 1. Canvas



## 2. Design

# 3. Test



# 4. Evolve

# 다음과 같은 상황에 처한 적이 있는 사람이라면 이 책 〈밸류 프로포지션 디자인〉을 무척 반길 것이다

### 진정한 가치를 창출하라는 임무를 맡고 당황스러웠던 적이 있는가?

**때때로 다음과 같은 것들을 느낀다면…**

- 당신의 고객과 사업에 맞는 가치를 창출할 수 있도록 도와줄 더 나은 도구가 필요하다.
- 맡은 임무를 제대로 추진하고 있는지 의구심이 들고 그 다음 취해야 할 행동에 불안감을 느낀다.
- 고객이 정말로 원하는 것을 알아내기가 어렵다.
- (잠재)고객에게서 얻는 정보와 데이터가 너무 많아서 어떤 식으로 정리하는 것이 가장 효과적일지 잘 모르겠다.
- 제품과 기능을 뛰어넘어 고객 가치 창출에 대한 심오한 이해를 갖추는 것이 도전처럼 느껴진다.
- 온갖 퍼즐 조각들을 어떤 식으로 맞춰야 하는지 전체적인 구상이 머릿속에 들어 있지 않다.

### 비생산적인 회의와 중구난방으로 떠드는 팀원들을 보며 절망감을 느낀 적이 있는가?

**당신의 팀에서 이런 일들이 일어나고 있다면…**

- 고객 가치 창출에 대한 공유 언어와 이해가 부족하다.
- 전혀 체계가 없고 잡다한 대화만 주고받는 비생산적인 회의에 갇혀 옴짝달싹하지 못한다.
- 명확한 절차와 도구가 부재한 상태에서 업무를 추진한다.
- 고객보다는 첨단 기술, 제품, 기능 같은 것에 더 초점을 맞춘다.
- 팀원들의 활력만 고갈시킨 채 확실한 성과도 없이 회의가 끝난다.
- 팀 활동이 서로 조화를 이루지 못한다.

**야심차게 착수한 대규모 프로젝트가 실패로 끝난 적이 있는가?**

**다음과 같은 프로젝트를 경험한 적이 있다면…**

- 거액을 쏟아부으며 야심차게 시작했는데 결국 실패하고 만 대규모 프로젝트.
- 정말로 효과를 거둘 것이라는 환상이 확고해질 때까지 사업 계획을 계속 손질하고 다듬는 데 모든 에너지를 쏟아부은 프로젝트.
- 완전히 가상의 공간에서 세세한 데이터를 도출하기 위해 엄청난 시간을 투자했지만 결국 부적절한 것으로 판명된 프로젝트.
- 고객과 주주를 상대로 아이디어를 테스트하는 것보다 아이디어의 개발과 논쟁에 더 많은 시간을 투자한 프로젝트.
- 실제 현장의 사실보다 의견을 더 중시한 프로젝트.
- 위험 부담을 최소화할 수 있는 명확한 프로세스와 도구가 부재한 프로젝트.
- 새로운 아이디어를 개발할 수 있는 프로세스보다 사업 운영에 적합한 프로세스를 이용했던 프로젝트.

# 훌륭한 아이디어가 실패로 끝나서 실망했던 적이 있는가?

'실패에서 성공으로' 포스터 받기

# 〈밸류 프로포지션 디자인〉은 다음과 같은 활동들이 성공을 거둘 수 있게 도와줄 것이다

## 가치 창출 패턴의 이해

고객이 원하는 것과 관련된 정보를 간단히 정리하면 가치 창출의 패턴을 쉽게 확인할 수 있다. 그러면 고객이 가장 갈망하고 중요시하는 활동, 불만, 혜택에 초점을 맞춰 가치 제안과 수익성 높은 비즈니스 모델을 좀 더 효과적으로 설계할 수 있게 된다.

**명확히 하라.**

## 팀의 경험과 역량의 적극적 활용

팀의 공유 언어를 마련하면 '잡담 수준'의 대화에서 벗어나, 좀 더 전략적인 대화를 나누고 창의적인 활동을 펼치며 회의를 일관된 방향으로 진행할 수 있게 된다. 그리고 이런 활동은 만족스러운 회의로 이어진다. 회의에 활력이 넘치고 첨단 기술, 제품, 기능에만 초점을 맞추던 활동에서 벗어나 고객과 사업에 부합하는 가치를 창출하는 등 실행 가능한 결과들을 도출하기 때문이다.

**팀 활동이 조화를 이루게 하라.**

## 실효성 없는 아이디어로 인한 시간 낭비 차단

실패 위험을 줄이기 위해서는 사업 아이디어의 근간을 이루는 가장 중요한 가설들을 맹렬히 테스트해야 한다. 이런 활동은 거액의 비용을 들이지 않고도 대담하고 거대한 사업 아이디어를 추진할 수 있게 해준다. 새로운 아이디어를 구상하는 프로세스는 이런 임무에 잘 부합될 뿐 아니라 기존의 프로세스를 보완해줌으로써 사업 운영에도 많은 도움을 줄 것이다.

**실패 위험을 최소화하라.**

# 고객이 원하는 것을 설계하고, 테스트하고 전달하라

'실패에서 성공으로' 포스터 받기

# 독자들에게 제시하는 우리의 가치 제안

이 책의 모든 페이지 측면에 표시된 링크는 온라인 병행 프로그램 안에 있는 자료들을 가리킨다.

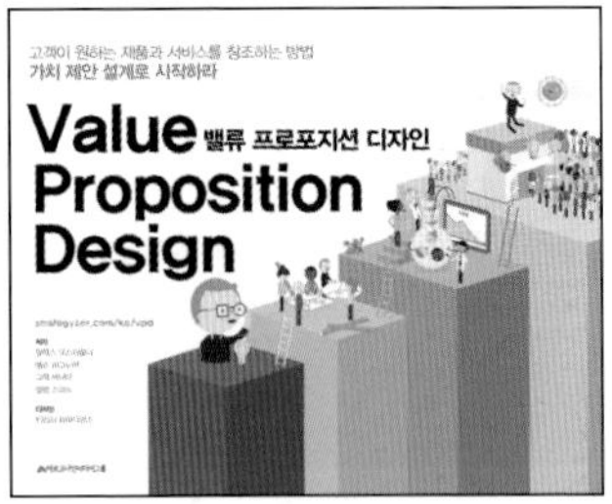


**〈밸류 프로포지션 디자인〉 책**
**+**
**〈밸류 프로포지션 디자인〉 온라인 병행 프로그램**

스트래타이저Strategyer 로고를 발견하면 온라인 훈련, 도구/견본, 포스터 등으로 이어지는 링크를 따라가기 바란다.

주의: 〈밸류 프로포지션 디자인〉에서 독점 제공하는 이 온라인 병행 프로그램을 이용하기 위해서는 당신이 이 책의 소유자라는 것을 입증해야 한다. 비밀 질문들에 바로바로 답할 수 있도록 항상 책을 가까이 두고서 소유권자임을 증명하기 바란다.

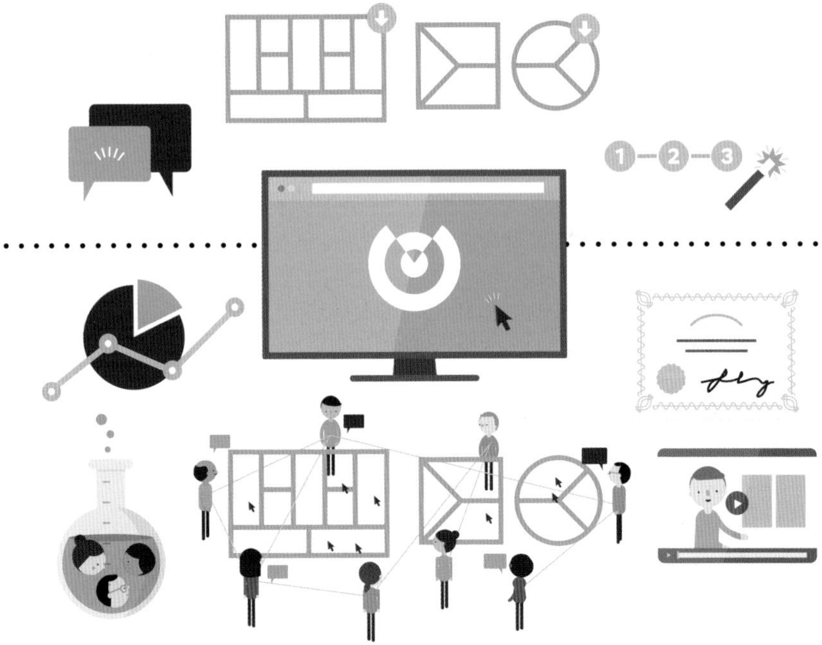

**웹 애플리케이션 + 온라인 학습**
전문가용 도구와 온라인 코스를 결합하면 더 큰 효과를 거둘 수 있다.

> 이 책에서 독점 제공하는 자료를 이용하기 위해서는 스트래타이저닷컴(strategyzer.com)에 가입해야 합니다. 본문에서 제시하는 각종 자료와 파일, 테스트 기능 등은 모두 스트래타이저닷컴과 연계되어 있습니다. 스트래타이저닷컴은 향후 한국어를 포함한 다국어를 지원 예정입니다. 이메일 주소와 비밀번호 설정으로 간단히 등록이 가능하니 꼭 가입하길 권합니다.
>
> - 편집자 주

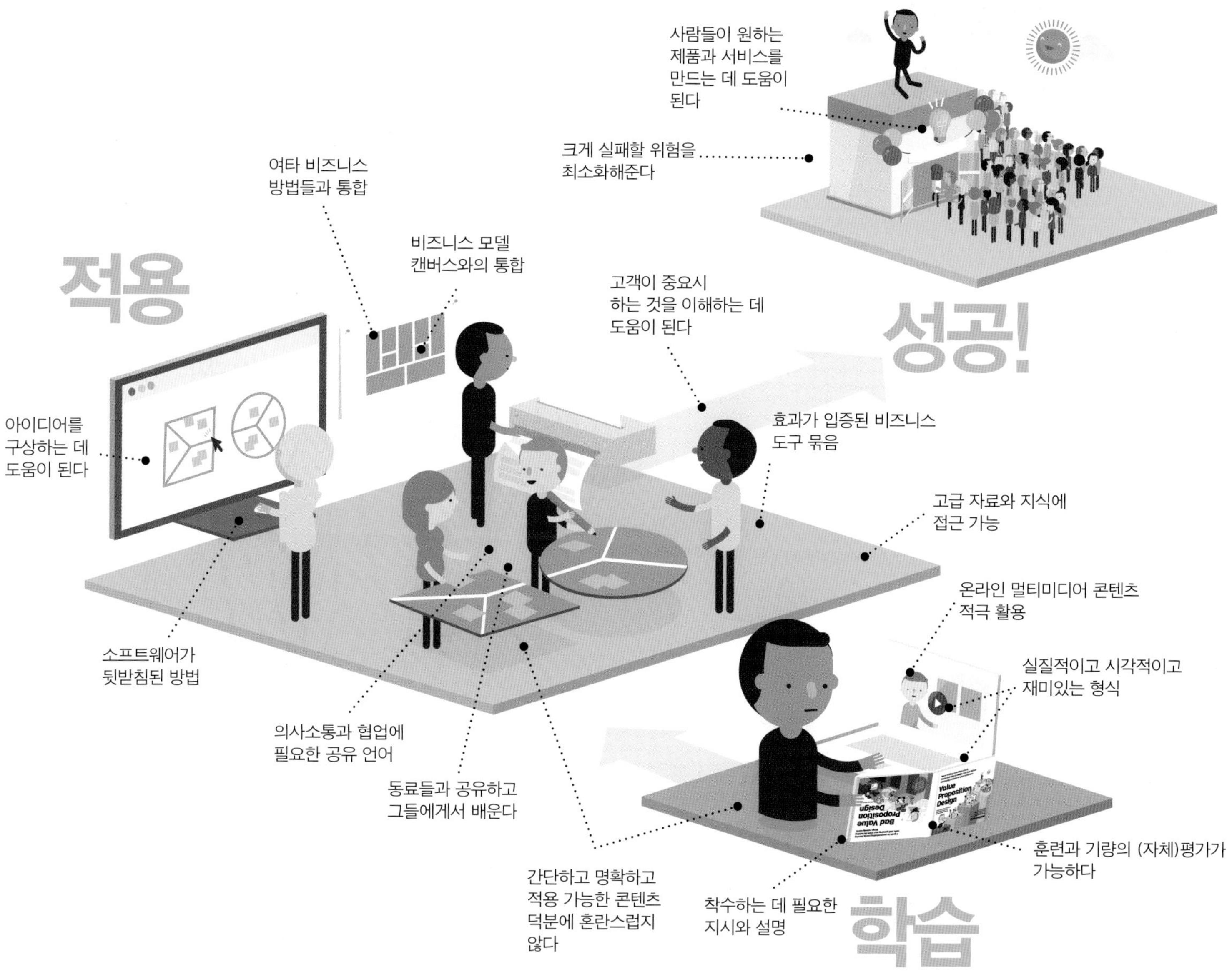
사람들이 원하는 제품과 서비스를 만드는 데 도움이 된다
크게 실패할 위험을 최소화해준다
여타 비즈니스 방법들과 통합
비즈니스 모델 캔버스와의 통합
적용
고객이 중요시 하는 것을 이해하는 데 도움이 된다
성공!
아이디어를 구상하는 데 도움이 된다
효과가 입증된 비즈니스 도구 묶음
고급 자료와 지식에 접근 가능
온라인 멀티미디어 콘텐츠 적극 활용
소프트웨어가 뒷받침된 방법
실질적이고 시각적이고 재미있는 형식
의사소통과 협업에 필요한 공유 언어
동료들과 공유하고 그들에게서 배운다
Value Proposition Design
Bad Value Proposition Design
훈련과 기량의 (자체)평가가 가능하다
간단하고 명확하고 적용 가능한 콘텐츠 덕분에 혼란스럽지 않다
착수하는 데 필요한 지시와 설명
학습

# 〈밸류 프로포지션 디자인〉의 도구와 프로세스

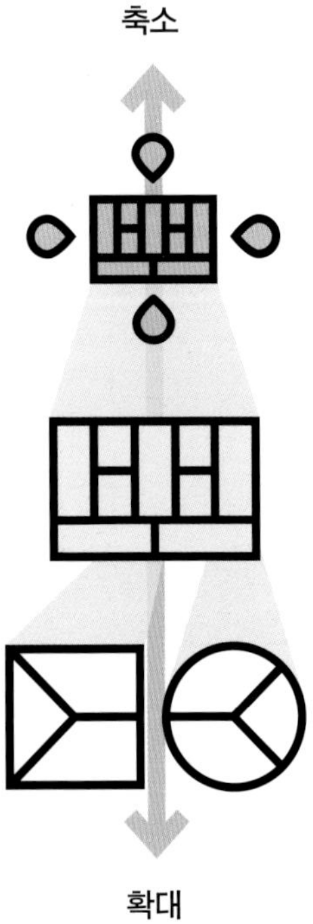

## 캔버스

### 도구

## 설계 / 테스트

### 조사

가치 제안 설계의 핵심은 고객이 원하는 가치 제안을 찾기 위해 복잡한 **조사 활동**에 **도구**를 적용하고 그런 다음 **후속 조사 활동**을 통해 그런 가치 제안을 고객이 원하는 것과 계속 조화시켜나가는 데 있다.

가치 제안 설계는 고객이 원하는 것을 반복 조사하면서 훌륭한 가치 제안을 **설계**하고 **테스트**하는 데 **가치 제안 캔버스**를 어떻게 사용하면 좋을지 알려준다. 끝없이 이어지는 가치 제안 설계 활동을 통해 당신의 가치 제안이 고객에게 중요한 의미를 가질 수 있도록 계속 **발전**시켜나가기 바란다.

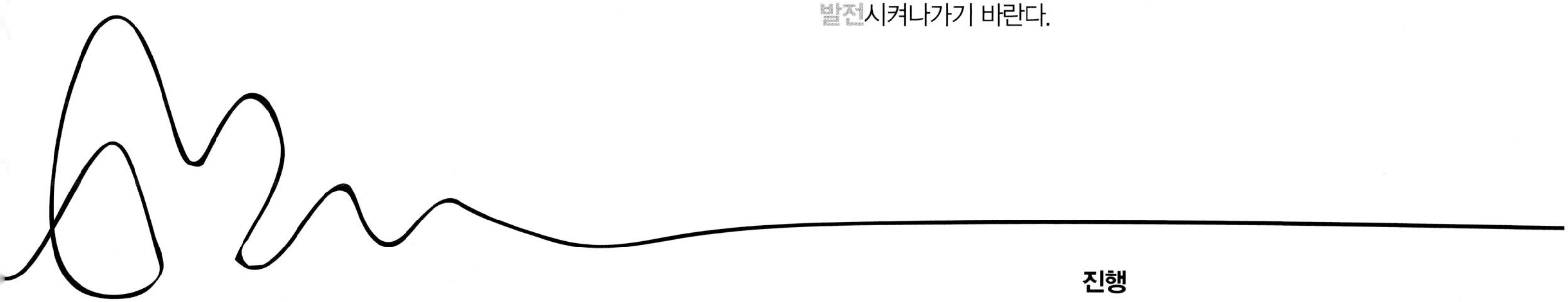

**진행**

체계가 잡혀 있지 않아서 뒤죽박죽인 가치 제안 설계 활동을 잘 관리하고 적절한 도구와 프로세스를 체계적으로 사용해서 위험 부담을 줄여나가야 한다.

## 발전

## 후속 조사

Design Squiggle adapted from Damien Newman, Central

# 도구 통합

이 책의 가장 핵심 도구인 가치 제안 캔버스는 가치 제안을 시각적으로 구체화시켜줌으로써 논의와 관리 활동을 좀 더 수월하게 해준다. 이 두 도구는 〈비즈니스 모델의 탄생(Business Model Generation)〉*에서 자세히 다루고 있는 두 도구, 즉 비즈니스 모델 캔버스와 환경 맵(Environment Map)과도 완벽하게 어우러진다. 그리고 이 모든 것들이 한데 어우러져 비즈니스 도구 묶음의 토대를 이룬다.

가치 제안 캔버스는 비즈니스 모델 캔버스의 두 가지 구성 요소를 아주 세부적으로 파고 들어간 것이다.

*Business Model Generation, Osterwalder and Pigneur, 2010.

**환경 맵**은
당신을 둘러싸고 있는 상황을
이해하는 데 도움이 된다.

**비즈니스 모델 캔버스**는
당신의 사업에 맞는 가치를
창출하는 데 도움이 된다.

**가치 제안 캔버스**는
당신의 고객에게 맞는 가치를
창출하는 데 도움이 된다.

# 재교육: 비즈니스 모델 캔버스





당신의 조직에 부합하는 가치를 포착하기 위해서는 실행 가능한 비즈니스 모델 안에 당신의 가치 제안을 깊이 아로새겨야 한다. 이를 위해 당신의 조직이 어떤 식으로 가치를 창출하고, 전달하고, 포착하는지를 설명해주는 도구인 비즈니스 모델 캔버스를 사용할 수 있다. 비즈니스 모델 캔버스와 가치 제안 캔버스는 완벽하게 들어맞는다. 전자에 후자를 플러그처럼 연결함으로써 당신이 어떤 식으로 고객 가치를 창출하는지 자세히 들여다볼 수 있게 해줄 것이다.

여기에서는 비즈니스 모델 캔버스 관련 내용을 다시 한 번 환기시키는 정도만 해도 이 책을 끝까지 읽어내고 훌륭한 가치 제안을 창조하는데 충분할 것 같다. 좀 더 자세한 내용이 궁금하다면 온라인 자료를 참조하거나 〈비즈니스 모델의 탄생〉을 직접 읽어보기 바란다.

**고객 세그먼트**(Customer Segment)

한 회사나 조직이 특정 가치 제안을 이용해 적합한 가치를 창출하고 도달하기 위해 목표로 삼는 사람들 혹은 조직을 집단별로 분류한 것을 가리킨다.

**가치 제안**(Value Propositions)

특정 고객 세그먼트에 맞춰 가치를 창출하는 일련의 제품과 서비스의 근간을 이루는 것을 말한다.

**채널**(Channels)

커뮤니케이션 채널, 유통 채널, 판매 채널 등 특정 고객 세그먼트에게 가치 제안을 전달하는 연결 통로를 말한다.

**고객 관계**(Customer Relationships)

각각의 고객 세그먼트와 어떤 형태의 관계가 수립되고, 유지되고 있는지를 개략적으로 보여주고 고객을 어떤 식으로 확보하고, 보유하는지 설명해준다.

**수익원**(Revenue Streams)

특정 고객 세그먼트에게 가치 제안을 성공적으로 제공했을 때 발생하는 결과물이다. 고객이 기꺼이 지불하려고 하는 가격을 통해 조직은 가치를 포착한다.

**핵심 자원**(Key Resources)

앞에서 설명한 요소들을 제공하고 전달하는 데 필수적인, 가장 중요한 자산을 가리킨다.

**핵심 활동**(Key Activities)

조직이 훌륭히 수행해야 하는 가장 중요한 활동이다.

**핵심 파트너십**(Key Partnerships)

외부 자원과 활동을 끌어 오는 공급업체 및 파트너들의 관계망을 가리킨다.

**비용 구조**(Cost Structure)

특정 비즈니스 모델을 운영하는 데 발생하는 모든 비용을 말한다.

***이윤***(Profit)

*모든 수익원에서 발생하는 총 수입에서 비용 구조를 이루고 있는 모든 비용의 총합을 뺀 값이다.*

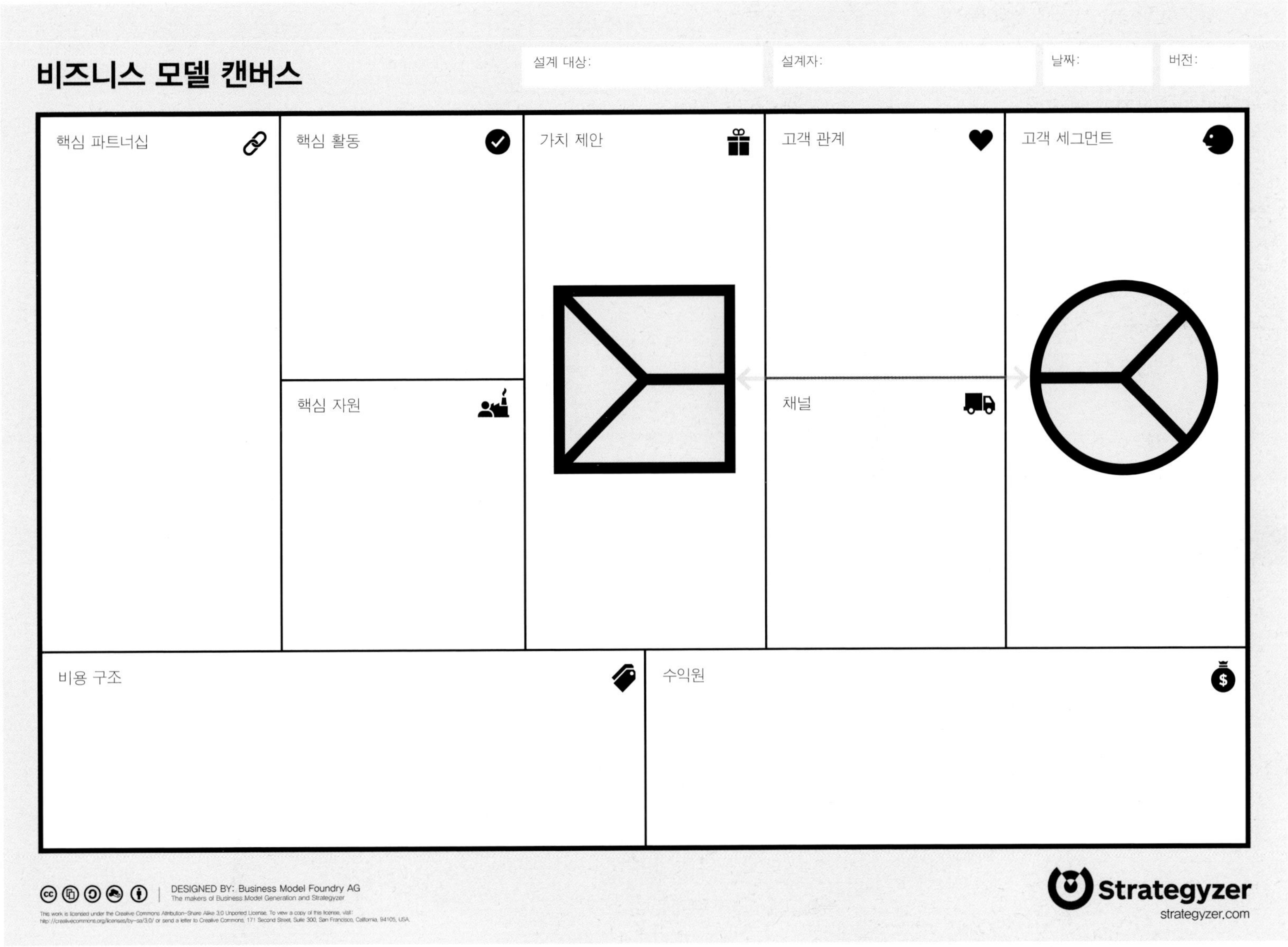


상세 비즈니스 모델 캔버스 설명(Business Model Canvas Explanation)과 비즈니스 모델 캔버스 pdf 파일 다운로드하기

# 가치 제안 설계의 효과

당신은 완전히 무(無) 상태에서 혼자만의 힘으로 무언가를 창조하고 있는가? 아니면 기존 조직의 일원으로 활동하고 있는가?
당신의 전략적 무대가 어디냐에 따라 어떤 활동은 좀 더 쉽고 또 어떤 활동은 좀 더 어려울 수 있다.

자신의 사업을 새로 시작하는 창업가는 기존 회사 내에서 새로운 벤처 사업을 지휘하는 프로젝트 팀장과는 사뭇 다른 제약들에 부딪히게 될 것이다. 하지만 이 책에 소개된 도구들은 양쪽의 상황에 모두 적용 가능하다. 상이한 강점들을 십분 활용하고 서로 다른 장애물들을 잘 헤쳐 나가기 위해서는 각각의 출발점에 따라 그런 도구들을 실행하는 방법들도 다를 수밖에 없다.

## 신생 기업

완전 무(無) 상태에서 효과적인 가치 제안과 비즈니스 모델을 창조하기 위해 활동을 시작한 개인이나 팀.

### 주요 약점

- 한정된 예산으로 당신의 아이디어가 효과를 거둘 수 있다는 것을 증명해야 한다.
- 아이디어에 대한 수행 범위를 확대했을 경우 투자자들의 참여를 이끌어내고 관리해야 한다.
- 적합한 가치 제안과 비즈니스 모델을 찾아내기 전에 자금이 고갈될 수 있다.

### 주요 강점

- 신속하게 의사 결정을 내리고 유리한 방향으로 민첩하게 움직일 수 있다.
- 주인의식에 대한 동기 부여를 성공의 동인으로 적극 활용할 수 있다.

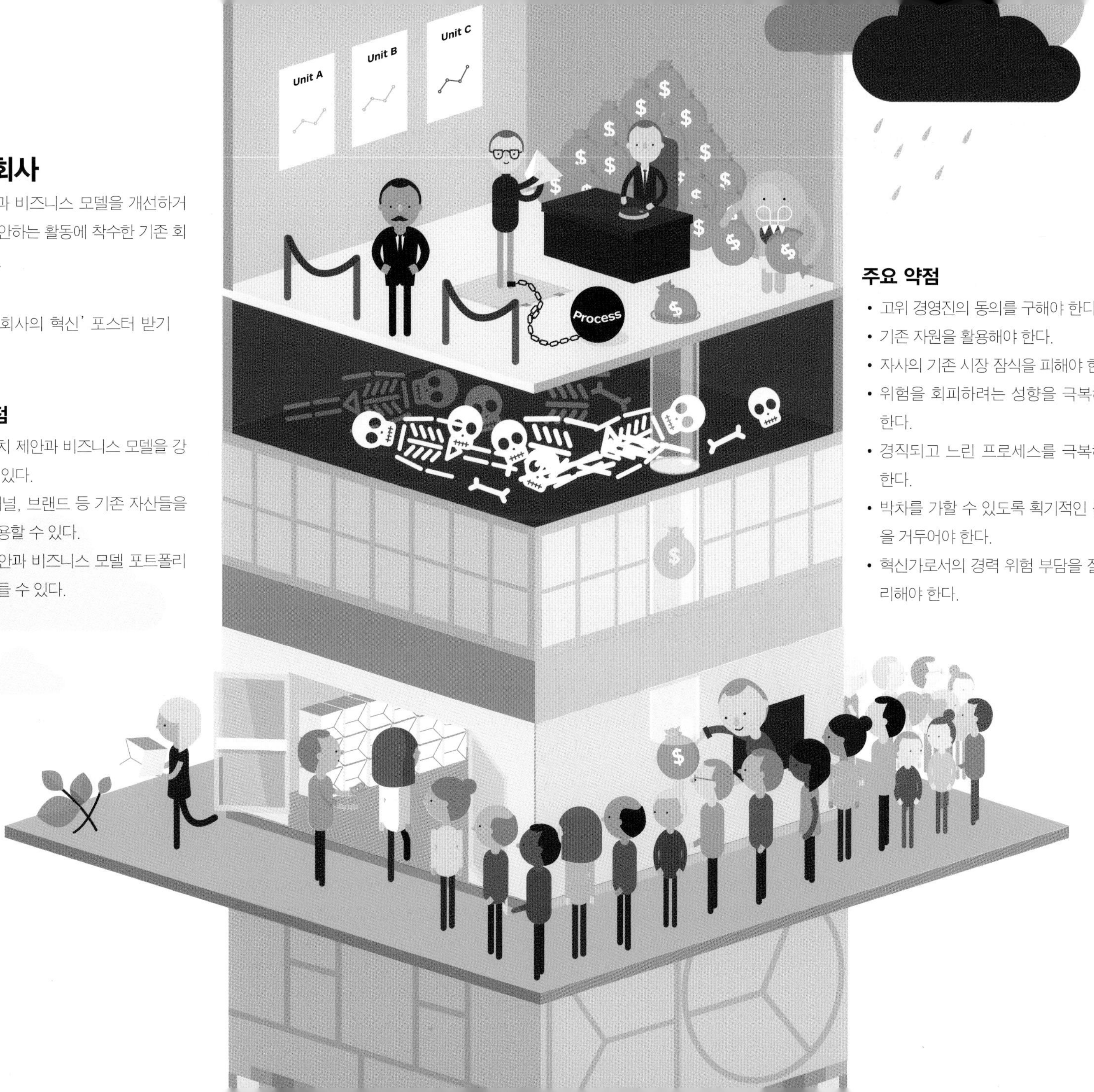


## 기존 회사

가치 제안과 비즈니스 모델을 개선하거나 새로 고안하는 활동에 착수한 기존 회사 내의 팀.

'기존 회사의 혁신' 포스터 받기

### 주요 강점

- 기존 가치 제안과 비즈니스 모델을 강화할 수 있다.
- 판매, 채널, 브랜드 등 기존 자산들을 십분 활용할 수 있다.
- 가치 제안과 비즈니스 모델 포트폴리오를 만들 수 있다.

### 주요 약점

- 고위 경영진의 동의를 구해야 한다.
- 기존 자원을 활용해야 한다.
- 자사의 기존 시장 잠식을 피해야 한다.
- 위험을 회피하려는 성향을 극복해야 한다.
- 경직되고 느린 프로세스를 극복해야 한다.
- 박차를 가할 수 있도록 획기적인 성공을 거두어야 한다.
- 혁신가로서의 경력 위험 부담을 잘 관리해야 한다.

# 〈밸류 프로포지션 디자인〉의 사용처

이 책은 가치 제안을 새로 고안하고 개선하는 데 사용할 수 있다.
앞으로 우리가 살펴보게 될 도구들은 새로운 가치 제안을 창조하는 활동은 물론 가치 제안과 비즈니스 모델을 관리하고 갱신하는 데도 효과적이다.
당신의 조직 안에서 가치 창출이라는 공유 언어를 창조하기 위해서는 가치 제안과 비즈니스 모델이 효과적으로 작동되어야 한다. 그리고 그런 도구들을 이용해서 고객 프로필에 부합하는 가치 제안을 계속 고안하고 개선시켜나가야 한다.
명심해야 할 점은 이것이 끝없이 이어지는 활동이라는 것이다.

## 고안

사람들이 원하는 새로운 가치 제안과 효과적인 비즈니스 모델을 고안한다.

# 개선

기존의 가치 제안과 비즈니스 모델을 관리하고, 측정하고, 시험해보고, 개선하고, 새롭게 만든다.

# 당신의 가치 제안 설계 역량을 평가해보라

우리가 제공한 온라인 테스트를 통해 가치 제안 설계의 체계적 수행과 성공에 필요한 자세와 기량을 당신이 어느 정도 갖추고 있는지 스스로 평가해보기 바란다. 이 책의 활용 전과 후로 나누어 테스트를 해본다면 당신의 발전 정도를 쉽게 측정할 수 있을 것이다.

온라인으로 당신의 역량 테스트해보기

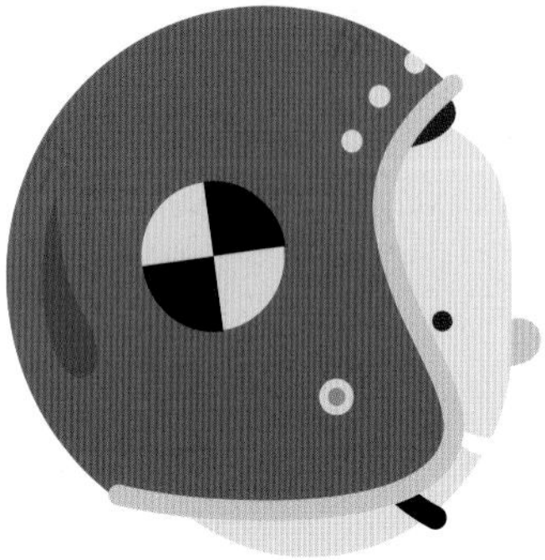

## 기업가적 지식

새로운 무언가를 시도하는 것을 즐기고 실패 위험을 위협이 아니라 배우고 발전할 수 있는 기회로 여긴다. 그리고 전략과 전술을 적절히 안배할 수 있다.

## 도구 활용 능력

훌륭한 가치 제안과 비즈니스 모델을 찾는 데 가치 제안 캔버스, 비즈니스 모델 캔버스, 기타 도구와 프로세스들을 체계적으로 사용한다.

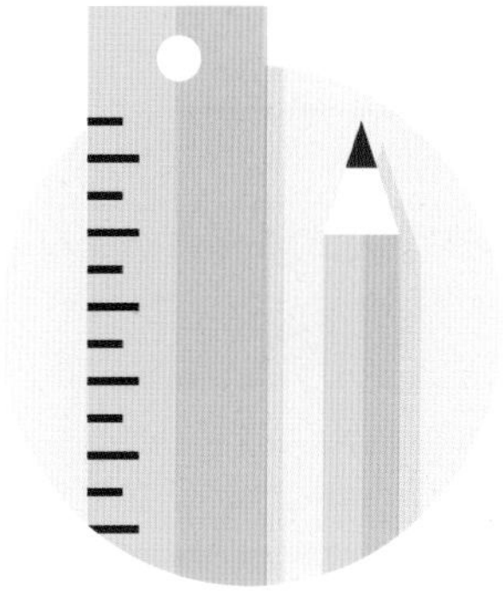

## 설계에 필요한 사고 능력

특정 방향을 선택해서 개선 활동에 착수하기 전에 다양한 대안들을 두루 살펴본다. 결과를 예측하기 힘들고 계속 되풀이해야 하는 가치 창출 활동의 어려움을 잘 받아들인다.

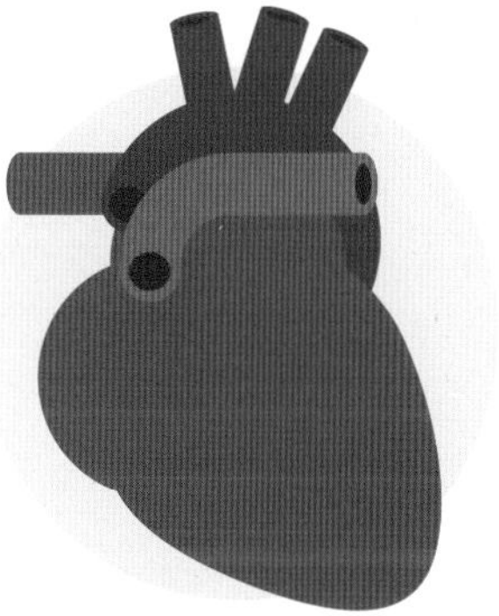

## 고객 공감

고객의 시각을 견지하려는 노력을 멈추지 않는다. 고객에게 제품/서비스를 판매하는 능력보다 고객의 이야기를 경청하는 능력이 훨씬 더 뛰어나다.

## 실험 관련 기량

자신의 아이디어를 뒷받침하고 비전을 테스트해볼 수 있는 증거를 체계적으로 찾아낸다. 효과적인 것과 그렇지 않은 것을 가려내기 위해 아주 초기 단계에서부터 실험을 실시한다.

# 가치 제안 설계에 대해 동료들을 납득시켜라

나는…

새로운 가치 제안 및 비즈니스 모델 개발과 관련해서 우리의 진척 상황을 추적할 방법이 없다는 것이 걱정된다.

우리가 고객에게 부합하는 가치를 창조하는 것보다 제품과 기능에만 너무 초점을 맞추는 것 같아 불안하다.

새로운 가치 제안 개발과 관련해서 제품 개발, 판매, 마케팅 활동이 서로 조화를 이루지 못하고 따로 논다는 사실을 발견하고 깜짝 놀랐다.

우리의 훌륭한 아이디어와 좋은 의도에도 불구하고 아무도 원치 않는 물건을 만들 때가 많다는 사실이 놀라울 따름이다.

지난번 회의 시간에 가치 제안과 비즈니스 모델에 관해 그렇게 많은 이야기를 나누었음에도 실질적인 결론을 도출하지 못했다는 사실이 정말 실망스럽다.

새로운 가치 제안 및 비즈니스 모델에 관한 지난번 프레젠테이션 내용이 아주 불명확하다는 것을 발견하고 상당히 놀랐다.

지난번 사업 계획에서 그렇게 훌륭한 아이디어에 대한 테스트를 실시하지 않아서 결국 실패로 끝났을 때 우리가 아주 많은 자원을 낭비했다는 사실을 깨닫고 엄청 놀랐다.

우리의 제품 개발 프로세스가 고객에게 좀 더 초점을 맞춰야 하는데도 그렇지 않고 있다는 사실이 우려스럽다.

연구 개발에는 그렇게 많은 투자를 하면서도 올바른 가치 제안과 비즈니스 모델 개발에는 투자가 제대로 이뤄지지 않고 있다는 사실에 놀랐다.

우리 팀의 모든 구성원들이 훌륭한 가치 제안에 대한 이해를 공유하고 있는지 의구심이 든다.

가치 제안, 비즈니스 모델 캔버스와 함께 사용할 10가지 논거 슬라이드 받기

can

vas

# 1

우리의 가치 제안 캔버스는 고객 프로필과 가치 맵, 두 부분으로 이루어져 있다. **고객 프로필**[p.10]은 고객에 대해 명확한 이해를 돕는 부분이고 **가치 맵**[p.26]에서는 해당 고객에게 부합하는 가치를 어떤 식으로 창조할 것인지 기술한다. 그리고 이 두 부분이 교차하는 중간 지점에서 상품/서비스의 **적합성**[p.40]에 도달하게 된다.

# 가치 창조

고객을 유인하기 위해 당신이 **설계**한 일련의 가치 제안 **이점**들

개념 정의

**가치 제안**

*가치 제안은 고객이 당신의 제품과 서비스에서 기대할 수 있는 이점들을 요약 기술한 것이다.*

**상품/서비스의 적합성**

# 고객 관찰

시장에서 당신이 **추정**하고 **관찰**하고 **확인**한 일련의 고객 **특성**들

# 가치 맵

가치 제안 맵은 당신의 사업 모델 속에 내재된 특정 가치 제안의 특징들을 더욱 체계적이고 자세히 설명해준다. 그리고 그 속에서 당신의 가치 제안은 제품과 서비스, 불만 해결 방안, 혜택 창출 방안으로 세분화된다.

**혜택 창출 방안 :** 당신의 제품과 서비스가 어떤 식으로 고객 혜택을 창출하는지 기술한다.

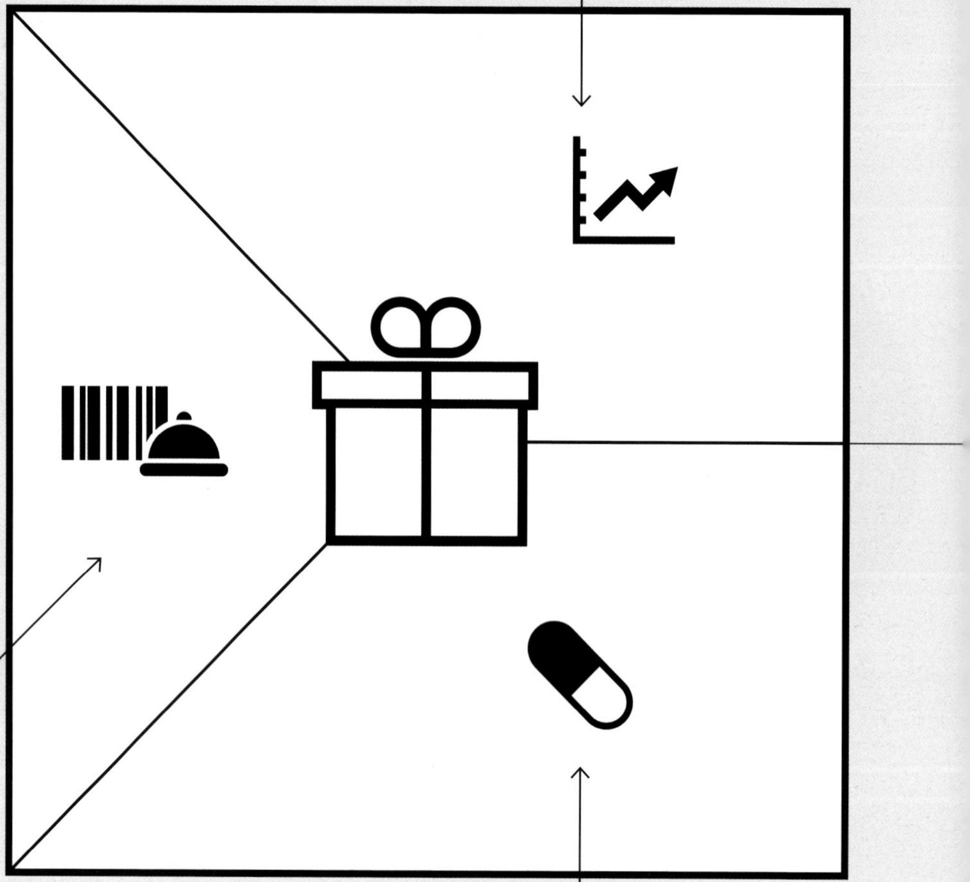

**제품과 서비스 :** 가치 제안의 설계 대상을 이루고 있는 제품과 서비스를 열거한다.

**불만 해소 방안 :** 당신의 제품과 서비스가 고객 불만을 어떤 식으로 경감시켜주는지 기술한다.

# 고객 프로필

고객(세그먼트) 프로필은 사업 모델의 특정 고객층을 좀 더 체계적으로 자세히 소개하고 해당 세그먼트를 활동, 불만, 혜택으로 나누어 설명한다.

**혜택** : 고객이 달성하고자 하는 결과나 추구하는 실질적 혜택을 기술한다.

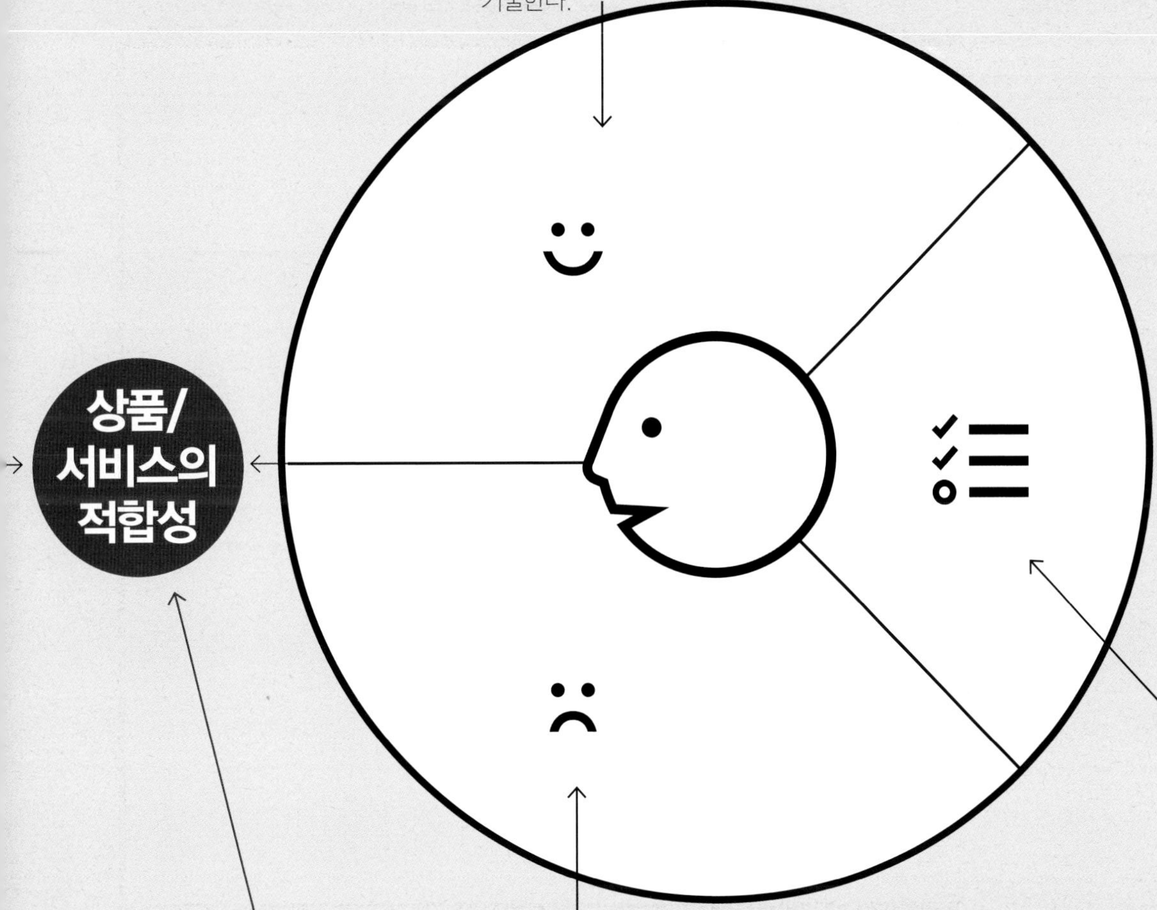


**고객 활동** : 고객이 자신의 업무나 생활 속에서 수행하려고 노력한다고 말한 활동들을 기술한다.

**불만** : 고객 활동과 관련해서 불만족스런 결과, 위험 요소, 장애물들을 기술한다.

가치 맵과 고객 프로필이 교차할 때 상품/서비스의 **적합성**에 도달할 수 있다. 즉, 당신의 제품과 서비스가 고객이 중요시하는 활동, 불만, 혜택 중 한 가지 이상에 부합되는 해결책과 추가 혜택을 제공할 때에만 적합성을 확보할 수 있다는 얘기다.

# 1.1

# 고객 프로필

# 고객 활동

여기서 활동이란 고객이 업무나 생활 속에서 수행하려고 하는 일들을 가리킨다. 그들이 수행하거나 완수하고 싶어 하는 업무, 해결하려고 시도하는 문제, 충족시키려고 애쓰는 욕구도 모두 고객 활동에 포함된다.
이런 고객 활동을 조사할 때는 반드시 고객의 관점에서 바라보아야 한다. 당신이 생각하기에 중요할 것 같은 일이 고객이 실제로 수행하려고 하는 활동과는 동떨어진 것일 수도 있기 때문이다.*
그리고 아래에 소개하는 고객 활동의 세 가지 주된 유형과 부차적 활동도 잘 구분해야 한다.

### 기능적 활동

고객이 특정 업무를 수행 또는 완수하거나 특정 문제를 해결하려고 애쓰는 활동이다. 잔디를 깎는 활동, 소비자의 입장에서 건강에 좋은 식품을 섭취하기 위해 노력하는 활동, 보고서를 작성하는 활동, 직장에서 자신의 고객을 도와주려고 하는 활동 등이 여기에 포함된다.

### 사회적 활동

고객이 멋지게 보이고 싶거나 영향력이나 지위를 얻기 위해 하는 활동이다. 이런 활동은 고객이 다른 사람의 눈에 어떤 존재로 비치고 싶어 하는지를 그대로 보여준다. 예를 들면, 유행의 첨단을 걷는 소비자나 유능한 전문 직업인으로 보이고 싶어 한다는 것이다.

### 개인적/정서적 활동

고객이 기분의 고양이나 안전함 같이 특정 감정 상태를 추구하려고 애쓰는 경우다. 예를 들면, 소비자로서 자신의 투자 행위에 대해 평안한 마음 상태를 추구한다거나 고용이 보장되는 안정적 직장이라는 느낌을 갈구하는 것이다.

### 부차적 활동

소비자 혹은 직업인의 입장에서 가치를 구매하고 소비한다는 점에서 고객은 부차적인 활동도 수행하게 되는데 이런 활동은 다음과 같은 상이한 세 가지 역할에서 비롯된다.

• 가치의 구매자 : 가치를 구매하는 것과 관련된 활동이다. 예를 들면, 다양한 제품/서비스를 비교하고, 어떤 것을 구매할지 결정하고, 계산대 앞에서 줄을 서고, 구매를 완료하고, 제품/서비스를 건네받는 활동들을 말한다.

• 가치의 공동 창조자 : 자신이 속한 조직과 함께 가치를 창조하는 것과 관련된 활동이다. 예를 들면, 상품평이나 소감을 올리고, 심지어 상품이나 서비스의 설계 작업에 직접 참여하기도 한다.

• 가치의 양도자 : 가치 제안 라이프 사이클의 종착점과 관련된 활동이다. 제품/서비스 사용을 취소하거나, 제품을 처분하거나, 타인에게 이전하거나, 재구매하는 활동이 이 경우에 해당된다.

*수행 활동은 컨설팅 회사 스트래트진(Strategyn)의 앤서니 울윅(Anthony Ulwick), 컨설턴트 릭 페디(Rick Pedi), 밥 모에스타(Bob Moesta), 드폴 대학(DePaul University)의 데니스 니터하우스(Denise Nitterhouse) 교수 등 몇몇 경영 사상가들이 독자적으로 개발한 개념이다. 클레이 크리스텐슨(Clay Christensen)와 그의 컨설팅 회사 이노사이트(Innosight), 그리고 앤서니 울윅의 스트래트진이 이 개념의 대중화에 앞장섰다.

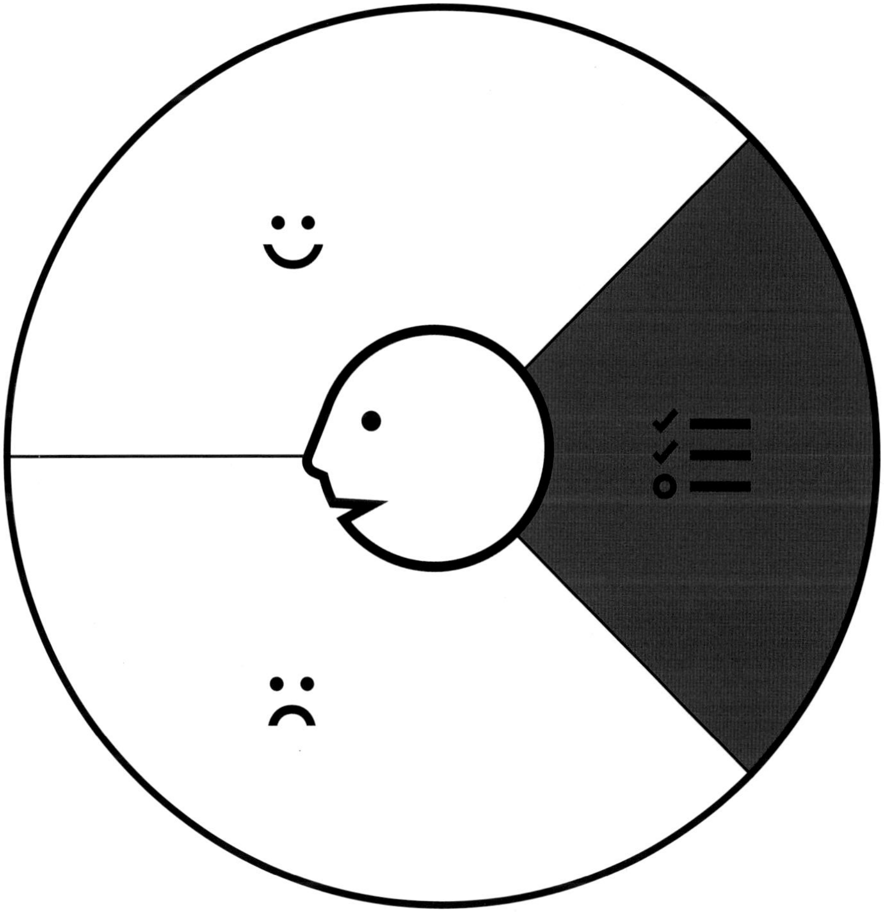

## 활동 맥락

고객 활동은 그들이 무언가를 수행하는 특정 맥락에 따라 달라지는 경우가 많다. 그런 맥락이 고객 활동에 어떤 제약이나 제한을 가할 수 있기 때문이다. 한 예로, 누군가에게 급히 전화를 걸어야 한다고 했을 때, 기차를 타고 이동 중일 때와 직접 자동차를 몰고 가는 상황이 같을 수 없다. 마찬가지로 아이를 데리고 극장에 가는 것과 배우자와 함께 영화를 보러가는 상황 역시 다를 수밖에 없다.

## 활동의 중요도

*모든 활동이 고객에게 동일한 중요도를 갖는 것은 아니라는 사실을 인정할 필요가 있다. 어떤 활동은 제대로 수행하지 못할 경우, 심각한 결과를 초래할 수 있기 때문에 고객의 업무나 생활면에서 좀 더 중요한 의미를 가질 수 있다. 하지만 고객이 다른 쪽에 더 많은 관심을 기울이느라 대수롭지 않게 여기는 활동도 있고 빈번하게 일어나기 때문에, 아니면 바라는 혹은 바라지 않는 결과를 가져올 수 있기 때문에 중요시하는 활동도 있다.*

**+**
**중요하다**
↕
**중요하지 않다**
**-**

# 고객 불만

어떤 활동을 수행하기 전, 수행하는 동안, 수행한 후 고객을 짜증나게 하거나 단순히 활동 자체를 방해하는 것이 있다면 그것이 무엇이 됐든 모두 불만에 포함된다. 또한 활동을 형편없이 수행하거나 활동을 전혀 수행하지 못하는 것과 관련된 위험 부담, 즉, 안 좋은 결과가 일어날 가능성 역시 불만에 해당된다.
고객 불만을 세 가지 형태로 세분화해서 고객이 그런 불만을 얼마나 심각하게 여기는지 파악해야 한다.

### 원치 않은 결과, 문제, 특성

여기에도 기능적 측면(예: 효과적이지 않거나 효과 정도가 만족스럽지 않거나 부작용을 내포하는 해결책), 사회적 측면(예: '이것을 하면 다른 사람들 눈에 내가 바보처럼 보일 것이다'), 정서적 측면(예: '이 일을 할 때마다 기분이 나빠진다'), 또는 부수적 측면(예: '이것 때문에 상점에 가야 하는 것이 귀찮고 짜증스럽다')의 불만들이 존재한다. 이런 불만은 어쩌면 고객이 좋아하지도 않고 원하지도 않는 특성들과 관련된 것일 수도 있다. 예를 들면, '헬스클럽의 러닝머신 위에서 달리는 것은 정말 따분하다'거나 '이 디자인은 정말 꽝이다'라는 식의 불만 말이다.

### 장애물

활동 자체를 시작하지 못하게 방해하거나 진행 속도를 더디게 만드는 것들은 모두 장애물에 해당된다(예: '이 일을 정확히 수행할 시간이 없다' 또는 '기존의 해결책들 중에는 사용할 만한 것이 없다').

### 위험 부담(원치 않는 결과가 나타날 가능성)

수행한 활동이 잘못되거나 중대한 부정적 결과가 일어날 가능성을 말한다(예: '이런 형태의 해결책을 사용하면 신뢰를 잃게 될지도 모른다' 또는 '보안 사고는 우리에게 재앙이 될 것이다').

### 불만의 심각성

*고객에게 중요한 활동이 있고 사소한 활동이 있듯이 고객 불만에도 극심한 것도 있고 그럭저럭 견딜 만한 것이 있다.*

+
**극심하다**
↕
**견딜 만하다**
−

### Tip: 불만을 구체적으로 파악하라

활동, 불만, 혜택의 차이점을 명확히 하기 위해서는 그런 것들을 최대한 구체적으로 기술해야 한다. 예를 들면, 어떤 고객이 '줄을 서서 기다리는 것은 시간 낭비다'라고 말했다면 정확히 몇 분 이상을 기다려야 시간 낭비라고 생각하는지 물어보는 것이다. 그런 다음 '○○분 이상 줄을 서서 기다리는 것은 시간 낭비'라고 기록해야 한다. 고객이 불만의 심각도를 측정하는 기준을 정확히 이해하고 나면 당신의 가치 제안에 더 나은 불만 해소 방안을 설계할 수 있게 된다.

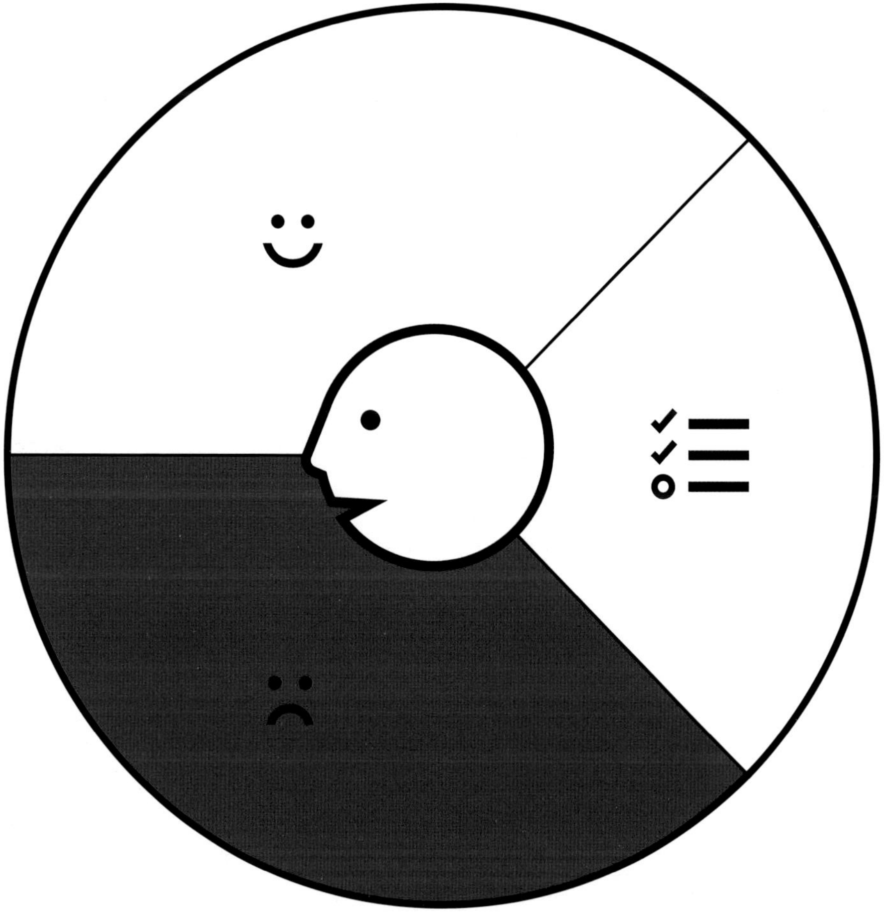

**아래 소개한 트리거 질문들을 사용하면 고객의 상이한 잠재 불만을 떠올리는 데 도움이 될 것이다.**

- 당신의 고객이 너무 과하다고 생각하는 대가의 기준은 무엇인가? 시간이 많이 드는 것? 돈을 너무 많이 지불하는 것? 부수적인 노력을 요구하는 것?
- 고객을 기분 나쁘게 만드는 것은 무엇인가? 그들을 불만스럽게 하거나 짜증나게 하거나 골치 아프게 하는 것은 무엇인가?
- 현재의 가치 제안은 고객의 기대에 어느 정도 미흡한 상태인가? 그런 가치 제안이 놓치고 있는 특성은 무엇인가? 고객을 짜증나게 하거나 고객이 지적하는 수행 관련 문제점이 존재하는가?
- 고객이 직면하는 주된 난관이나 도전은 무엇인가? 사용 방법을 고객이 잘 이해하고 있는가? 무언가를 수행하는 데 어려움을 겪지는 않는가? 또는 특별한 이유로 인해 특정 활동 수행을 거부하지는 않는가?
- 고객이 직면하거나 두려워하는 부정적인 사회적 결과는 무엇인가? 고객은 체면이나 영향력, 신뢰, 지위 상실을 두려워하는가?
- 고객이 두려워하는 위험 부담은 무엇인가? 그들은 재정적 또는 사회적, 기술적 위험 부담을 두려워하는가? 그들은 잘못될 수 있는 것에 대해 자문해보는가?
- 고객이 밤잠을 이루지 못할 정도로 고민하는 것은 무엇인가? 그들의 가장 큰 문제, 걱정거리, 불안은 무엇인가?
- 고객이 공통적으로 저지르는 실수는 무엇인가? 혹시 해결책을 잘못된 방향으로 사용하고 있지는 않은가?
- 고객이 가치 제안을 받아들이지 못하게 하는 방해물은 무엇인가? 선불 투자 비용? 숙달하는 데 시간과 노력이 많이 요구되는 사용법? 아니면 가치 제안의 수용을 가로막는 다른 장애물이 존재하는가?

트리거 질문 다운로드하기

# 고객 혜택

당신의 고객이 원하는 결과와 이점을 가리킨다.
고객이 요구하거나 기대하거나 간절히 바라는 혜택도 있는가 하면 어떤 혜택은 고객을 깜짝 놀라게 만들기도 한다. 기능적 유용성, 사회적 혜택, 긍정적 감정 유발, 비용 절감 모두 혜택에 해당된다.
고객 혜택은 결과와 이점 면에서 다음 네 가지로 구분할 수 있다.

### 요구 혜택

이것이 없으면 어떤 해결책도 절대 효과를 발휘할 수 없다. 예를 들면, 우리가 스마트폰에 기대하는 가장 기본적인 혜택은 전화를 걸 수 있다는 것이다.

### 기대 혜택

우리가 어떤 해결책에 기대하는 비교적 기본적인 수준의 혜택을 가리킨다. 물론 이것이 없어도 사용할 수는 있다. 애플에서 아이폰(iPhone)이 출시된 이후 사람들이 모든 휴대전화기에 뛰어난 설계와 멋진 디자인을 기대하게 된 것이 대표적 예라고 할 수 있다.

### 희망 혜택

우리가 어떤 해결책에 기대하는 기본적인 것, 그 이상의 혜택을 말한다. 갖추고 있다면 정말 멋질 것 같은 그런 혜택 말이다. 일반적으로 고객에게 물어보면 그런 혜택을 많이 이야기해줄 것이다. 스마트폰이 다른 기기들과도 자연스럽게 호환되길 바라는 것 역시 그런 혜택 가운데 하나다.

### 예상치 못한 혜택

고객의 기대나 희망 사항을 완전히 뛰어넘은 혜택이다. 고객에게 물어봐도 전혀 생각해내지 못할 혜택 말이다. 애플이 터치스크린과 앱 스토어(App Store)를 대중화하기 전까지 그런 것들을 휴대전화의 일부분으로 여기는 사람은 아무도 없었다.

### 혜택의 중요도

*고객 불만에도 극심한 것과 견딜 만한 것이 있듯이 고객 혜택 역시 고객이 필수적이라고 느끼는 것이 있는가 하면 그저 있으면 좋은 정도라고 느끼는 것도 있다.*

**+ 필수적이다**
↕
**있으면 좋다 −**

### Tip: 혜택을 구체적으로 명시하라

불만과 마찬가지로 혜택도 활동, 불만, 혜택 간의 차이를 명확히 구분하기 위해서는 최대한 구체적으로 기술하는 것이 바람직하다. 고객이 희망 혜택으로 '더 나은 성능'을 말했다면 구체적으로 어느 정도를 기대하거나 희망하는지 물어보아야 한다. 그래서 '○○ 이상으로 향상된 성능을 원한다'라고 정확히 기록하는 것이다. 고객이 혜택(예: 결과와 이점)을 측정하는 기준을 이해하고 나면 당신의 가치 제안에 더 나은 혜택 창출 방안을 설계할 수 있게 된다.

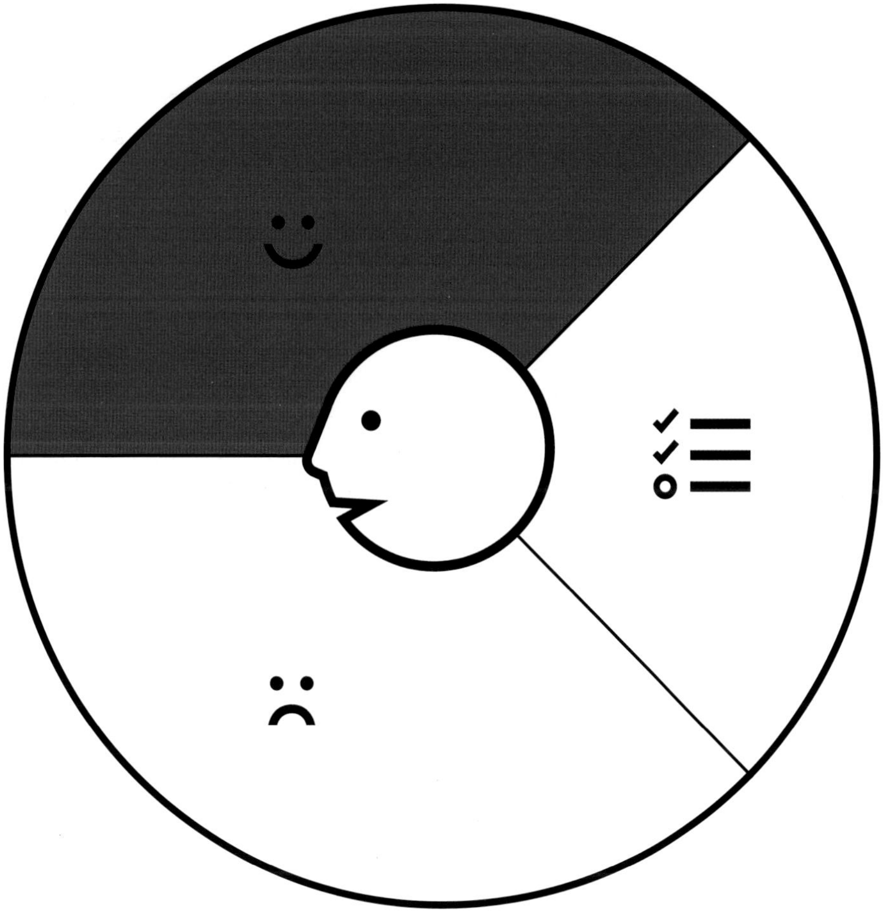

## 아래 소개한 트리거 질문들을 사용하면 상이한 잠재 고객 혜택을 떠올리는 데 도움이 될 것이다.

- 당신의 고객은 어떤 것을 절감해주면 좋아할 것 같은가? 시간, 비용, 노력 중에서 어떤 절감을 가장 중요하게 여기겠는가?
- 고객이 기대하는 품질 수준은 어느 정도인가? 그리고 더 높여주거나 더 낮춰주길 바라는 것은 무엇이겠는가?
- 현재의 가치 제안은 당신의 고객을 얼마나 기쁘게 만드는가? 그들이 즐기는 기능은 구체적으로 무엇인가? 그들이 기대하는 성능과 품질은 무엇인가?
- 무엇이 고객의 활동이나 생활을 좀 더 용이하게 만들어줄 것 같은가? 숙달 시간과 노력을 줄여주거나 더 많은 서비스를 제공하거나 구입 비용을 더 낮춰줄 수 있는 것은 무엇인가?
- 고객이 갈망하는 긍정적인 사회적 결과는 무엇인가? 그들을 멋지게 보이게 해주는 것은 무엇인가? 그들의 영향력이나 지위를 향상시켜주는 것은 무엇인가?
- 고객이 가장 간절히 추구하는 것은 무엇인가? 훌륭한 디자인인가? 보장 서비스인가? 특정 기능인가? 아니면 더 많은 기능인가?
- 고객이 희망하는 것은 무엇인가? 그들이 달성하려고 애쓰는 것은 무엇인가? 그들에게 큰 위안이 되는 것은 무엇일 것 같은가?
- 고객은 성공과 실패를 어떤 식으로 측정하는가? 그들이 성능이나 비용을 측정하는 기준은 무엇인가?
- 고객이 당신의 가치 제안을 수용할 가능성을 높여주는 것은 무엇이겠는가? 더 낮은 비용, 더 적은 투자, 더 낮은 위험 부담, 더 높은 품질 중에서 그들이 바라는 것은 무엇일 것 같은가?

트리거 질문 다운로드하기

# '경영서를 읽는 독자'의 프로필

지금부터 우리는 이 책의 잠재 독자를 이용해서 고객 프로필을 설명하려고 한다. 우리는 일반적으로 비즈니스맨들에게 부합되는 혁신적이고 좀 더 전체적인 가치 제안을 설계하려고 하기 때문에 단순히 독서와 관련된 활동, 불만, 혜택은 의도적으로 건너뛰었다.

오른쪽에 개략적으로 작성한 고객 프로필은 우리가 워크숍 참가자들을 상대로 몇 차례 실시했던 인터뷰와 다양한 상호작용에서 파악한 것들이다. 그렇다고 해서 반드시 기존 고객 지식에서 시작할 필요는 없다. 당신이 생각하는 잠재 고객의 모습을 바탕으로 고객 프로필을 작성해서 아이디어 탐색 활동에 나설 수도 있다. 이것은 고객 인터뷰를 준비하고 고객 활동, 불만, 혜택에 관한 당신의 추정을 테스트하는 데 아주 훌륭한 출발점이 될 것이다.

혜택은 고객이 요구하거나 바라는 이점, 결과, 특성들을 말한다. 고객이 어떤 활동을 성공적으로 수행할 수 있게 해주는 가치 제안의 바람직한 특성이나 활동 결과도 여기에 포함된다.

불만과 혜택을 실질적이고 구체적으로 기술하는 것이 좀 더 효과적이다. 예를 들면, '내가 종사하는 업계의 사례들'은 '내 경험상'이라는 표현보다 더 구체적이다. 고객에게 혜택과 불만을 어떤 식으로 측정하는지 물어보라. 또 그들이 수행하려고 하는 활동의 성공이나 실패를 어떤 식으로 판가름하는지도 조사하기 바란다.

당신의 고객에 대해 심도 높은 이해를 갖추어야 한다. 고객에 대해 작성한 메모지가 몇 장밖에 안 된다는 것은 그만큼 고객에 대한 이해가 낮다는 방증일 수 있다. 활동, 불만, 혜택을 최대한 많이 찾아내라. 당신의 가치 제안과 직접적 관련이 있는 것들만 조사해서는 안 된다. 범위를 더 확대해서 조사해야 한다.

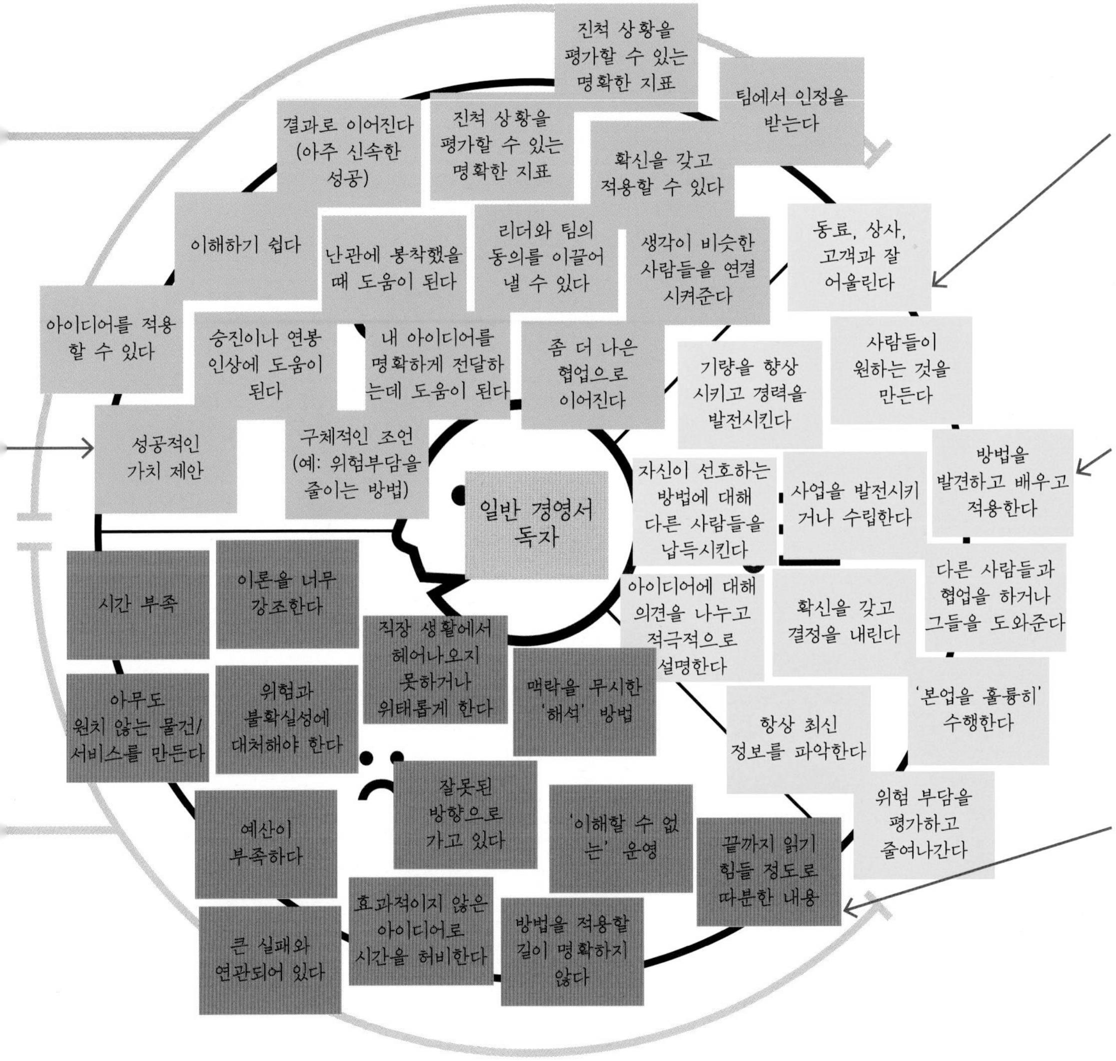


일반적으로 파악하기 쉬운 기능적 활동 외에도 고객의 사회적 및 정서적 활동에 대해서도 알고 있어야 한다.

활동에 대해 피상적인 수준의 이해에 그쳐서는 안 된다. 그것을 뛰어넘는 깊이 있는 이해가 필수적이다. 고객은 왜 '새로운 지식을 배우고' 싶어 하는 것일까? 어쩌면 자신들의 조직에 새로운 방법을 이식하고 싶어서일 수도 있다. 가장 중요한 활동을 알아내기 위해서는 몇 번이 됐든 계속해서 '그 이유'를 물어보아야 한다.

당신이 염두에 두고 있는 가치 제안이나 제품과 관련된 고객 활동, 불만, 혜택들만 떠올려서는 안 된다. 그런 것(예: '경영서들은 내용이 너무 길다')은 물론 여타 극심한 불만들(예: '시간 부족', '상사의 이목을 집중시킨다')도 파악해야 한다.

# 활동, 불만,
# 혜택의 순위 매기기

고객의 선호도가 제각각 다르겠지만 고객의 우선순위를 어느 정도는 파악하고 있어야 한다. 다수의 고객이 중요시하는 활동 또는 등한시하는 활동에 대해 조사하라. 가장 극심한 불만은 무엇이고 가장 미약한 불만은 무엇인지, 또 고객이 필수적이라고 생각하는 혜택과 그냥 있으면 좋은 정도의 혜택은 무엇인지도 알아내기 바란다.

고객이 정말 중요시하는 것을 해결해주는 가치 제안을 설계하기 위해서는 활동, 불만, 혜택의 순위를 반드시 매겨야 한다. 물론 고객이 정말 중요하게 여기는 것을 알아내기란 결코 쉬운 일이 아니다. 그러나 고객과의 일상적인 상호작용과 실험을 통해서 고객에 대한 당신의 이해도를 얼마든지 향상시킬 수 있다.
고객의 시각에서 바라본 우선순위가 그대로 드러날 때까지 그런 순위를 계속 테스트할 계획이라면 잠재 고객에게 중요할 것이라고 여겨지는 당신의 추정 순위에서 출발해도 무방하다.

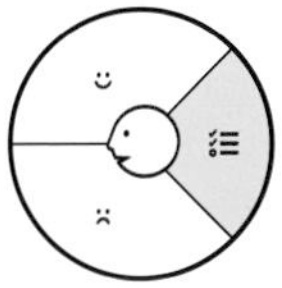

### 활동의 중요도

고객이 중요시하는 정도에 따라 활동의 순위를 매긴다.

+ 중요하다

- 기술을 향상 시키고 경력을 발전시킨다
- '자신의 본업'을 훌륭히 수행한다
- 사업을 개선하거나 수립한다
- 위험 부담을 평가하고 줄여나간다
- 다른 사람들과 협업하거나 그들을 도와준다
- 방법을 발견하고 익히고 적용한다

- 동료, 상사, 고객과 잘 어울린다
- 확신을 갖고 결정을 내린다
- 아이디어에 대해 의견을 나누고 납득시킨다
- 사람들이 원하는 것을 만든다
- 자신이 선호하는 방법에 대해 다른 사람들을 납득시킨다
- 항상 최신 정보를 파악한다

중요하지 않다 −

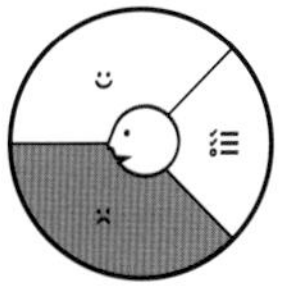

### 불만의 극심 정도

고객이 얼마나 극심하게 여기는지를 바탕으로 불만의 순위를 매긴다.

+ 극심하다

- 직장 생활에서 헤어나오지 못하거나 위태롭게 한다
- 잘못된 방향으로 가고 있다
- '이해할 수 없는' 운영
- 위험과 불확실성에 대처해야 한다
- 효과적이지 않은 아이디어로 시간을 낭비한다
- 맥락을 무시한 '해석' 방법
- 이론을 너무 강조한다

- 큰 실패와 관련이 있다
- 예산이 부족하다
- 아무도 원치 않는 것을 만든다
- 시간이 부족하다
- 방법을 적용할 길이 명확하지 않다
- 끝까지 읽기 힘들 정도로 내용이 따분하다

견딜 만하다 −

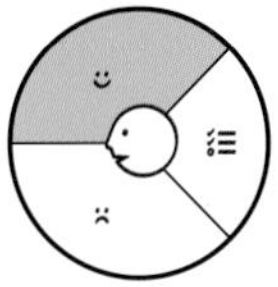

### 혜택의 중요도

고객이 얼마나 필수적이라고 여기는지에 따라 순위를 매긴다.

+ 필수적이다

- 승진이나 연봉 인상에 도움이 된다
- 리더와 팀의 동의를 얻을 수 있다
- 팀의 인정을 받는다
- 난관에 봉착했을 때 도움이 된다
- 아이디어를 적용할 수 있다
- 확신을 갖고 적용할 수 있다
- 이해하기 쉽다

- 성공적인 가치 제안
- 결과(아주 신속한 성공)로 이어진다
- 나의 아이디어를 분명하게 전달하는 데 도움이 된다
- 진척 상황을 측정할 수 있는 명확한 지표
- 좀 더 나은 협업으로 이어진다
- 구체적인 조언(예: 위험 부담을 줄이는 방법)

있으면 좋다 −

# 고객의 입장이 되어보라

**활동 목적**
당신의 고객이 중요시 하는 것을 다른 사람들과 공유할 수 있는 형태로 시각화한다.

**활동 결과**
1페이지 분량의 실행 가능한 고객 프로필.



고객의 활동, 불만, 혜택에 대해 당신은 얼마나 잘 이해하고 있는가? 한 번 고객 프로필을 작성해보기 바란다.

**지시 사항**

기존 고객 세그먼트 중 하나의 프로필을 작성해서 고객 프로필을 이용하는 연습을 해보라. 만약 새로운 아이디어를 구상 중이라면 당신이 창출하려고 하는 가치의 타깃이 될 고객 세그먼트에 대해 간단히 요약해보기 바란다.

1. 고객 프로필 캔버스 다운로드하기.
2. 점착 메모지를 손에들고,
3. 고객 프로필을 작성한다.

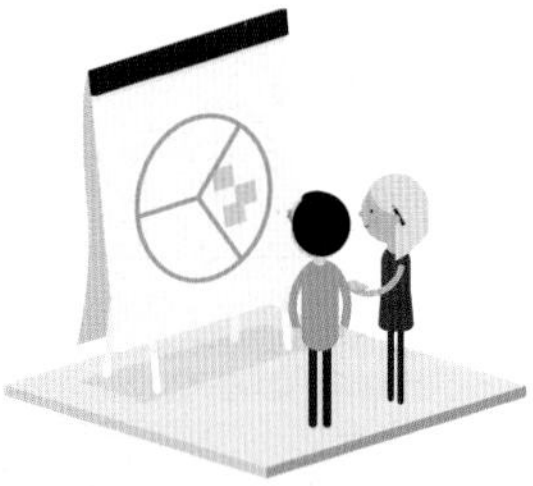

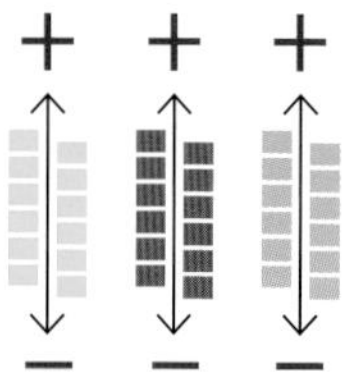

## 1

**고객 세그먼트를 선택하라**

당신이 프로필을 작성하려고 하는 고객 세그먼트를 하나 선택한다.

## 2

**고객 활동을 파악하라**

고객이 완수하려고 하는 활동이 무엇인지 파악하라. 각각의 내용을 포스트잇에 하나씩 적은 후 고객 활동을 모두 나열한다.

## 3

**고객 불만을 파악하라**

당신의 고객은 어떤 불만을 갖고 있는가? 당신이 떠올릴 수 있는 불만, 난관, 위험들을 최대한 많이 적어보라.

## 4

**고객 혜택을 파악하라**

당신의 고객이 도달하려고 하는 결과와 이점들은 무엇인가? 생각나는 대로 모두 적어보기 바란다.

## 5

**활동, 불만, 혜택별로 각각의 우선순위를 매겨라**

활동, 불만, 혜택에 맞춰 세로로 세 칸을 만든 다음 각 칸의 맨 위쪽에는 가장 중요한 활동, 가장 극심한 불만, 가장 필수적인 혜택들을 붙이고 아래쪽에는 견딜 만한 불만, 있으면 좋은 혜택들은 배치한다.

Do this exercise online

# 고객 프로필

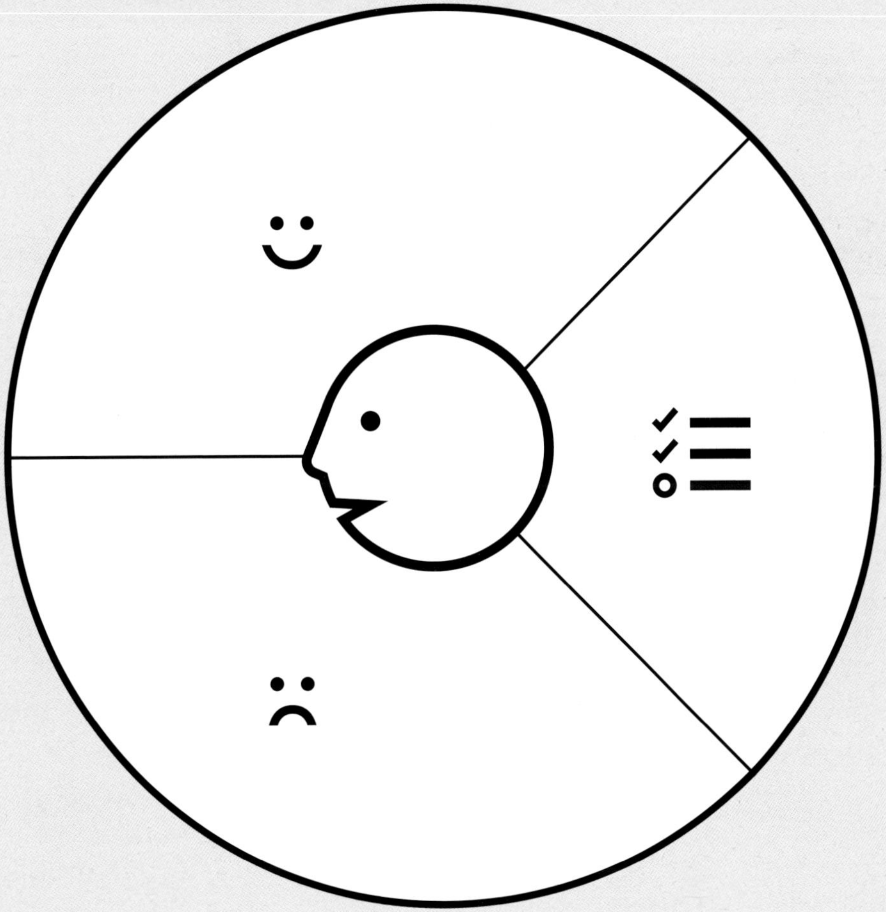

Strategyzer



고객 프로필 pdf 파일 다운로드하기

# 활동, 불만, 혜택 매핑(Mapping)의 모범 사례

고객 프로필을 작성할 때 빈번하게 저지르는 실수들을 피해야 한다. 그리고 아래에 소개한 모범 사례들을 그대로 따르기 바란다.

## ✗ 가장 많이 저지르는 실수

몇 개의 고객 세그먼트를 섞어서 한 개의 프로필로 만든다.

활동과 결과를 뒤섞는다.

오로지 기능적 활동에만 초점을 맞추고 사회적, 정서적 활동은 무시해버린다.

자신이 생각하는 가치 제안에 맞춰 활동, 불만, 혜택을 열거한다.

파악한 활동, 불만, 혜택이 너무 적다.

불만과 혜택에 대한 설명이 너무 모호하다.

## ✔ 모범 사례

각각의 고객 세그먼트별로 가치 제안 캔버스를 만든다. 만약 기업을 상대로 판매할 경우, 해당 기업 내부에 상이한 형태의 고객(예: 사용자, 구매자)이 존재하는지 자문해본다.

활동이란 고객이 수행하려고 애쓰는 임무, 해결하려고 시도하는 문제, 또는 충족시키려고 하는 욕구를 의미하고 혜택은 고객이 도달하고 싶어 하는 구체적인 결과를 말한다. 불만이 있을 경우, 그것을 회피하고 제거하려고 하는 것 역시 그런 구체적 결과에 해당된다.

때로는 '눈에 드러나는' 기능적 활동보다 사회적, 또는 정서적 활동이 훨씬 더 중요한 의미를 가질 수 있다. '다른 사람들의 눈에 멋지게 보이는 것'이 특정 활동을 효과적으로 수행할 수 있게 해주는 기술적 방안보다 더 중요할 수도 있다는 얘기다.

고객에 관한 매핑 작업을 실시할 때는 인류학자처럼 꼼꼼히 진행하되 당신이 제공하는 것은 완전히 '잊어야' 한다. 예를 들어, 경영 전문 출판사는 단순히 책과 관련된 활동, 불만, 혜택을 매핑해서는 안 된다. 왜냐하면 독자들의 선택 범위는 경영 서적, 컨설턴트, 유튜브 영상, 심지어 MBA 프로그램이나 훈련에 이르기까지 아주 다양하기 때문이다. 당신의 가치 제안을 통해 해결하려 하거나 해결되길 바라는 활동, 불만, 혜택 그 너머까지 내다보아야 한다는 뜻이다.

훌륭한 고객 프로필은 항상 포스트잇 메모지가 가득 붙어 있다. 왜냐하면 대부분의 고객은 불만도 많고 기대하거나 갈망하는 혜택도 많기 때문이다. 당신의 (잠재)고객이 중요시하는 활동, 극심한 불만, 필수적 혜택들을 모두 찾아내서 펼쳐놓아야 한다.

불만과 혜택을 실질적이고 구체적으로 적어야 한다. 혜택 칸에 그냥 '연봉 인상'이라고만 적는 것보다 고객이 원하는 연봉 인상이 어느 정도인지 구체적으로 기입하는 것이다. 또 막연히 '너무 오래 걸린다'라고 적는 것보다 '너무 오래'라는 것이 실제로 얼마만큼의 시간을 의미하는지 적는 것이다. 그렇게 하면 고객이 성공과 실패를 측정하는 기준을 정확히 파악할 수 있게 된다.

## 불만 VS. 혜택

고객 프로필을 작성할 때 간단히 동일한 아이디어에 대해 불만과 혜택을 서로 반대되게 나열하는 방법도 있다. 예를 들어, 고객이 수행해야 하는 활동 중에 '돈을 더 많이 버는 것'이 있다면 혜택에는 '연봉 증가', 불만에는 '연봉 감소'라고 적어 넣는 것이다.

더 좋은 방법을 소개하면 다음과 같다.:

- 고객이 돈을 더 많이 벌기를 기대한다면 정확히 어느 정도 증가해야 혜택이라고 느끼는지, 그리고 어느 정도 감소하면 불만으로 느끼는지 알아낸다.
- 어떤 활동의 수행을 방해하거나 어렵게 만드는 장애물도 불만에 추가한다. 만약 우리라면 '고용주가 임금을 올려주지 않는다'는 것도 불만에 포함시킬 것이다.
- 해당 활동을 수행하지 못하게 될 위험도 불만에 추가한다. 우리라면 '나중에는 자녀의 대학 등록금을 감당할 수 없을지도 모른다'는 것도 불만 사항에 넣을 것 같다.

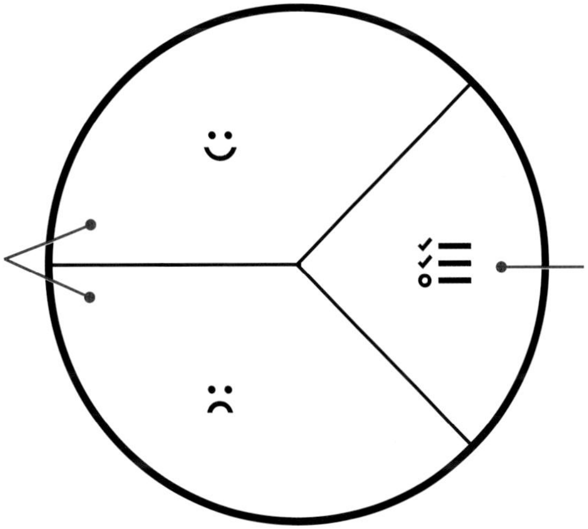

## 고객의 활동 수행에 대해 완전히 이해할 때까지 몇 번이 됐든 계속해서 '그 이유'를 물어보라.

고객 프로필을 작성할 때 부딪힐 수 있는 또 다른 문제점은 고객의 활동에 대해 피상적 수준의 이해에 안주할 수 있다는 것이다. 이런 함정을 피하려면 고객이 특정 활동을 수행하려고 하는 이유를 자문해보면서 진짜 의도를 발견할 때까지 더 깊이 파고들어야 한다.

예를 들어, 어떤 고객이 외국어를 배우고 싶어 한다면 왜 배우고 싶어 하는지 자문해보아야 한다. 해당 고객이 외국어를 배우려고 하는 진짜 의도는 자신의 이력서에 한 줄이라도 더 채워 넣기 위해서일 수도 있고 아니면 돈을 더 많이 벌고 싶어서일 수도 있다.

고객이 어떤 활동에 나서도록 견인하는 숨은 의도를 완전히 파악할 때까지 절대로 질문을 멈춰서는 안 된다.

# 1.2

# 가치 맵

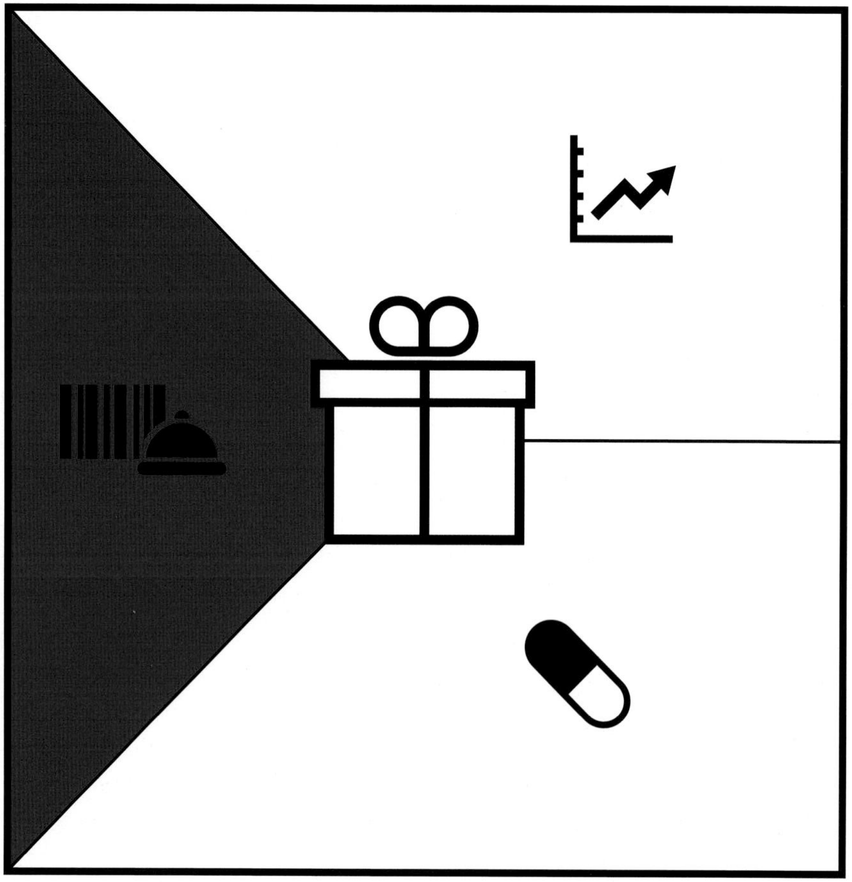

# 제품과 서비스

이것은 간단히 말하면 당신이 제공하는 것들의 목록이라고 할 수 있다. 굳이 비유를 하자면, 당신의 매장에서 고객이 발견할 수 있는 온갖 전시 품목인 것이다. 당신의 가치 제안의 바탕을 이루고 있는 제품과 서비스를 모두 열거하면 된다. 이런 일련의 제품과 서비스는 고객이 기능적, 사회적, 또는 정서적 활동을 수행하거나 그들의 기본적 욕구를 충족시킬 수 있게 도와준다. 하지만 제품과 서비스가 곧 가치 창출을 의미하지는 않는다는 것을 솔직히 인정해야 한다. 가치는 특정 고객 세그먼트와 그들의 활동, 불만, 혜택이 서로 들어맞았을 때 창출된다는 사실을 명심하기 바란다.
이런 제품 및 서비스에는 고객이 구매자(고객이 여러 제안을 비교하고, 결정을 내리고, 구매하도록 도와주는 것), 공동 창조자(고객이 가치 창조를 공동 설계할 수 있도록 도와주는 것), 양도인(고객이 제품을 처분하도록 도와주는 것) 역할을 수행할 수 있도록 도와주는 보조 제품과 서비스도 포함된다.

당신의 가치 제안은 다양한 형태의 제품과 서비스로 구성될 것이다.

**물리적/유형(有形)의 제품/서비스**
상품(예: 공장에서 제조된 물품)

**무형(無形)의 제품/서비스**
판매 후 지원 활동 같은 서비스나 저작권

**디지털 제품/서비스**
음악 다운로드나 온라인 추천 서비스

**금융 제품/서비스**
투자 펀드, 보험 또는 구매 관련 융자 서비스 같은 제품

### 중요도

*모든 제품과 서비스가 고객에게 동일한 중요도를 갖는 것은 아니라는 사실을 인정할 필요가 있다. 당신의 가치 제안에 필수적인 제품/서비스도 있지만 그저 있으면 좋은 정도에 그치는 것도 있을 것이다.*

+ **필수적이다**
↕
**있으면 좋다** −

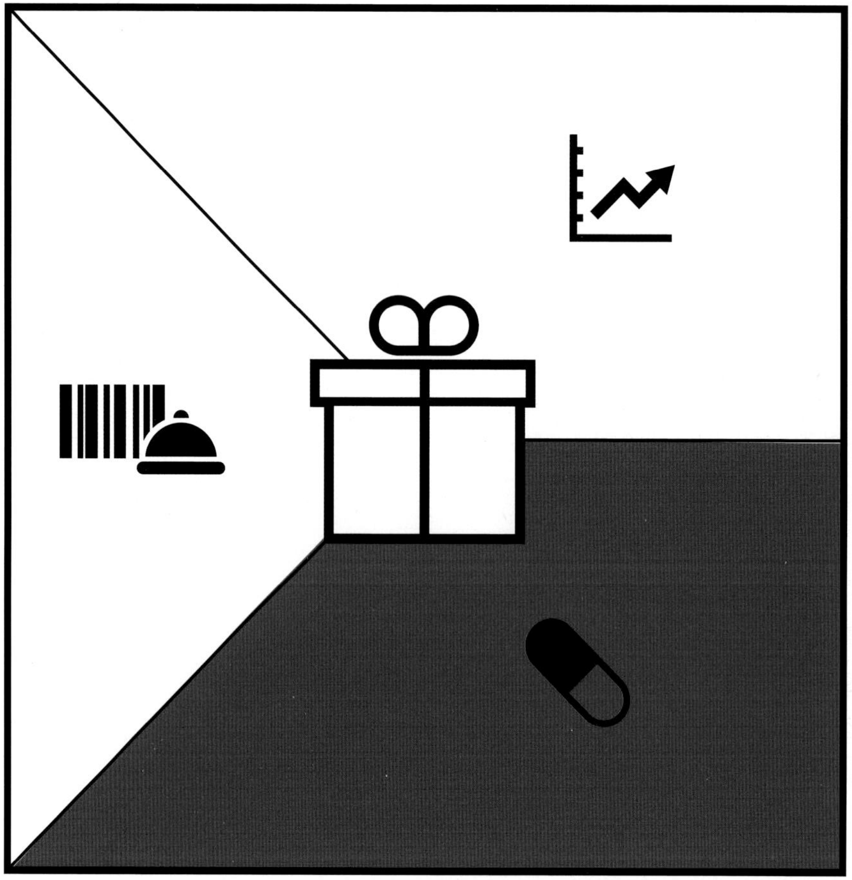

# 불만 해결 방안

여기는 당신의 제품과 서비스가 특정 고객 불만을 정확히 어떤 식으로 경감시켜주는지를 설명하는 부분이다. 어떤 활동을 수행하기 전, 수행하는 동안, 또는 수행한 후 고객을 괴롭히는 문제, 혹은 그런 활동 수행을 방해하는 문제들을 당신이 어떻게 제거하거나 감소시키려고 하는지 명쾌하게 설명하는 것이다.

훌륭한 가치 제안은 고객에게 중요한 의미를 갖는 불만, 특히 극심한 불만에 초점을 맞춘다. 고객 프로필에서 발견한 모든 불만에 대해 해결 방안을 제시할 필요는 없다. 사실 이런 만능 가치 제안은 어디에도 존재하지 않는다. 훌륭한 가치 제안은 아주 획기적으로 경감시킬 수 있는 극소수의 불만에만 초점을 맞추는 경우가 대부분이다.

아래 소개하는 트리거 질문 목록은 당신의 제품/서비스가 경감시킬 수 있는 고객 불만에 대해 다른 식으로 생각해볼 수 있게 해준다.

스스로에게 이런 질문들을 던져보기 바란다. 당신의 제품과 서비스는…

- 시간이나 비용, 노력을 절감해주는가?
- 절망감, 짜증, 고객을 골치 아프게 하는 여타 문제들을 해소해줌으로써 고객을 더 기분 좋게 해주는가?
- 새로운 기능, 더 나은 성능, 더 높아진 품질을 선보임으로써 지금까지 미진했던 해결책을 개선할 수 있는가?
- 좀 더 손쉽게 만들거나 장애물들을 제거해줌으로써 고객이 직면한 어려움과 도전을 종식시킬 수 있는가?
- 체면이나 영향력, 신뢰, 지위 상실 등 고객이 직면하거나 두려워할 수 있는 부정적인 사회적 결과들을 완전히 없애주는가?
- 재정적, 사회적, 기술적 위험이나 일이 잘못될 가능성 등 고객이 걱정하는 위험을 제거해줄 수 있는가?
- 중요한 문제를 해결하거나 걱정을 줄여주거나 불안을 해소해줌으로써 고객이 두 다리 쭉 뻗고 잠잘 수 있게 해주는가?
- 해결책을 올바르게 사용하도록 도와줌으로써 고객이 흔히 저지르는 실수를 줄이거나 근절할 수 있게 해주는가?
- 선불 투자 비용을 더 낮추거나 없애고, 사용법 숙지에 필요한 시간과 노력을 더 줄이거나 다른 장애물을 제거해줌으로써 고객이 가치 제안을 수용하지 못하게 막는 걸림돌을 제거할 수 있는가?

### 중요도

*특정 불만 해결 방안에 대해 고객이 느끼는 가치는 높을 수도 있고 낮을 수도 있다. 꼭 필요한 것과 그저 있으면 좋은 정도의 것을 명확히 구분할 수 있어야 한다. 전자는 극심한 불만을 아주 획기적인 방법으로 경감시키고 엄청난 가치를 창출하지만 후자는 그럭저럭 참을만한 불만을 완화시켜주는 정도에 그칠 때가 많기 때문이다.*

+ 필수적이다
↕
있으면 좋다 −

트리거 질문 다운로드하기

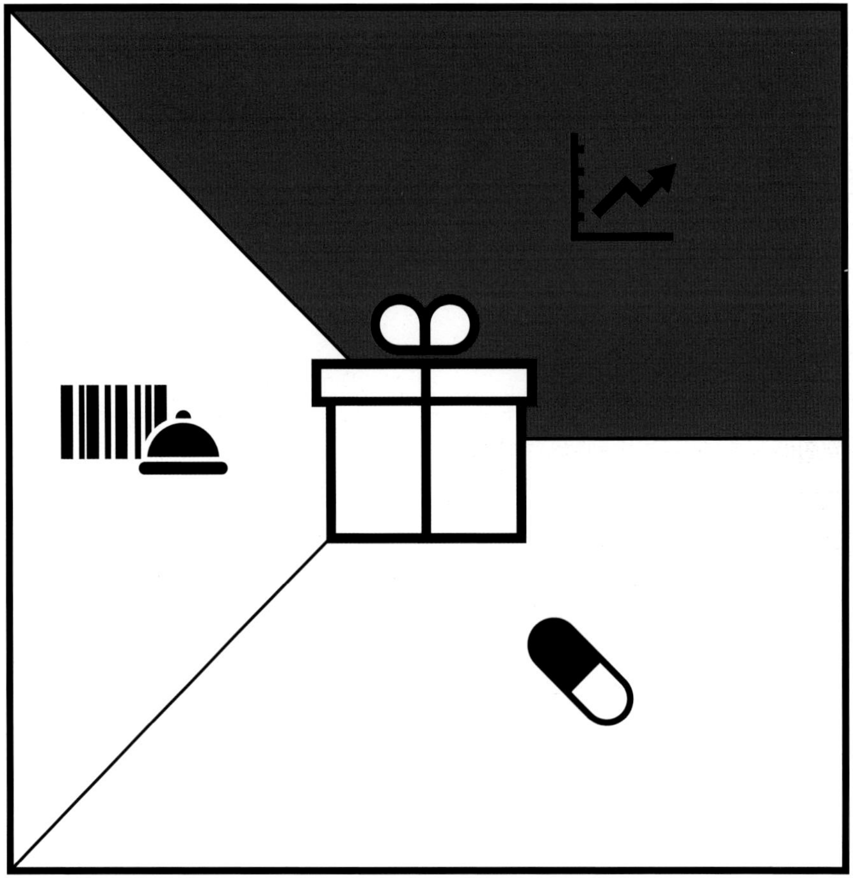

# 혜택 창출 방안

당신의 제품과 서비스가 고객 혜택을 어떤 식으로 창출하는지 기술하는 부분이다. 당신의 고객이 기대하고 갈망하는 것이나 고객을 깜짝 놀라게 만들 결과와 이점을 어떤 식으로 만들려고 하는지 명쾌하게 설명한다. 기능적 효용, 사회적 혜택, 긍정적 감정, 비용 절감 등이 모두 여기에 포함된다.

불만 해결 방안과 마찬가지로, 혜택 창조 방안도 고객 프로필에서 파악한 모든 혜택을 제공할 필요는 없다. 그보다는 고객에게 중요한 의미를 갖는 혜택과 당신의 상품/서비스를 차별화시키고 거기에 초점을 맞춰야 한다.

아래 소개하는 트리거 질문 목록은 고객이 요구, 기대, 열망하거나 예상하지 못했던 결과와 이점을 제공할 당신의 제품과 서비스에 대해 다른 식으로 사고할 수 있게 해줄 것이다.

스스로에게 다음과 같은 질문들을 던져보라. 당신의 제품과 서비스는…

- 시간, 돈, 노력 같은 것들을 절감시켜서 고객을 즐겁게 해줄 수 있는가?
- 높은 품질을 제공하고 무언가를 증대 혹은 감소시킴으로써 고객이 기대하는 결과나 고객의 기대치를 뛰어넘는 결과를 도출할 수 있는가?
- 특정 기능이나 성능, 품질 면에서 기존 가치 제안을 능가해서 고객을 기쁘게 해줄 수 있는가?
- 편리성이나 접근성 개선, 더욱 다양한 서비스나 저렴한 구매 비용을 통해 고객의 업무나 삶을 더 용이하게 해줄 수 있는가?
- 다른 사람들의 눈에 더 멋지게 보이게 하거나 영향력이나 지위 상승을 안겨줌으로써 사회적으로 긍정적인 결과들을 도출할 수 있는가?
- 멋진 디자인이나 보증, 특정 기능, 더 많은 기능 제공을 통해 고객이 원하는 특별한 무언가를 해줄 수 있는가?
- 고객이 열망하는 것을 달성할 수 있게 도와주거나 난관을 제거해줌으로써 그들이 마음속에 품고 있는 욕구를 충족시켜줄 수 있는가?
- 보다 나은 성능이나 좀 더 저렴한 비용을 제시함으로써 고객의 성공/실패 기준에 부합하는 긍정적인 결과를 도출해낼 수 있는가?
- 더 저렴한 비용, 더 적은 투자, 더 낮은 위험 부담, 더 좋은 품질, 더 향상된 성능이나 디자인을 통해 사람들이 가치 제안을 좀 더 쉽게 수용할 수 있게 해주는가?

## 중요도

*불만 해결 방안과 마찬가지로 혜택 창출 방안 역시 고객에게 더 중요한 것과 덜 중요한 것이 있을 수 있다. 그러므로 꼭 필요한 혜택 창출 방안과 있으면 좋은 정도의 혜택 창출 방안을 반드시 차별화해야 한다.*

\+
**필수적이다**
↕
**있으면 좋다**
\-

트리거 질문 다운로드하기

# 이 책 〈밸류 프로포지션 디자인〉의 가치 제안 매핑 설계

탁월한 가치 제안은 고객이 중요하게 여기는 활동, 불만, 혜택에 초점을 맞추고 그런 것들을 성공적으로 달성한다. 다시 한 번 말하지만, 모든 고객 불만과 혜택을 해결하려고 해서는 안 된다. 고객에게 차별화할 수 있는 것들에 초점을 맞춰야 한다.

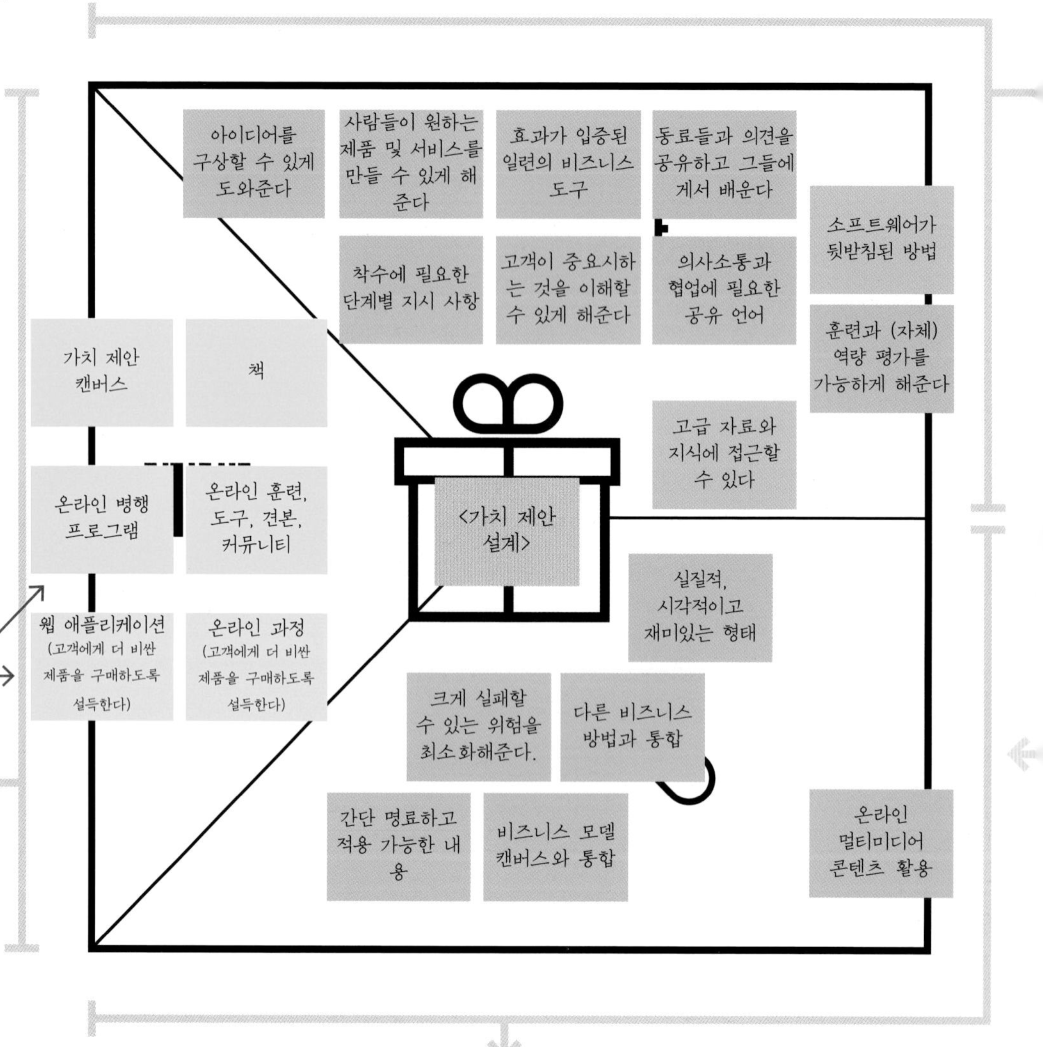


몇 가지 가치 제안을 하나로 통합해도 무방하다.

특정 고객 세그먼트를 타깃으로 해서 수립된 당신의 가치 제안을 구성하고 있는 제품과 서비스를 전부 나열한다.

불만 해결 방안 부분에서는 당신의 제품과 서비스가 고객의 불만을 정확히 어떤 식으로 해소해주는지 개략적으로 설명한다. 각각의 불만 해결 방안은 적어도 한 가지 이상의 불만이나 혜택을 해결해주어야 한다. 여기에 제품이나 서비스를 추가해서는 안 된다.

혜택 창출 방안은 당신의 제품과 서비스가 어떤 식으로 고객에게 혜택을 안겨줄 것인지 집중 부각하는 부분이다. 각각의 혜택 창출 방안은 적어도 한 가지 이상의 불만이나 혜택을 해결해야 한다. 이 부분에 제품이나 서비스를 추가해서는 안 된다.

이 책을 둘러싼
제품/서비스가 어떤 식으로
고객 가치를 창출할 것인지를
형상화해주는 맵.

# 제품/서비스의 가치 창출 방법을 매핑하라

**활동 목적**
제품/서비스가 어떤 식으로 가치를 창출하는지를 명쾌하게 설명한다.

**활동 결과**
1페이지짜리 가치 창출 맵.

## 지시 사항

당신의 기존 가치 제안 중 하나에 대해 간단히 가치 맵을 만들어보라. 예를 들면, 앞에서 프로필을 작성할 때 사용했던 고객 세그먼트에 맞는 가치 맵을 사용하는 것이다. 기존 가치 제안에서 출발하는 편이 더 용이하겠지만 기존 가치 제안이 없는 경우라면, 새로운 아이디어에 맞춰 어떤 식으로 가치를 창출하는 것이 좋을지 간단히 정리해보기 바란다. 새로운 가치 제안을 만드는 것에 대해서는 이 책의 후반부에서 좀 더 자세히 소개할 계획이다.

지금 당장 해야 할 일은 다음과 같다.

1. 앞에서 작성한 고객 프로필을 준비한다.
2. 가치 맵을 다운로드한다.
3. 작은 포스트잇 메모지를 한 묶음 준비한다.
4. 어떤 식으로 고객 가치를 창출할 것인지 계획을 세운다.

가치 맵 다운로드하기

# 가치 맵

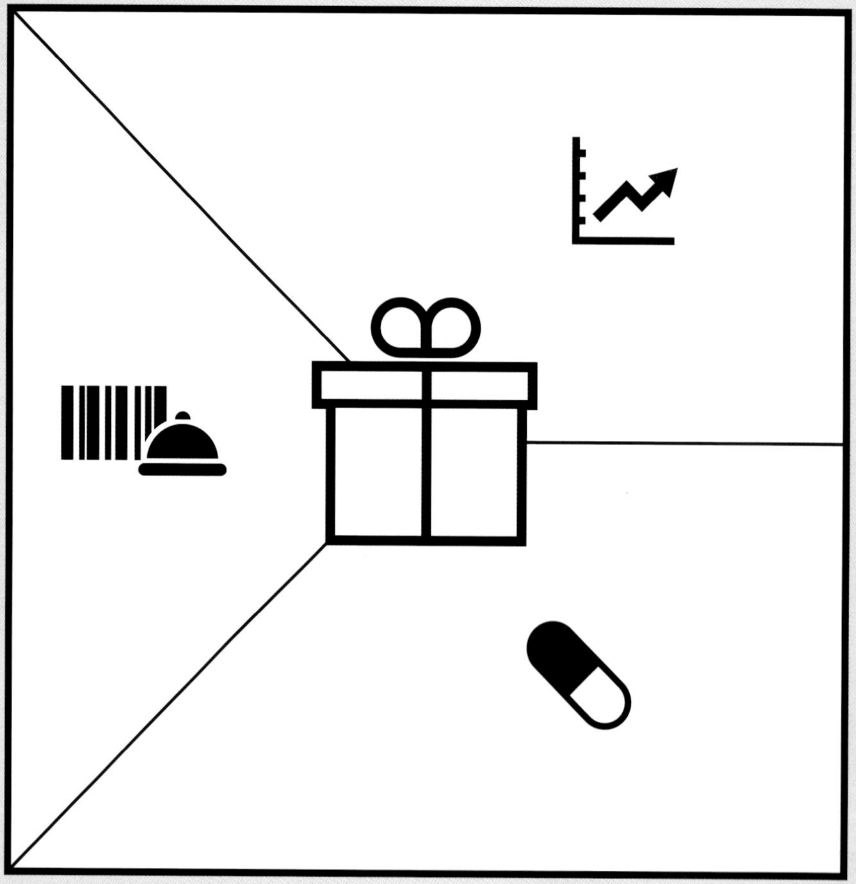

Strategyzer

## 1
### 제품과 서비스를 나열한다

당신의 기존 가치 제안을 구성하고 있는 제품과 서비스를 모두 열거한다.

## 2
### 불만 해결 방안의 윤곽을 잡는다

당신의 기존 제품/서비스는 바람직하지 않은 결과, 장애물, 위험 부담 같은 고객 불만을 어떤 식으로 경감시키고 있는지 개략적으로 설명한다. 불만 해결 방안을 포스트잇에 하나씩 적어 붙인다.

## 3
### 혜택 창출 방안의 윤곽을 잡는다

당신의 제품/서비스가 고객이 기대하거나 열망하는 결과와 이점을 현재 어떤 식으로 도출하고 있는지 설명한다. 혜택 창출 방안 각각에 대해 포스트잇을 한 장씩 사용한다.

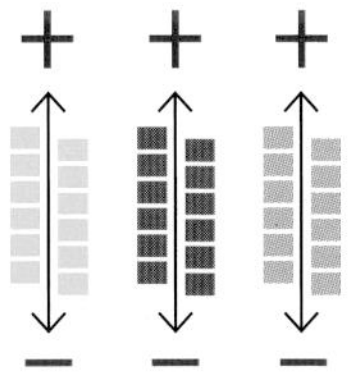

## 4
### 중요도에 따라 순위를 매긴다

고객에게 얼마나 중요한 의미를 갖느냐에 따라 제품/서비스, 불만 해결 방안, 혜택 창출 방안의 순위를 매긴다.

## 불만 해결 방안 VS. 혜택 창출 방안

불만 해결 방안과 혜택 창출 방안 모두 고객 가치를 창출하지만 그 방식은 다르다. 전자는 고객 프로필의 불만 부분에 초점을 맞추는 반면 후자는 혜택 부분에 역점을 두기 때문이다. 둘 중 어느 한 쪽에서 불만과 혜택을 동시에 처리해도 무방하다. 이 두 영역의 주된 목표는 당신의 제품/서비스가 고객 가치를 창출한다는 것을 명확히 보여주는 것이다.

## ?

## 고객 프로필에 있는 불만, 혜택과는 어떤 차이가 있는가?

불만 해결 방안/혜택 창출 방안과 불만/혜택은 엄연히 다르다. 전자는 당신이 얼마든지 통제할 수 있는 것들이지만 후자는 당신의 통제가 불가능하다. 어떤 활동에 초점을 맞춰 어떤 식으로 가치를 창출할 것인지는 당신이 결정을 내리게 된다. 하지만 해당 고객이 어떤 활동, 불만, 혜택을 갖고 있는지는 당신이 결정할 수 있는 문제가 아니다. 그리고 고객의 온갖 활동, 불만, 혜택을 한 번에 해결해줄 수 있는 가치 제안은 어디에도 존재하지 않는다. 훌륭한 가치 제안은 대부분 고객에게 가장 중요한 부분을 해결하고 그런 작업을 아주 성공적으로 수행해낸다.

# 가치 창출 매핑의 모범 사례



## ✕ 흔히 저지르는 실수

특정 고객 세그먼트를 겨냥한 제품/서비스가 아니라 모든 제품/서비스를 나열한다.

불만 해결 및 혜택 창출 방안 부분에 제품과 서비스를 추가한다.

고객 프로필에 있는 불만/혜택과 무관한 불만 해결 및 혜택 창출 방안을 제시한다.

고객 불만과 혜택을 모두 해결하겠다는 비현실적 시도를 한다.

## ✔ 모범 사례

제품/서비스는 특정 고객 세그먼트와 연관되었을 때만 가치를 창출할 수 있다. 특정 고객 세그먼트에 부합하는 가치 제안을 창조하는 데 도움이 될 수 있는 제품과 서비스만 열거한다.

불만 해결 방안과 혜택 창출 방안은 당신의 제품/서비스의 가치 창출을 명확하게 보여주는 설명 또는 특성이라고 할 수 있다. 예를 들면 이런 것이다. '시간 절약에 도움이 된다', '설계가 뛰어나다'.

제품과 서비스가 창출하는 가치는 절대적인 것이 아님을 명심해야 한다. 고객의 활동, 불만, 혜택에 따라 언제든지 달라질 수 있다는 뜻이다.

훌륭한 가치 제안에서 가장 중요한 것은 고객의 어떤 활동, 불만, 혜택을 해결하고 어떤 것들을 무시할지 결정하는 것이다. 꼭 유념하기 바란다. 그런 것들을 한 방에 모두 해결해줄 수 있는 만능 가치 제안은 이 세상 어디에도 없다. 만약 당신의 가치 맵이 그런 가치 제안을 보여준다면 당신이 고객 프로필에 있는 활동, 불만, 혜택을 솔직하게 작성하지 않았을 가능성이 높다.

# 1.3

# 적합성

# 적합성

적합성은 고객이 당신의 가치 제안을 무척 반기고 기뻐할 때 도달할 수 있다. 그리고 이것은 당신이 중요한 활동에 초점을 맞추고 극심한 불만을 경감시키고 고객이 중요시하는 필수 혜택을 창출할 때 일어난다. 앞으로 이 책에서 계속 이야기하겠지만 적합성을 발견하고 유지하는 것은 쉬운 일이 아니다. 그리고 가치 제안 설계에서는 그런 적합성을 찾으려는 노력이 절대적으로 필요하다.

고객은 당신의 제품과 서비스에 대해 아주 많은 것들을 기대하고 갈망하지만 그런 것들을 모두 충족시켜줄 수 없다는 사실을 우리는 잘 알고 있다. 그러므로 고객이 가장 중요시하고 다른 것들과 차별화시킬 수 있는 혜택에 집중을 해야 한다.

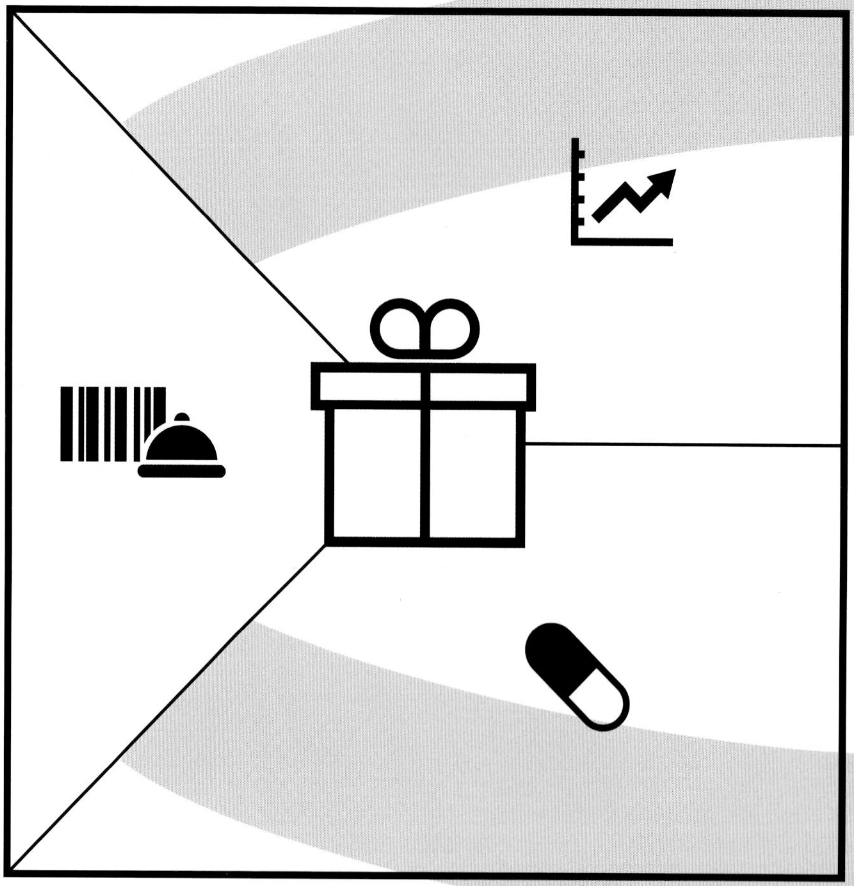

고객은 다양한 불만을 갖고 있지만 그런 고객 불만을 모두 합리적으로 해결해줄 수 있는 회사는 어디에도 없다. 그러므로 고객이 가장 극심한 문제로 여기고 지금까지 충분히 해결되지 못한 불만들에 초점을 맞춰야 한다.

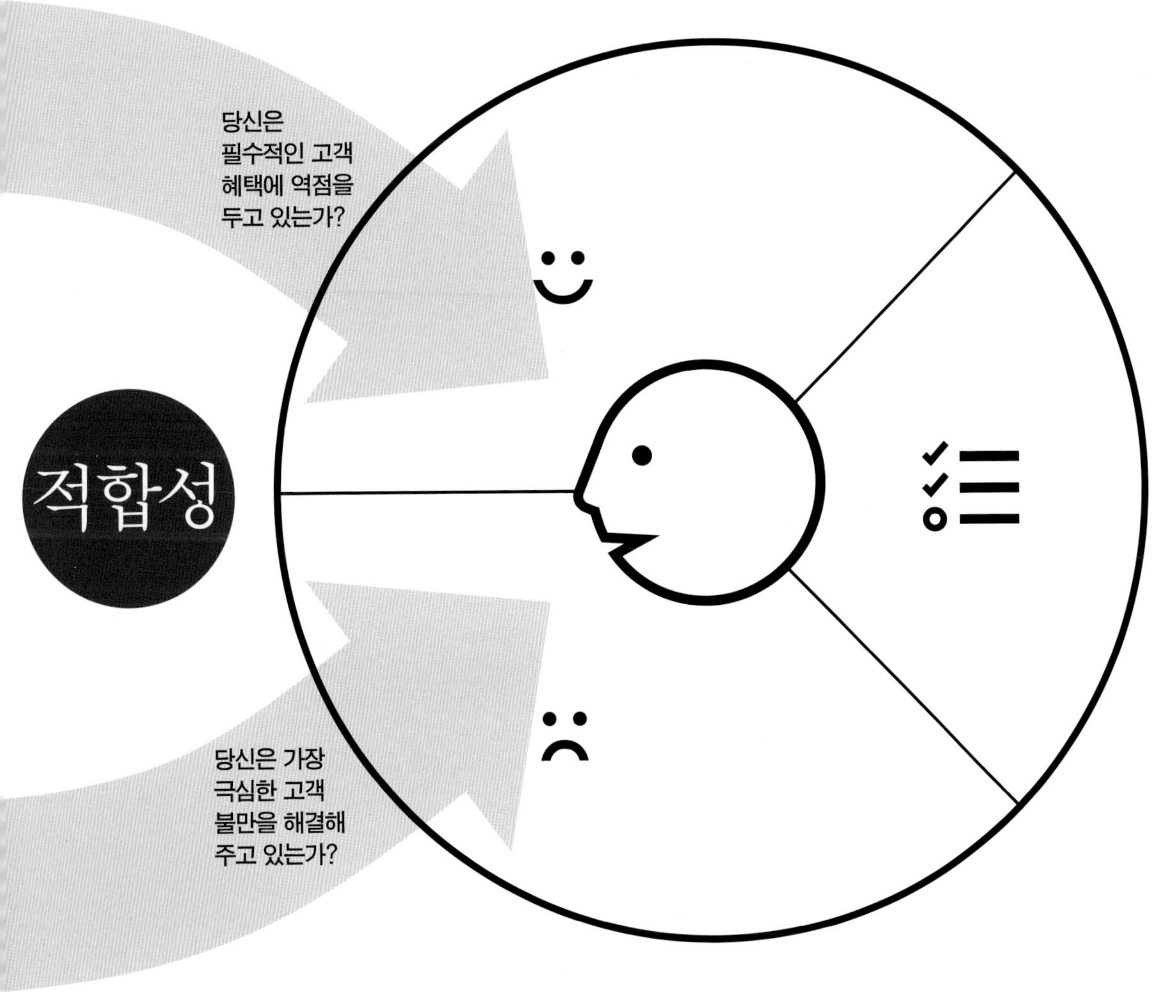


고객은 당신의 가치 제안에 대한 심판관이자 배심원이고 또 사형 집행인이기도 하다. 당신이 적합한 가치 제안을 찾아내지 못하면 그들은 가차 없이 행동할 것이다.

# 적합한가?

이 책의 가치 제안을 설계하면서 우리는 가장 중요한 활동, 불만, 혜택 몇 가지를 해결하는 데 역점을 두었다. 사실 잠재 고객이 갖고 있는 그런 활동, 불만, 혜택은 기존 경영서들이 제대로 해결해주지 못하는 부분이기도 하다.

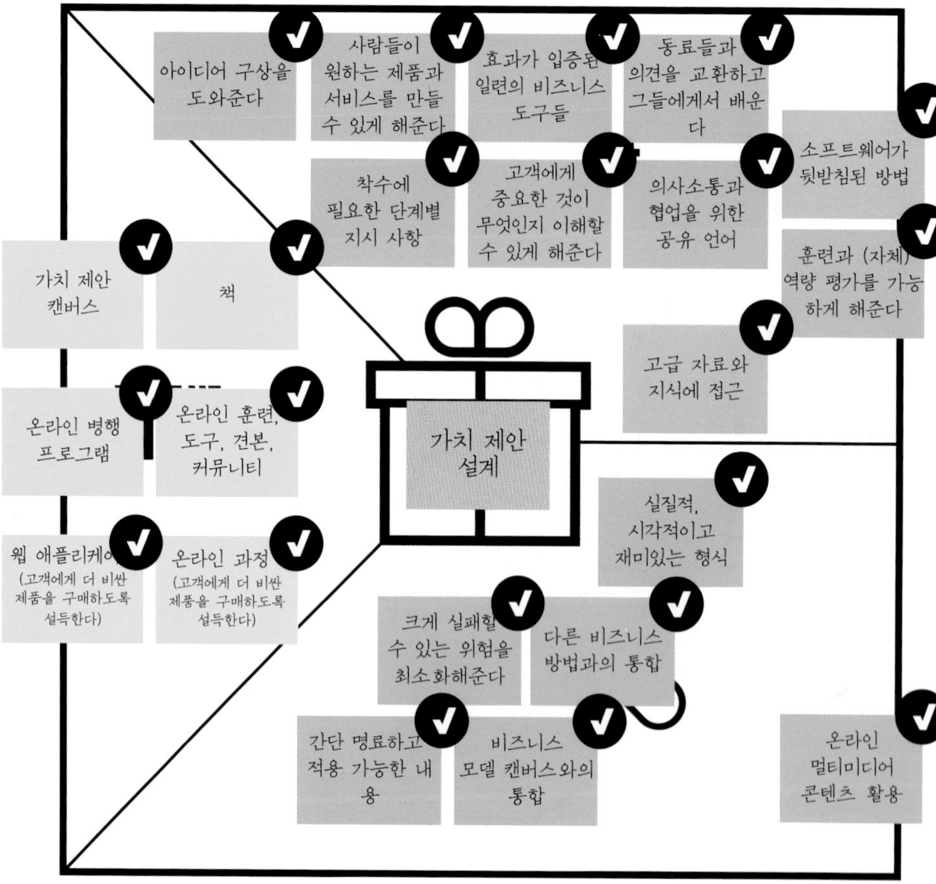

이 체크 표시는 제품과 서비스가 불만을 해소하거나 혜택을 창출하고 고객의 활동, 불만, 혜택 가운데 하나를 직접적으로 해결해준다는 뜻이다.

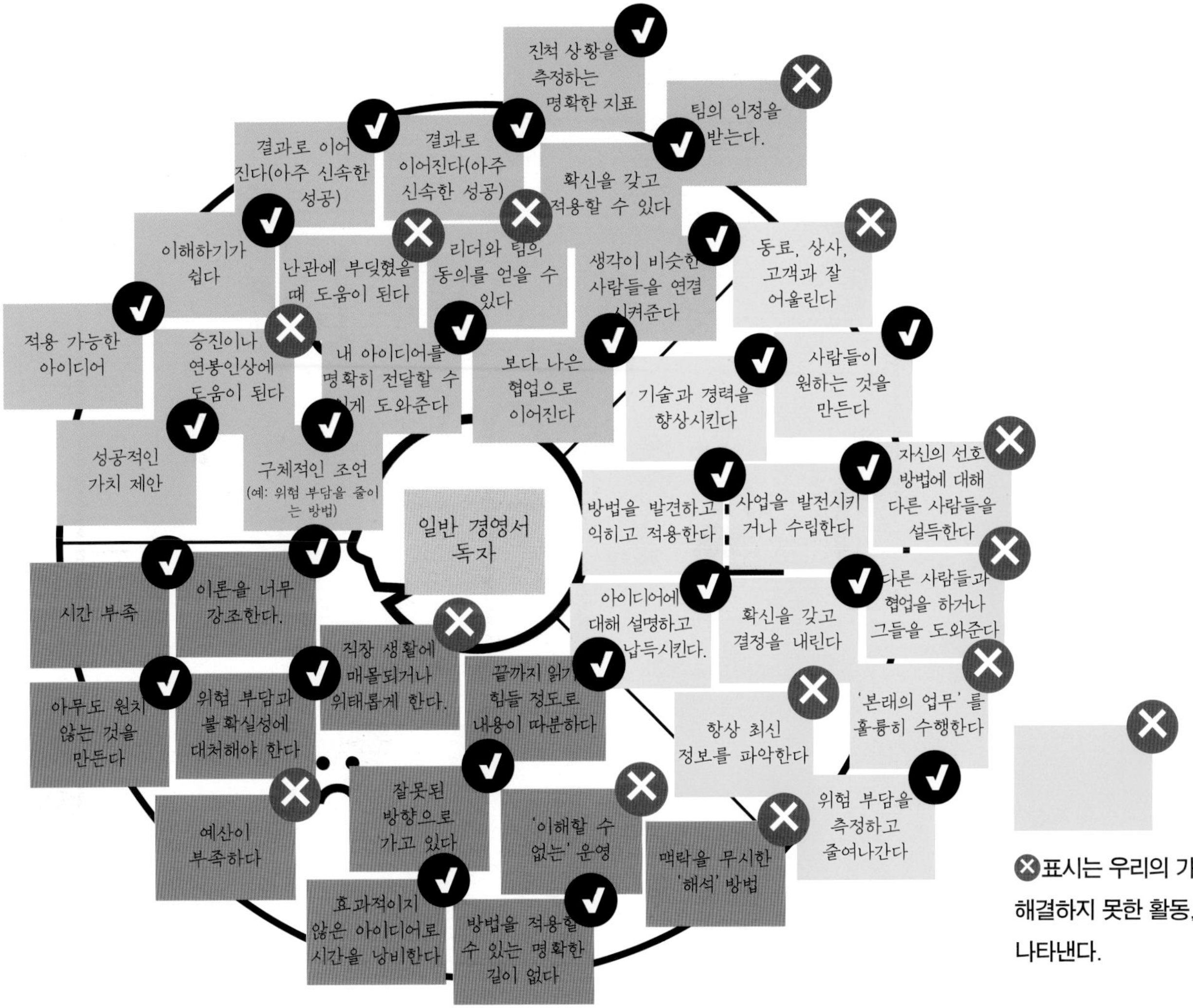


⊗표시는 우리의 가치 제안이 해결하지 못한 활동, 불만, 혜택을 나타낸다.

# 당신의 적합성을 확인하라



**활동 목적**
고객이 중요시하는 것들을 해결하고 있는지 입증한다.

**활동 결과**
당신의 상품/서비스와 고객의 활동, 불만, 혜택 간의 연관성.

온라인으로 훈련 실시하기

## 1
### 지시 사항

가치 제안 맵과 당신이 앞에서 작성한 고객 세그먼트 프로필을 펼친다. 불만 해결 방안과 혜택 창출 방안을 하나하나 살펴본 다음 고객의 활동이나 불만, 혜택과 들어맞는지 확인한다. 들어맞을 경우, 체크(✓) 표시를 한다.

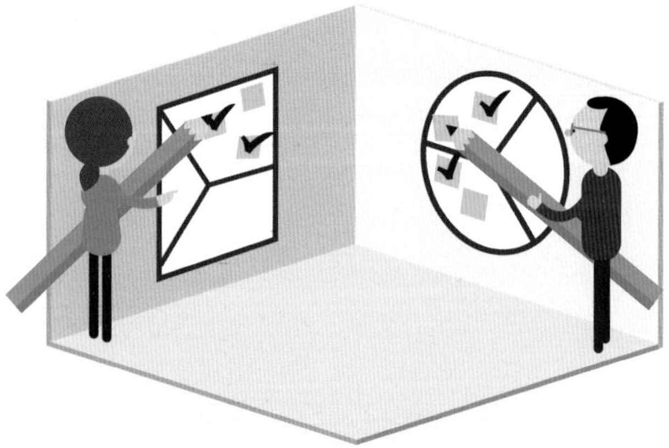

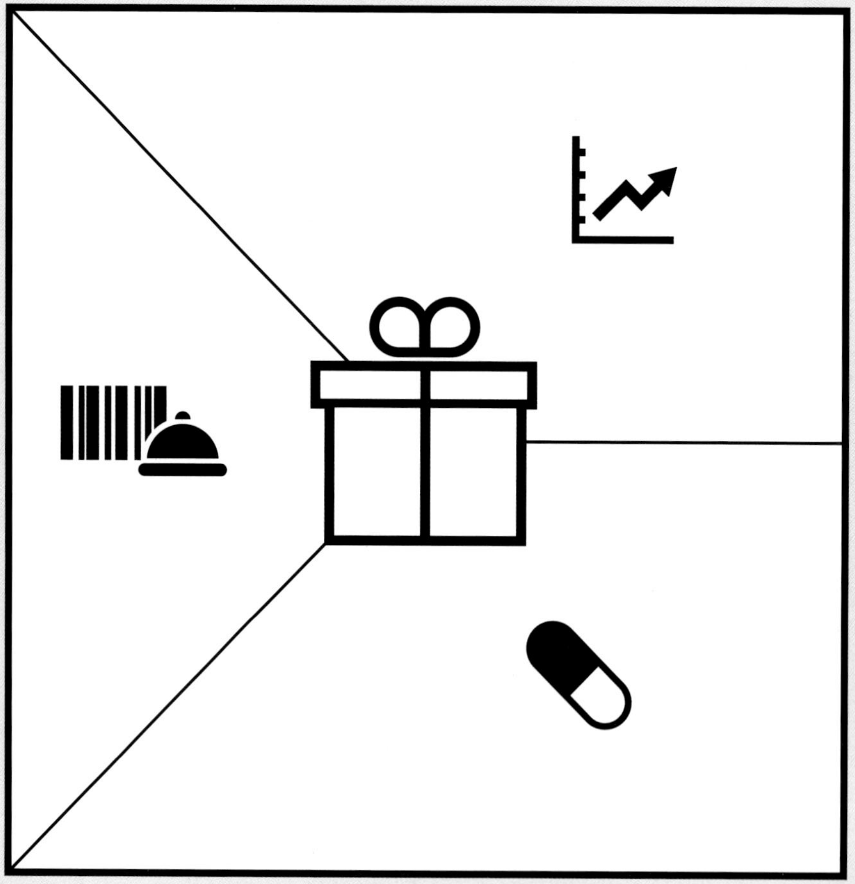

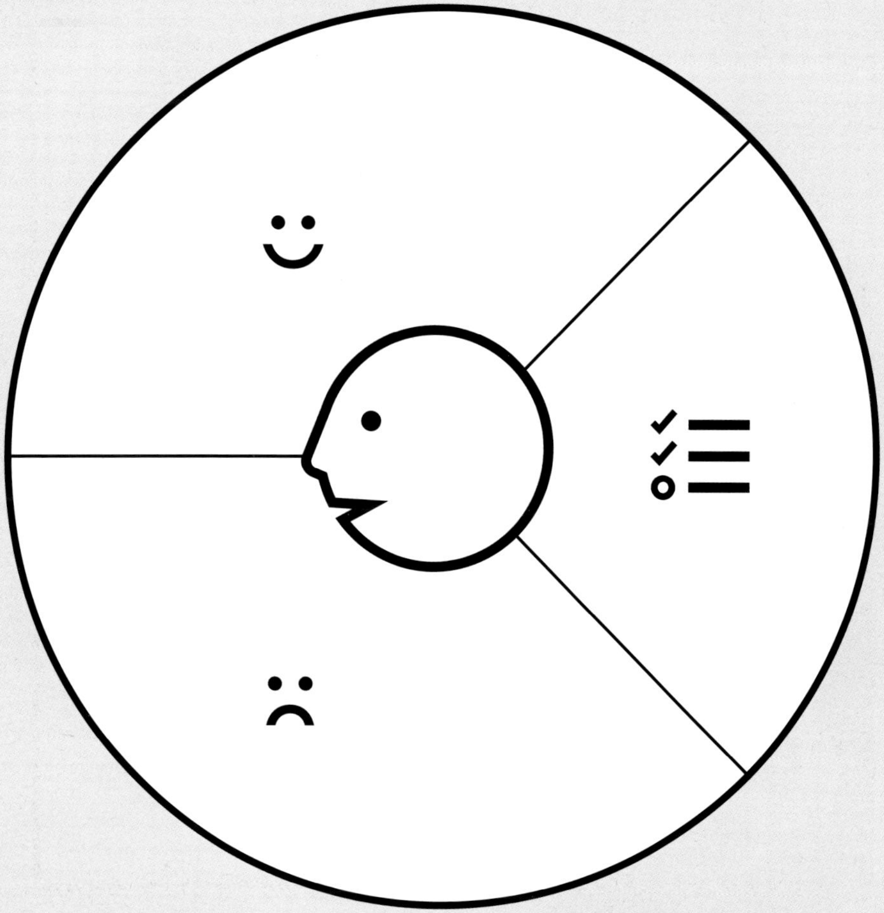

## 2
### 결과

만약 불만 해결 방법이나 혜택 창출 방안이 어떤 것과도 들어맞지 않을 경우, 고객 가치를 창출하지 못할 수도 있다. 모든 불만과 혜택을 확인하지 않았다고 해서 너무 걱정할 필요는 없다. 그런 것들을 모두 충족시키는 일은 불가능하기 때문이다. 당신의 가치 제안이 고객에게 얼마나 부합되는지 자문해보기 바란다.

가치 제안 캔버스 pdf 파일 다운로드하기

# 세 가지 종류의 적합성

적합성을 찾아내는 활동은 고객이 정말 중요시하는 활동, 불만, 혜택에 부합하는 제품/서비스를 중심으로 가치 제안을 설계하는 것이다. 기업이 제공하는 것과 고객이 원하는 것 간의 적합성은 성공적인 가치 제안을 만드는 데 가장 중요한 요건이다.

적합성은 세 단계에 걸쳐 일어난다. 가장 먼저 당신의 가치 제안으로 해결할 수 있다고 여겨지는 중요한 고객 활동, 불만, 혜택을 파악할 때 일어난다. 두 번째는 고객이 당신의 가치 제안에 긍정적인 반응을 보이고 시장이 거기에 관심을 드러낼 때 일어난다. 스타트-업 운동(Start-up Movement)에도 이런 문제 해결 적합성과 제품-시장 적합성이 요구된다. 세 번째는 측정 가능하고 수익성 높은 비즈니스 모델을 발견할 때 일어난다.

'적합성' 포스터 받기

# 이론상으로

## 1. 문제-해결 적합성

문제-해결 적합성은 다음과 같은 경우에 일어난다.

- 고객이 특정 활동, 불만, 혜택을 중요시한다는 증거를 확보했을 때
- 그런 활동, 불만, 혜택을 해결해주는 가치 제안을 설계했을 때

이 단계에서는 고객이 실제로 당신의 가치 제안에 관심을 갖고 있다는 것을 보여줄 증거를 아직 확보하지 못한 상태다. 지금은 고객에게 가장 중요한 활동, 불만, 혜택을 파악하기 위해 부단히 노력하고 거기에 맞는 가치 제안을 설계하는 시기이다. 그리고 가장 적합한 것을 찾기 위해 대체 가능한 여러 가치 제안 프로토타입을 만들어본다. 하지만 그렇게 해서 적합성에 도달한다 해도 아직은 그 효과가 입증된 것이 아니고 대부분 이론상으로만 존재할 뿐이다. 당신이 취해야 할 다음 행보는 고객이 당신의 가치 제안에 관심을 갖고 있다는 증거를 제시하거나 아니면 다시 처음으로 돌아가 새로운 가치 제안을 설계하는 것이다.

# 시장에서

## 2. 제품-시장 적합성

제품-시장 적합성은 다음과 같은 경우에 일어난다.

- 당신의 제품/서비스, 불만 해결 방안, 혜택 창출 방안이 실제로 고객 가치를 창출하고 시장의 관심을 끌고 있다는 증거를 확보했을 때

이 두 번째 단계는 당신의 가치 제안에 내포된 가정이 옳은지, 그른지를 입증하기 위해 엄청난 노력을 기울여야 하는 시기다. 안타깝게도 당신이 생각해낸 초기 아이디어들 중 상당수가 고객 가치를 창출해내지 못한다. 즉 고객이 관심을 갖지 않는다는 사실을 깨닫게 될 것이다. 그러므로 새로운 가치 제안을 설계해야 한다. 이 두 번째 유형의 적합성을 발견하는 것은 많은 시간과 반복을 요하는 활동이다. 절대로 하루아침에 발견될 수 있는 것이 아님을 명심하기 바란다.

# 은행에서

## 3. 비즈니스 모델 적합성

비즈니스 모델 적합성은 다음과 같은 경우에 도달할 수 있다.

- 당신의 가치 제안을 수익성 높고 측정 가능한 비즈니스 모델 속에 끼워 넣을 수 있다는 증거를 확보했을 때

훌륭한 비즈니스 모델이 없는 훌륭한 가치 제안은 재정적 성공을 거두기 위한 차선책에 불과하거나 최악의 경우, 실패로 끝날 수 있다. 가치 제안이 아무리 훌륭해도 적합한 비즈니스 모델이 없다면 절대 살아남을 수 없다.

비즈니스 모델의 적합성을 찾는 것은 고객에게 맞는 가치를 창출하는 가치 제안 설계와 조직에 적합한 가치를 창출하는 비즈니스 모델 사이를 계속 왔다 갔다 해야 하는 힘겨운 활동이다. 그리고 가치 제안을 만들고 전달하는 데 발생하는 비용보다 그런 가치 제안을 통해 발생하는 수익이 더 많을 때에만 비즈니스 모델 적합성에 도달할 수 있다(간혹 하나의 가치 제안이 아니라 상호 의존적인 몇 개의 가치 제안로 이루어진 플랫폼 모델도 있을 수 있다).

# 기업 간 거래(B2B) 에서의 고객 프로필





기업 대 기업 간 거래에서 가치 제안은 일반적으로 조사, 평가, 구매, 제품/서비스 사용에 여러 이해관계자들이 참여하게 된다. 이런 이해관계자들은 각각 상이한 활동, 불만, 혜택이 담긴 상이한 프로필을 갖고 있다. 그리고 이들의 영향력에 의해 구매 결정이 이 쪽 또는 저 쪽으로 기울어지기도 한다. 그러므로 가장 중요한 이해관계자가 누구인지 파악하고 그들 각각에 맞는 가치 제안 캔버스를 개략적으로 작성해야 한다.

프로필은 해당 조직의 분야와 규모에 따라 천차만별이지만 그 속에는 일반적으로 다음과 같은 역할들이 포함되어 있다.

**통합**

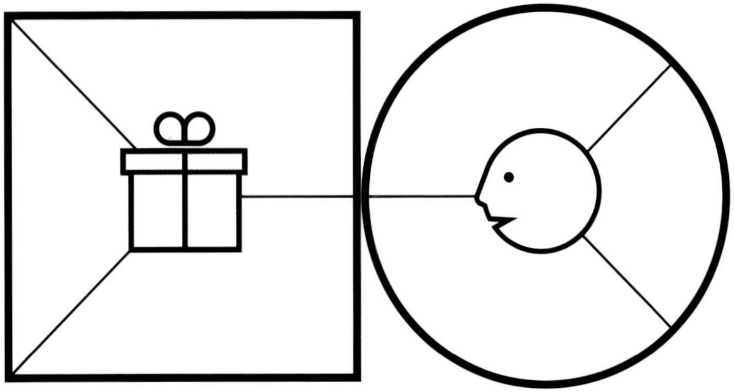


스티브 블랭크(Steve Blank)의 〈깨달음에 이르는 4단계(The Four Steps to the Epiphany)〉(2006년)에서 발췌

**+세분화**

사업 내부의 이해관계자 각각에 맞춘 가치 제안

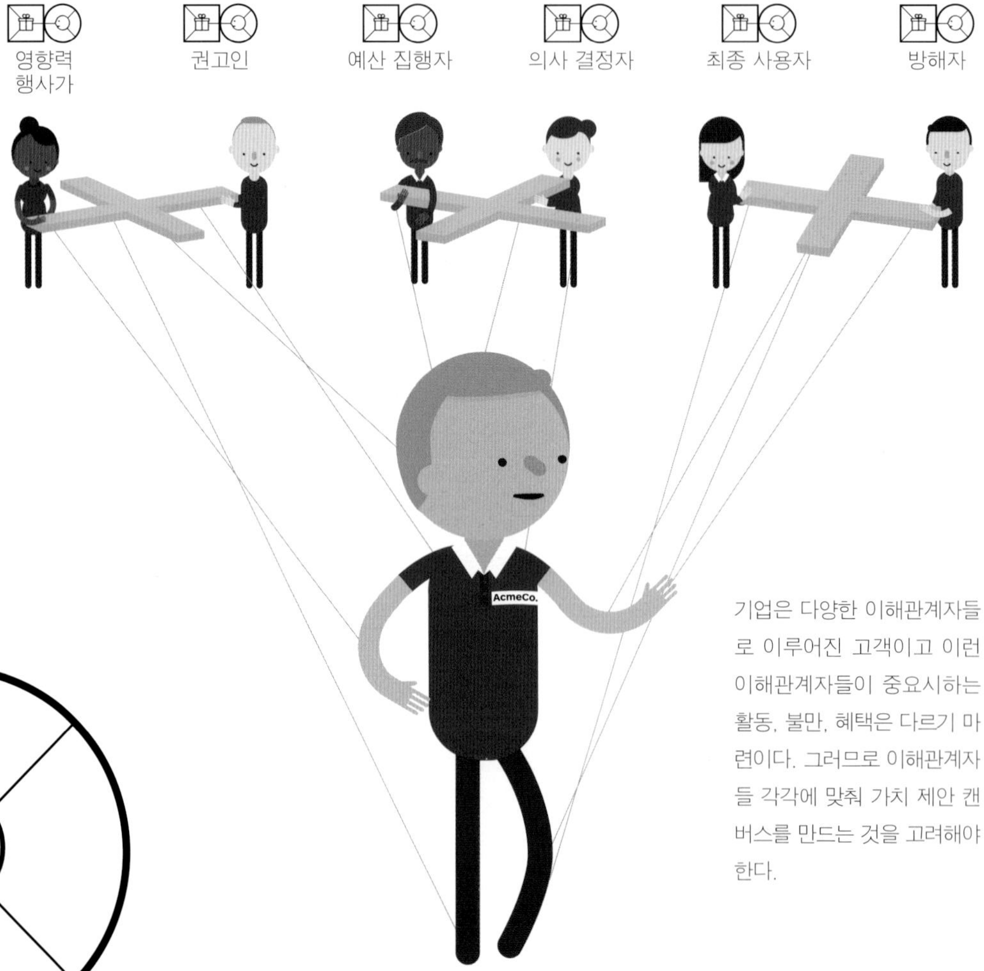


기업은 다양한 이해관계자들로 이루어진 고객이고 이런 이해관계자들이 중요시하는 활동, 불만, 혜택은 다르기 마련이다. 그러므로 이해관계자들 각각에 맞춰 가치 제안 캔버스를 만드는 것을 고려해야 한다.

### 영향력 행사가

의사 결정자가, 비공식적인 통로를 동원해서라도 의견을 청취하려고 하는 개인(들) 혹은 집단(들). 이런 사람/집단의 의견이 중요한 의미를 가질 수 있다.

### 권고인

조사와 평가 활동을 수행하는 사람으로, 해당 구매에 대해 찬성 혹은 반대 의견을 공식적으로 권고하는 역할을 한다.

### 예산 집행자

예산을 통제하고 실제로 구매를 하는 개인 혹은 집단을 가리킨다. 이런 사람들은 대개 재정 상태와 예산 효율을 가장 중요시한다.
어떤 경우에는 이런 예산 집행자가 조직 외부에 존재하기도 한다. 노인 요양시설에 제공되는 기본적인 의료물품 비용을 정부가 지불하는 것이 이런 경우에 속한다.

### 의사 결정자

제품/서비스 선택과 구매 결정 지시에 대해 최종 책임을 지는 사람이나 집단이다. 대개 이런 의사 결정자는 예산에 대해서도 최종 권한을 행사하는 경우가 많다.

### 최종 사용자

제품이나 서비스의 최종 수혜자를 가리킨다. 기업 고객인 경우, 최종 사용자는 해당 조직 내부(예: 제품 설계자들을 위해 소프트웨어를 구매하는 제조업체)의 직원이 될 수도 있고 외부 고객이 될 수도 있다(예: 소비자에게 판매할 스마트폰의 내장 칩을 구매하는 기기 제조업체). 이러한 최종 사용자는 결정 및 구매 과정에서 얼마나 발언권을 행사하느냐에 따라 소극적 또는 적극적 태도를 취할 수 있다.

### 방해자

제품/서비스의 조사, 평가, 구매 활동을 방해하거나 무산시키려고 하는 사람(들) 혹은 집단을 가리킨다.

*의사 결정자는 일반적으로 고객인 해당 기업 내부에 존재하지만 영향력 행사가, 권고인, 예산 집행자, 최종 사용자, 방해자는 기업 내부는 물론 외부에도 존재할 수 있다.*

## 가족 세분화 (Unbundling)

일반 소비자를 대상으로 하는 가치 제안 역시 제품/서비스의 조사, 평가, 구매, 사용에 여러 이해관계자가 관여할 수 있다. 예를 들어, 게임 콘솔을 구매하려고 하는 가족이 있다고 가정해보자. 이와 같은 상황에서도 예산 집행자, 영향력 행사가, 의사 결정자, 최종 사용자, 방해자의 입장이 제각각 다를 수 있다. 그러므로 각각의 이해관계자들에 맞춰 상이한 가치 제안 캔버스를 간단히 작성하는 것이 바람직하다.

# 복합적 적합성

어떤 비즈니스 모델은 몇 가지 가치 제안과 고객 세그먼트를 결합해야만 작동하는 경우가 있다. 이런 경우에는 개별 가치 제안과 해당 비즈니스 모델이 작동하는 각각의 고객 세그먼트 간에 적합성이 필요하다.

이런 복합적 적합성은 중개형 비즈니스 모델과 플랫폼 비즈니스 모델에서 쉽게 발견할 수 있다.

**중개형**(Intermediary)

중개자를 통해 제품이나 서비스를 판매하는 회사는 최종 고객과 중개자, 이 두 고객의 구미를 맞추어야 한다. 중개자에게 맞는 명확한 가치 제안이 없을 경우, 그 업체가 제공하는 제품/서비스가 최종 고객에게 아예 도달하지 못하거나 그런 가치 제안이 존재했을 때와 동일한 효과를 기대할 수 없게 된다.

하이얼(Haier)은 전 세계 가정을 상대로 가전제품과 전자기기를 판매하는 중국 제조업체다. 대부분 까르푸(Carrefour), 월마트(Walmart) 같은 대형 유통업체를 통해 제품을 판매하고 있는 하이얼은 이런 활동을 성공적으로 수행하기 위해 가정(최종 고객)과 중개 유통업체, 양쪽 모두가 매력을 느낄 수 있는 가치 제안을 제시해야 한다.

Haier

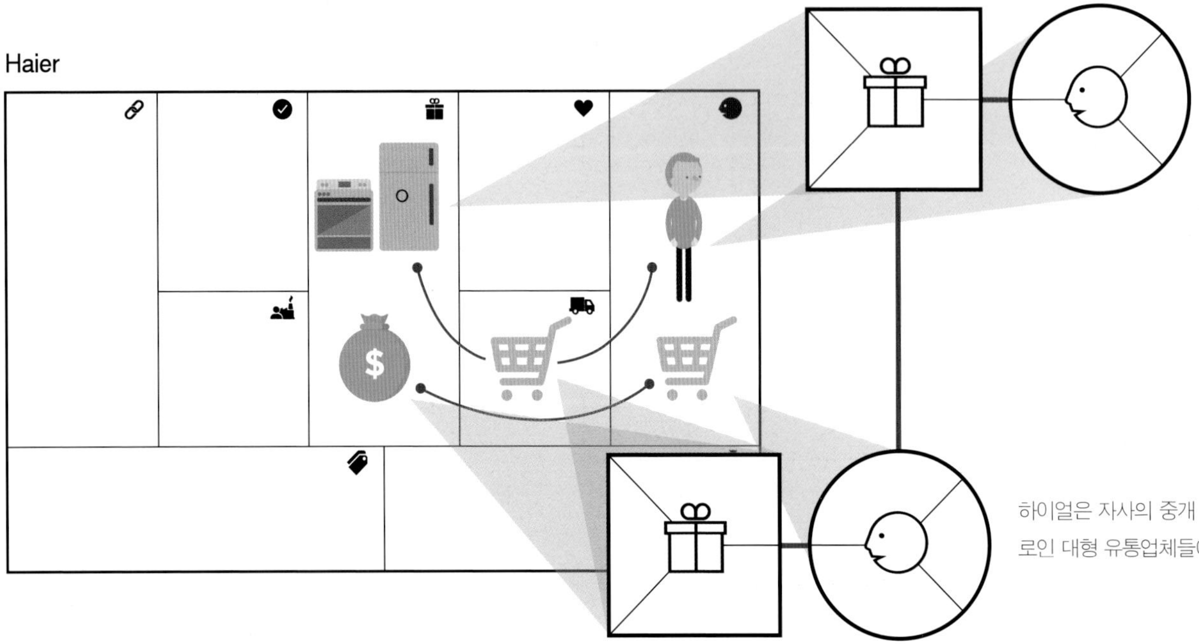

하이얼은 자사의 최종 고객인 가정에 적합한 가치 제안을 갖고 있다.

하이얼은 자사의 중개 고객이자 최종 고객의 주된 구입 경로인 대형 유통업체들에게 적합한 가치 제안을 갖고 있다.

**플랫폼**(Platforms)

플랫폼 비즈니스 모델은 상호의존적인 동일 비즈니스 모델 안에서 둘 이상의 이해관계자들이 상호작용을 하면서 가치를 이끌어낼 때에만 기능을 발휘할 수 있다. 그런 이해관계자가 둘일 때는 양면적 플랫폼, 둘 이상일 때는 다면적 플랫폼이라고 부른다. 플랫폼은 해당 비즈니스 모델의 모든 측면이 있을 때에만 존재할 수 있다.

양면적 플랫폼의 대표적인 예로는 에어비앤비(Airbnb)를 들 수 있다. 에어비앤비는 여분의 침실을 임대하려고 하는 지역 거주민과 호텔 대신 체류할 곳을 찾는 여행자들을 서로 연결해주는 웹 사이트이다. 이런 경우, 해당 비즈니스 모델은 지역 거주민(집주인)에게 맞는 가치 제안과 여행자에게 맞는 가치 제안을 모두 갖추고 있어야 한다.

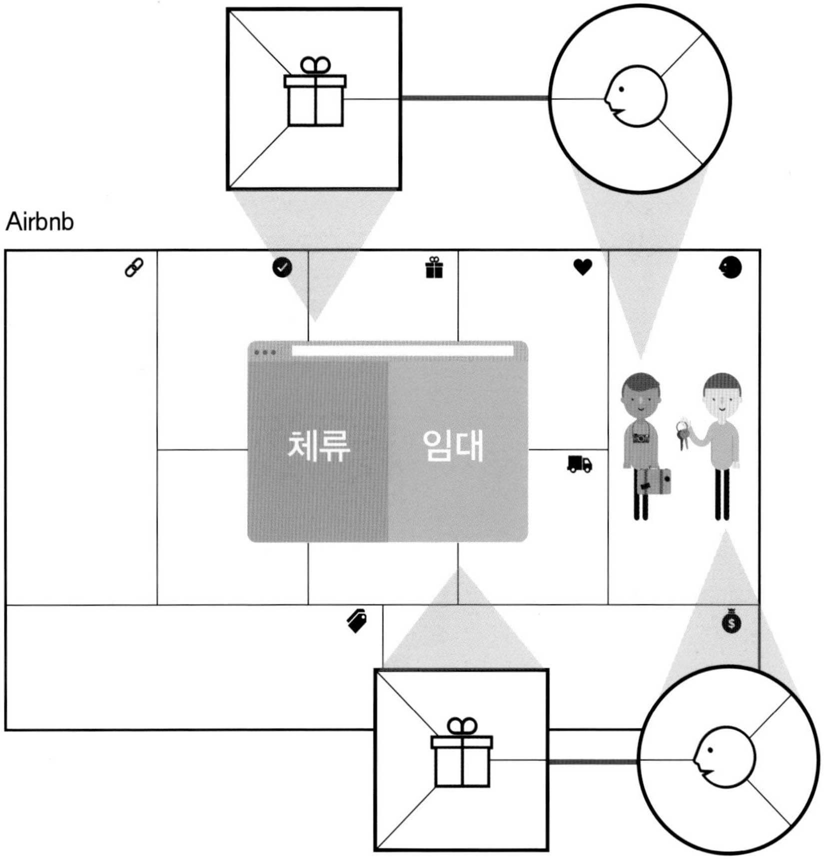

# 영화관 가기

그럼 지금부터는 다른 사례를 이용해서 가치 제안 캔버스의 개념들을 하나씩 살펴보도록 하자. 한 영화관 체인의 소유주가 고객에 맞는 새로운 가치 제안을 설계하려 한다고 가정해보는 것이다. 새로운 가치 제안은 어떤 것이어야 할까?

가치 제안의 특징에서 출발한 영화관 소유주는 스크린 대형화 추세, 최첨단 화면 구현 기술, 맛있는 간식거리, 각종 사교 모임, 도시적 경험 같은 요인들에 열광하게 될지도 모른다. 그러나 당연한 말이겠지만, 그런 것들은 고객이 관심을 가질 때에만 비로소 중요한 의미를 갖게 된다. 그래서 그는 고객이 정말로 원하는 것을 좀 더 자세히 파악하기 위해 활동에 착수하려고 한다.

지금까지는 타깃으로 삼은 고객 세그먼트에 대한 심리 및 인구 통계적 측면의 프로필만 작성했지만 이번에는 고객 활동, 불만, 혜택에 초점을 맞춘 고객 프로필 작성을 통해 이런 형태의 세분화를 보완하기로 결심한다.

**관객들을 영화관으로 유도하는 요인은 무엇인가?**

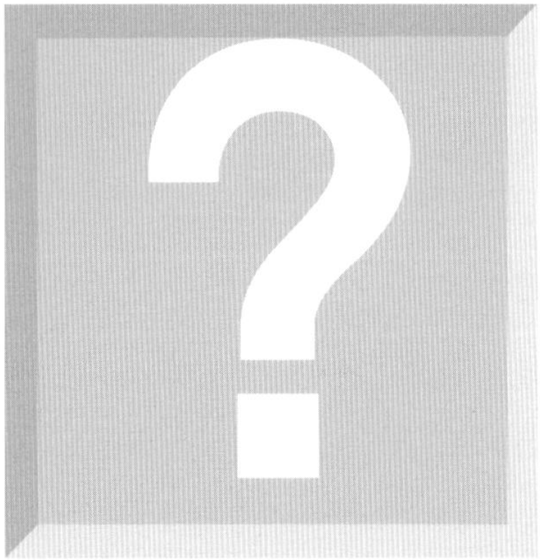

새로운 가치 제안은 어떤 것이어야 할까?

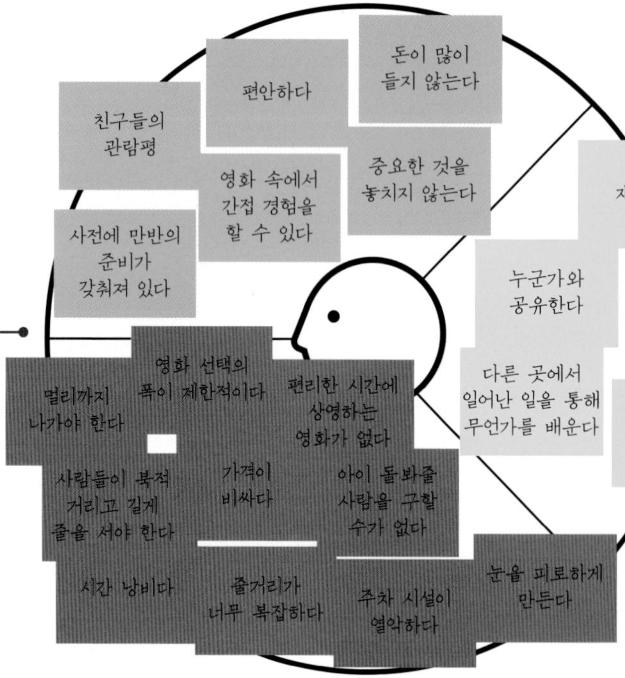


**Tip: (잠재)고객은 당신의 가치 제안과 무관하게 존재한다.**

고객 프로필을 작성할 때 당신의 가치 제안과 관련이 있는 고객 활동, 불만, 혜택에만 초점을 맞추면 안 된다. 고객을 영화관으로 향하게 만드는 진짜 요인을 파악하기 위해서는 초점의 범위를 넓게 유지해야 한다.

## 영화관의 비즈니스 모델

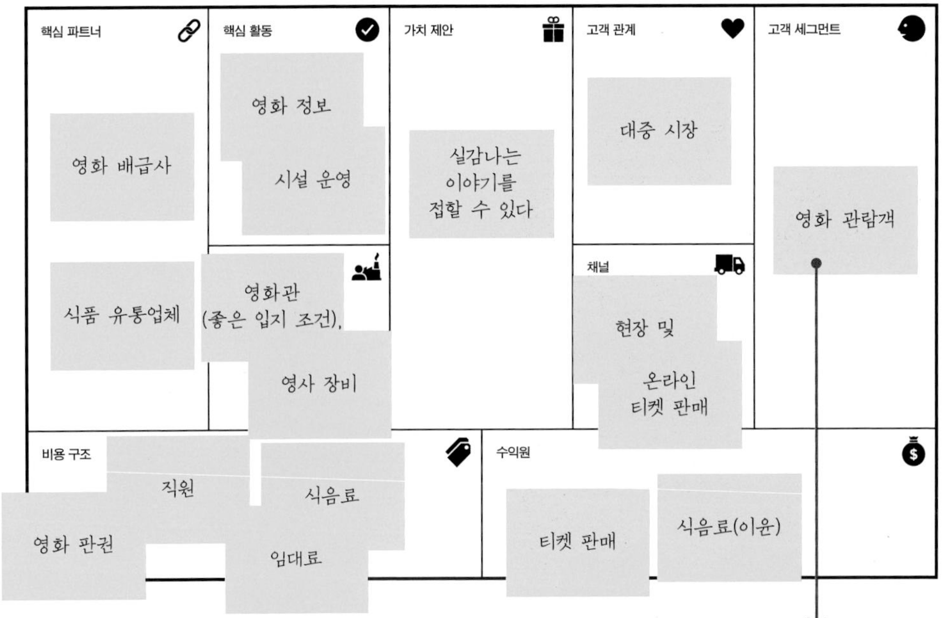

### 새로운 접근법: 고객이 영화관을 찾게 만드는 활동, 불만, 혜택에 초점을 맞춘다

고객 프로필 작성을 통해 당신이 추구하는 목표는 단순히 그들의 사회경제적 특징들을 파악하는 것이 아니라 사람들을 영화관으로 이끄는 진짜 요인을 찾아내는 것이다. 그리고 고객이 달성하려고 애쓰는 것, 그 속에 숨은 동기, 그들의 목적, 그런 활동을 방해하는 것들을 알아내는 것이다. 그렇게 하면 당신의 시야가 확대되면서 고객을 만족시킬 수 있는 새로운, 더 나은 기회를 발견할 수 있게 된다.

### 기존의 접근법: 심리-인구통계에 초점을 맞춘 프로필 작성

심리 및 인구통계에 초점을 맞춘 전통적인 방식의 프로필은 동일한 사회경제적 특성을 범주화해서 고객을 분류한다.

이름: 제인 무비고어
연령: 20-30대
계층: 상위 중산층
소득: 연간 10만 달러
결혼 여부: 기혼, 자녀 2명

영화 소비 행동:

- 액션 영화 선호
- 팝콘과 탄산음료 좋아함
- 줄 서서 기다리는 것을 싫어함
- 온라인으로 티켓 구매
- 한 달에 한 번 영화관 찾음

# 동일한 고객, 상이한 상황

우선순위는 고객이 처한 상황에 따라 달라지기 마련이다. 그러므로 고객에게 부합하는 가치 제안을 떠올리기에 앞서 이런 상황을 먼저 고려해야 한다.

수행 활동에 초점을 맞춘 접근법을 사용할 경우, 상이한 고객 집단의 숨은 동기를 찾아낼 수 있다. 그러나 고객의 상황에 따라 어떤 활동은 다른 나머지 활동보다 더 중요할 수도 있고, 덜 중요할 수도 있다.
실제로 자신이 처한 상황에 따라 그 사람이 수행하려고 하는 활동의 성격이 바뀌는 경우가 많다.
예를 들면, 어떤 음식점을 이용하는 고객이 그곳에서의 점심 식사 경험과 저녁 식사 경험을 평가하는 기준에는 상당한 차이가 있을 수 있다. 휴대폰 사용도 마찬가지다. 자동차 안, 회의 도중, 집안 등 언제, 어디서 사용하느냐에 따라 요구되는 활동이 달라질 것이다. 그러므로 가치 제안의 특징들도 당신이 어떤 상황에 초점을 맞추느냐에 따라 달라질 수밖에 없다.

**우리가 제시한 사례에서도 영화 관람객을 둘러싼 상황이 자신에게 더 중요하고 덜 중요한 활동을 결정하는 데 많은 영향을 미칠 것이다.**

필요할 경우, 당신의 고객 프로필에 상황 요소를 추가하기 바란다. 상황 요소가 나중에 가치 제안을 설계하는 데 제약 요인으로 작용할 수도 있다.

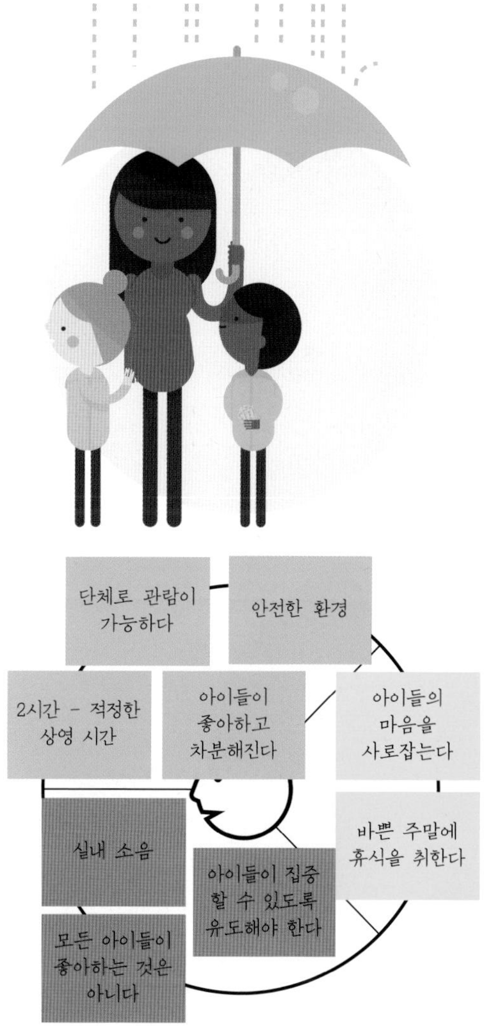


## 자녀의 오후 수업이 없을 경우

**언제?** 수요일 오후

**어디서?** 집 밖에서

**누구와?** 자녀와 함께 또는 자녀의 친구들이 동행할 수 있다

**제약?** 학교가 끝난 후, 저녁 식사 시간 전

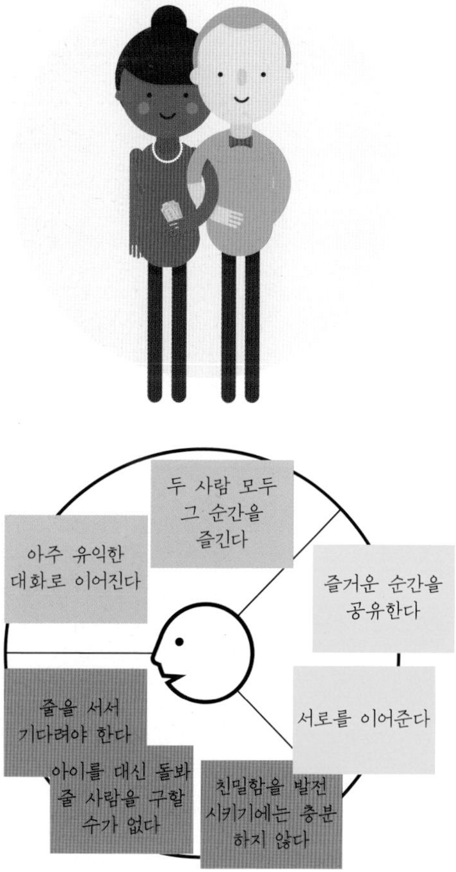


## 저녁 데이트

**언제?** 토요일 저녁

**어디서?** 집 밖에서

**누구와?** 배우자/애인

**제약?** 누군가가 아이들을 대신 돌봐줘야 한다
(자녀가 있는 경우)

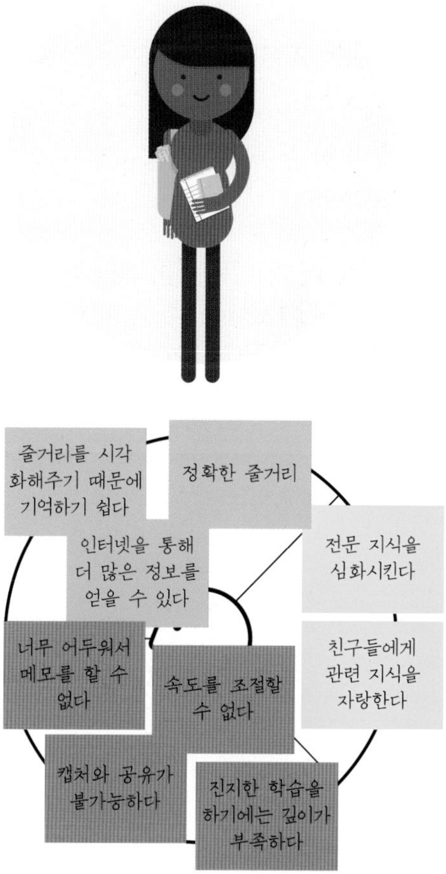


## 개인적 연구 활동

**언제?** 아무 때나

**어디서?** 집 밖에서

**누구와?** 혼자

**제약?** 메모를 할 수 있어야 한다

# 동일한 고객, 상이한 해결책

오늘날과 같은 극심한 경쟁 속에서 살아가는 고객은 자신을 유혹하는 온갖 가치 제안의 바다에 항상 둘러싸여 있다. 그리고 이런 가치 제안은 한정된 동일 고객군의 관심을 차지하기 위해 엄청난 경쟁을 벌인다.

아주 상이한 가치 제안이 유사한 활동, 불만, 혜택을 해결해줄 수도 있다. 예를 들면, 우리가 앞에서 소개한 영화관 체인은 다른 영화관들하고만 경쟁을 벌이는 것이 아니다. 집에서 비디오를 빌려보거나, 저녁에 외식을 나가거나, 온천 여행을 가거나 심지어 3D 전용 안경을 착용한 채 온라인 전시를 관람하는 등 광범위한 분야의 다양한 활동과도 경쟁을 펼쳐야 한다.

고객이 정말로 관심을 갖는 것을 이해하기 위해서는 아주 많은 노력을 기울여야 한다. 완전히 새로운, 또는 상당히 개선된 가치 제안을 고안해내기 위해서는 당신의 가치 제안이 직접적으로 해결해주는 것 너머에 존재하는 고객 활동, 불만, 혜택까지 파악하고 있어야 한다는 얘기다.

고객을 깊이 이해하기 위해서는 당신이 제시한 해결 방법에만 너무 매달려서는 안 된다. 고객에게 중요한 활동, 불만, 혜택이 무엇인지 파악해야만 당신의 가치 제안을 어떤 식으로 개선해고 새로운 가치 제안을 어떤 식으로 고안해야 할지 알 수 있기 때문이다.

영화 관련 웹 사이트
대형 스크린과 입체 음향
대형 스크린으로 영화를 본다
사전 온라인 예매
커플석
집이 주는 편안함
많은 장서
DVD를 빌려 와서 집에서 영화를 본다
즉시 영화 관람이 가능하다
영화 관람을 자신에게 맞춰 조절할 수 있다
대화를 나누기에 더할 나위 없이 완벽하다
시내에서의 저녁 외식
친밀감을 쌓을 수 있는 환경
아주 상이한 가치 제안이 서로 경쟁을 펼칠 수 있는 개방적 환경
두 사람 모두 그 순간을 즐긴다
아주 유익한 대화로 이어진다
즐거운 순간을 공유한다
서로를 이어준다
줄을 서서 기다려야 한다
아이를 대신 돌봐 줄 사람을 구할 수가 없다
친밀함을 발전시키기에는 충분하지 않다
대화를 나누기에 이상적이다
연인/부부를 위한 온천 여행
스트레스를 해소할 수 있다
여행 날짜와 시간을 선택할 수 있다
집이 주는 편안함
지적인 자극
온라인 전시회
즉시 관람이 가능하다
아이를 대신 돌봐줄 사람을 구할 필요가 없다

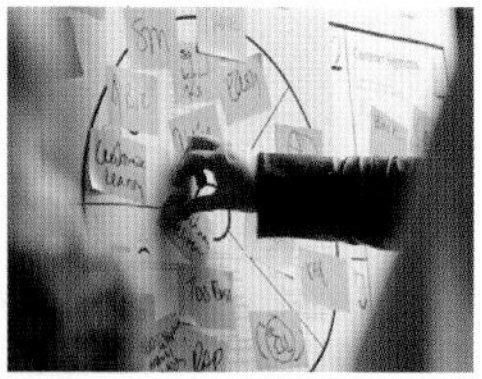

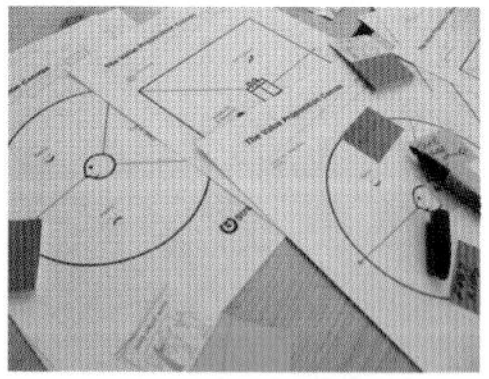

# 교훈

## 고객 프로필

고객 프로필을 이용하면 고객에게 중요한 것을 시각화할 수 있다. 고객의 활동, 불만, 혜택을 구체적으로 명시하라. 해당 프로필을 1페이지 가량의 실행 가능한 문서로 만들어 조직 전체에 돌리면 고객에 대한 이해를 공유할 수 있게 된다. 이것은 실제로 고객과 이야기를 나눌 때 자신이 추정한 고객 활동, 불만, 혜택의 존재 여부를 확인할 수 있는 '채점판'으로도 활용 가능하다

## 가치 맵

가치 맵을 사용하면 당신의 상품과 서비스가 어떤 식으로 불만을 완화시키고 혜택을 창출할 것인지 명확하게 전달할 수 있다. 가치 맵을 1페이지짜리 문서로 만들어 조직 전체에 돌리면 당신의 가치 창출 방안에 대한 이해를 공유할 수 있게 된다. 그리고 고객을 상대로 그런 것들을 테스트할 때 당신의 상품이 실제로 불만을 해소하는지 확인할 수 있는 '채점판'이 되기도 한다.

## 적합성

문제 해결 적합성: 당신의 가치 제안을 통해 해결하려고 하는 활동, 불만, 혜택이 고객이 중요시하는 것인지 입증해야 한다.

제품-시장 적합성: 당신의 가치 제안을 고객이 정말로 원하는지 입증해야 한다.

비즈니스 모델 적합성: 당신의 가치 제안에 맞춰 도출해낸 비즈니스 모델이 측정 가능하고 수익성이 높다는 것을 입증해야 한다.

# 가치 제안 캔버스

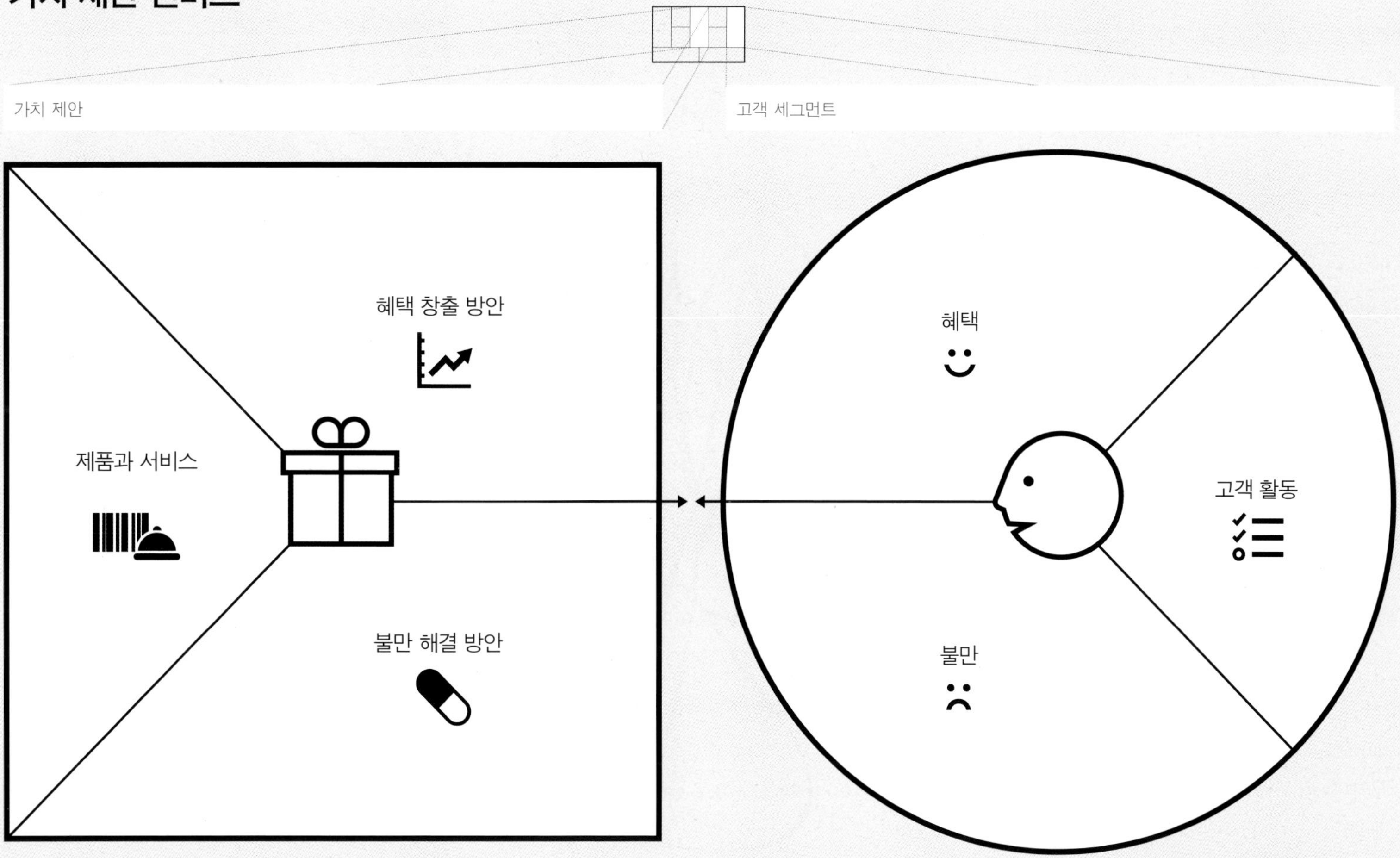


Strategyzer
strategyzer.com



가치 제안 캔버스 pdf 파일 다운로드하기

# 설계하고, 테스트하고, 반복하라

고객 활동, 불만, 혜택에 부합하는 가치 제안을 찾는 것은 프로토타입 설계와 테스트 활동 사이를 계속 왔다 갔다 해야 하는 작업이다. 순차적이 아니라 반복적으로 진행되는 프로세스인 것이다. 이 책 〈밸류 프로포지션 디자인〉이 추구하는 목표는 아이디어를 최대한 신속하게 테스트하는 것이다. 그래야만 거기에서 무언가를 배워서 더 나은 설계를 이끌어내고 그것을 또 다시 테스트할 수 있기 때문이다.

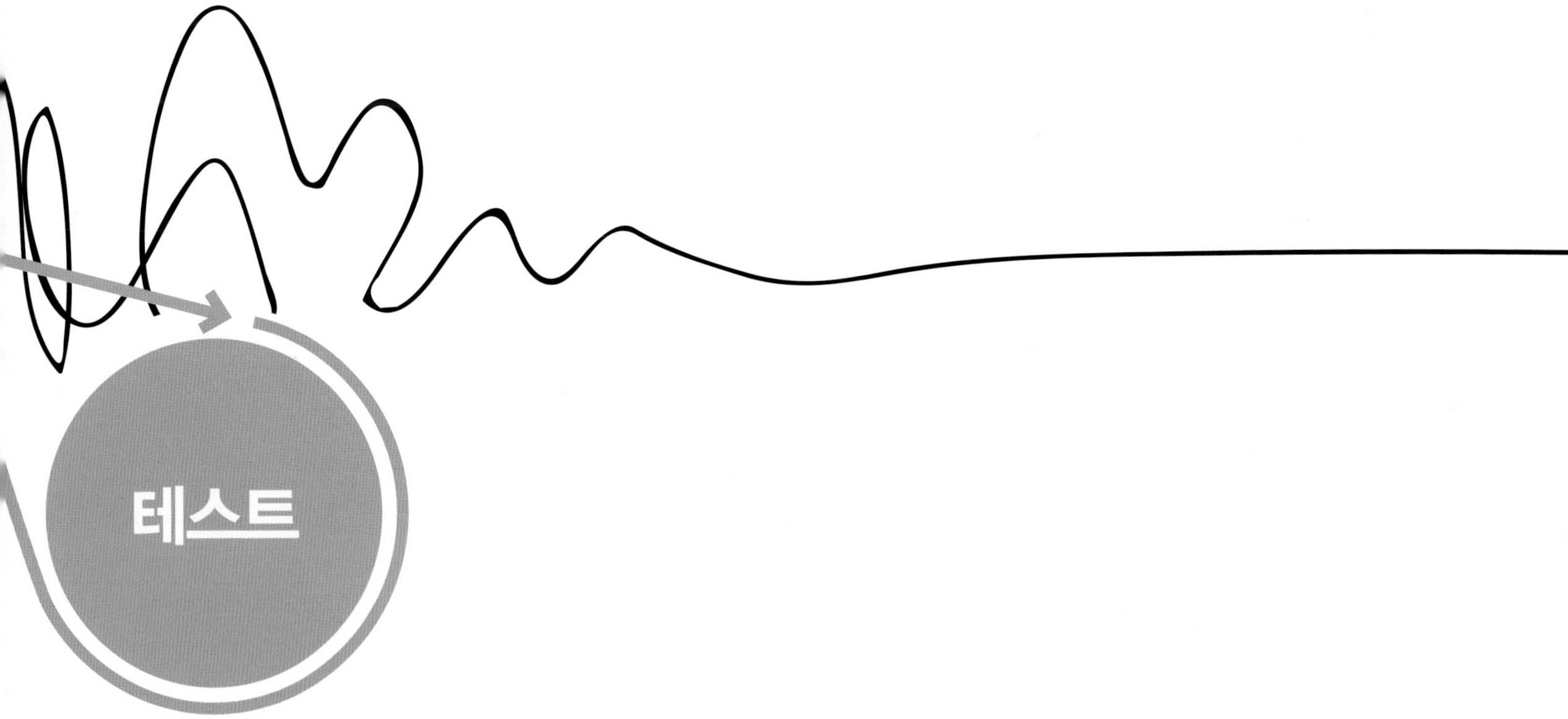
테스트

des

ign

# 2

당신의 **출발점**[p.86] 중 하나에 대한 **가능성을 프로토타이핑**[p.74]하는 활동으로 가치 제안 설계에 착수하라. **고객에 대한 이해**[p.104]를 바탕으로 당신의 가치 제안을 구상한 **다음 선택**[p.120]과 적합한 **비즈니스 모델의 발견**[p.142]을 통해 좀 더 자세히 탐색해보고 싶은 것들을 선별하라. 만약 이미 활동에 착수한 회사라면 **기존 업체들의 설계 활동**[p.158]에서 특이한 점이 있는지 찾아보기 바란다.

FROM TESTING
STARTING POINTS
OBSERVATION
Strategyzer
Learning Card
We believe that
We observed
From that we learned that
Therefore we will

Acme
ASSESSMENT
TO TESTING
7 QUESTIONS
FINANCE
BUSINESS MODEL
OTOTYPING
FAILED

# 아이디어 구상하기

설계란 아이디어를 가치 제안 프로토타입으로 전환하는 활동으로 프로토타입 제작, 고객 조사, 아이디어 재구상이 계속 순환 반복된다. 프로토타입 제작이나 고객 발굴에서 설계 활동을 시작해도 무방하다. 이런 설계 활동은 우리가 3장(p.172)에서 살펴보게 될 테스트 활동에 그대로 반영된다.





## 아이디어, 출발점, 통찰

p.86

가치 제안을 새로 만들거나 개선하는 데 필요한 출발점은 어디서에서든 나올 수 있다. 고객에 대한 통찰(→p.116)이나 프로토타입 탐색(→ p.76)에서 나올 수도 있고, 다른 곳(→ p.88)에서 나올 수도 있다. 첫 번째 아이디어에 너무 몰입하지 않도록 주의하라. 프로토타입 제작(→ p.76), 고객 조사(→ p.104), 테스트(→ p.172) 활동이 진행되는 동안 그런 첫 번째 아이디어에 근본적인 변화가 일어날 가능성이 높기 때문이다.

## 가능성 프로토타입하기

p.74

신속하고 저렴하게 대략적인 프로토타입을 만들어서 아이디어의 형태를 잡아나가야 한다. 냅킨 스케치(→ p.80)와 애드리브(→ p.82), 그리고 가치 제안 캔버스(→ p.84)를 이용해서 아이디어를 구체화하라. 처음부터 특정 프로토타입에 너무 집착해서는 안 된다. 가능성을 탐색한 후 언제든지 폐기할 수 있도록 모든 프로토타입에 계속 가벼운 마음 상태를 유지해야 한다. 그래야만 엄격한 테스트 과정(→ p.240)을 뚫고 살아남는 최고의 프로토타입을 발견할 수 있다.

## 고객 이해하기

p.104

초기 고객 조사와 더불어 당신의 아이디어와 프로토타입에 대해 사람들에게 알려야 한다. 이용 가능한 데이터(→ p.108)를 모두 조사하고, 고객과 대화(→ p.110)를 나누고, 고객의 세계에 몰입하라(→ p.114). 고객에게 당신의 가치 제안을 너무 일찍 선보여서는 안 된다. 초기 조사는 고객의 활동, 불만, 혜택에 대한 당신의 이해를 높이는 데 활용하기 바란다. 고객에게 정말 중요한 것이 무엇인지 알아내야만 고객과의 엄격한 테스트 과정(→ p.172)에서 살아남을 수 있는 가치 제안을 프로토타이핑할 수 있다.

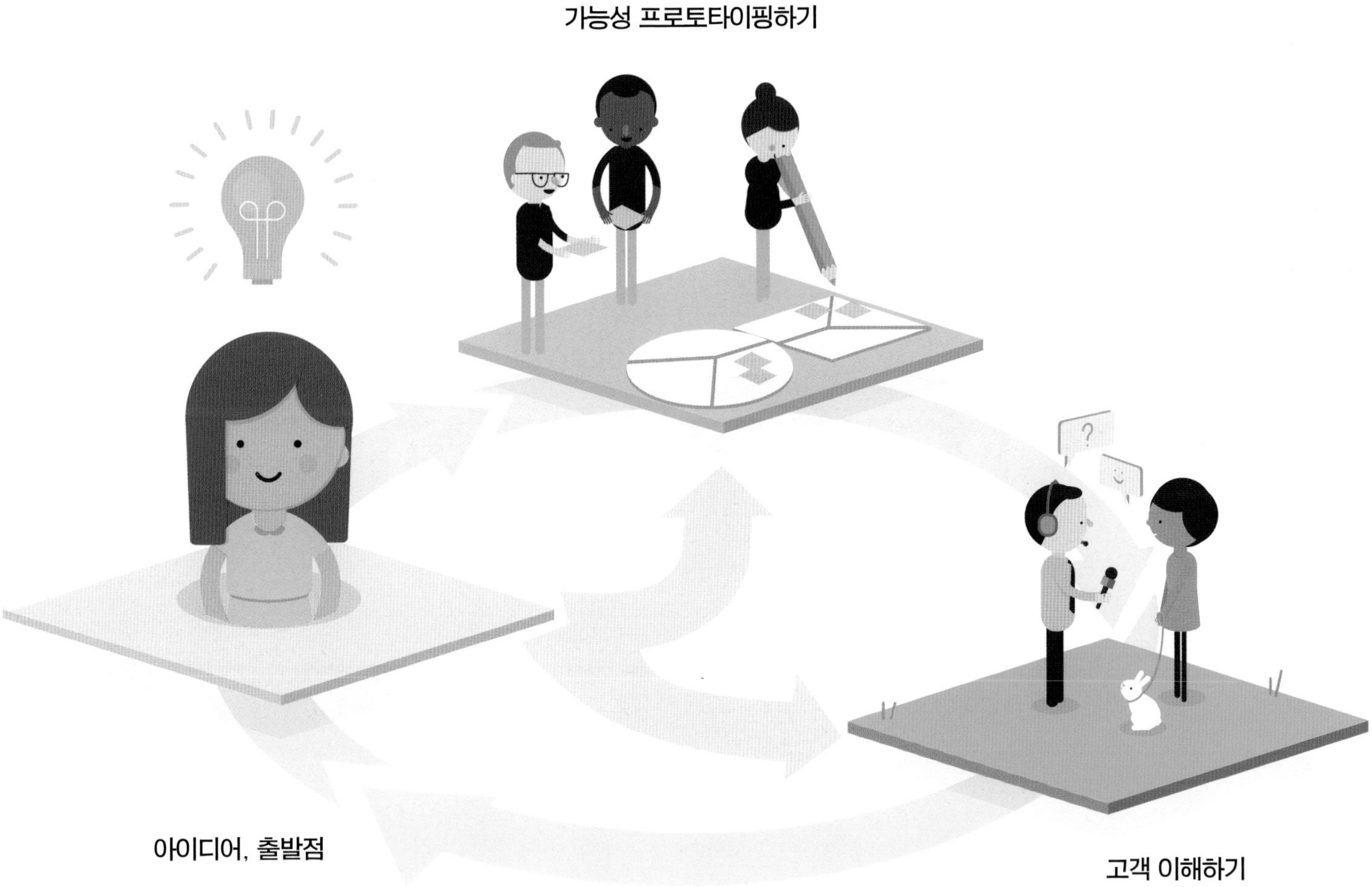
가능성 프로토타이핑하기
아이디어, 출발점
고객 이해하기

# 훌륭한 가치 제안의 특징 10가지

이 장에서 소개하게 될 가치 제안 설계 방법에 본격적으로 돌입하기 전에 잠시 활동을 멈추고 훌륭한 가치 제안의 특징에 대해 한번 생각해보는 시간을 가져보기 바란다. 이 활동을 시작하는 데 도움이 될 만한 특징 10가지를 소개한다. 또 다른 특징이 떠오른다면 주저하지 말고 추가하라.

'훌륭한 가치 제안의 특징 10가지' 포스터 받기

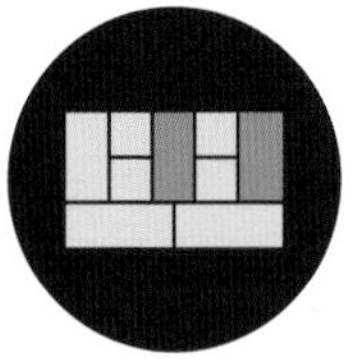

1

훌륭한 비즈니스 모델 속에 견고하게 박혀 있다.

2

고객에게 가장 중요한 활동, 불만, 혜택에 초점을 맞춘다.

3

충족되지 못한 활동, 해결되지 않은 불만, 실현되지 않은 혜택에 집중한다.

4

소수의 활동, 불만, 혜택을 겨냥해서 아주 훌륭하게 수행한다.

5

기능적 활동만이 아니라 정서적, 사회적 활동까지 해결해준다.

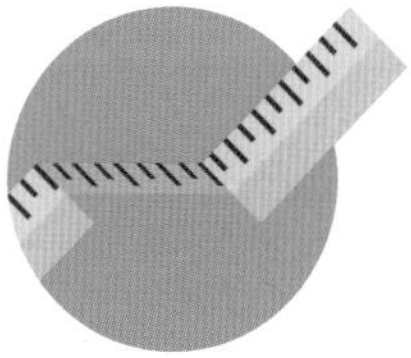

6

고객의 성공 측정 방법과 일치한다.

7

많은 사람들 혹은 일부 사람들이 기꺼이 비용을 지불할 활동, 불만, 혜택에 초점을 맞춘다.

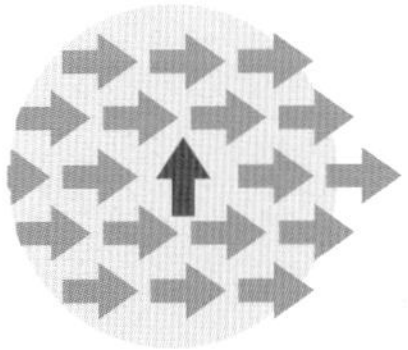

8

고객이 관심을 기울이는 활동, 불만, 혜택에 대해 경쟁 제품과 차별화시킨다.

9

적어도 한 가지 측면에서는 경쟁 제품을 크게 앞지른다.

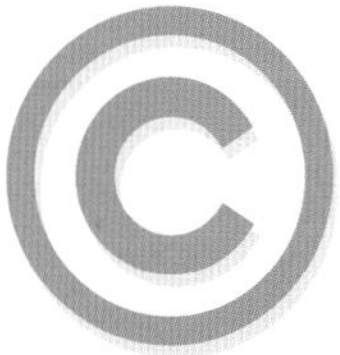

10

모방하기 어렵다.

# 2.1

# 가능성 프로토타이핑하기

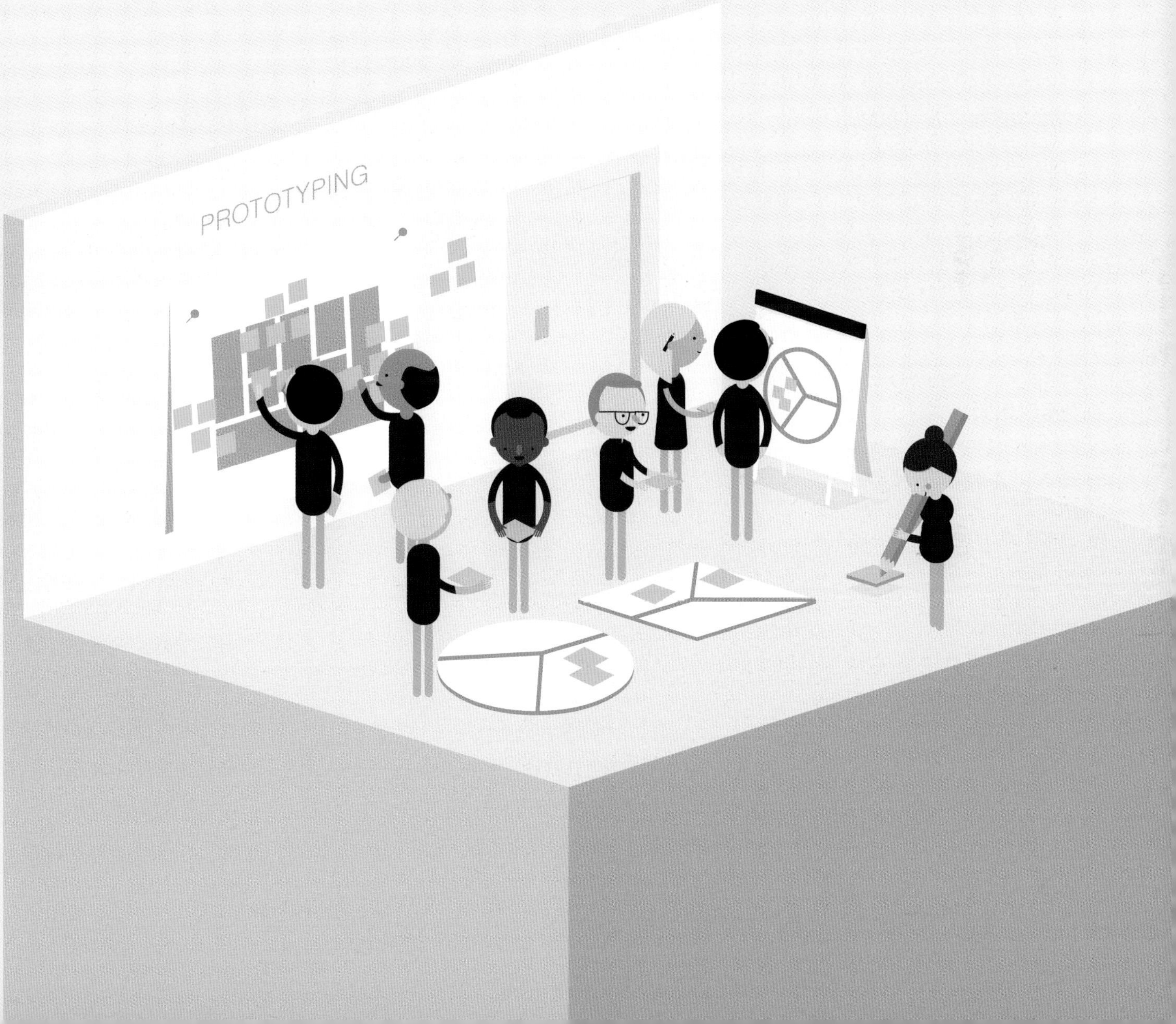
PROTOTYPING

# 프로토타이핑이란 무엇인가?

다른 대안들을 탐색하고 당신의 가치 제안을 구체화시켜 최고의 기회를 찾아내기 위해서는 당신의 아이디어를 신속하게 간단한 연구 모델로 만드는 것이 가장 효과적이다. 프로토타이핑은 물리적 형태를 갖춘 인공물을 제작하는 설계 업계에서는 이미 보편화된 활동이다. 진짜 제품 및 서비스의 테스트와 제작에 앞서 그 가능성을 재빨리 탐색해보기 위해 우리는 가치 제안이라는 개념에 이 활동을 접목시키려고 한다.

개념 정의

**프로토타이핑**

***대체 가능한 다른 가치 제안 및 비즈니스 모델의 바람직성, 타당성, 실현 가능성을 알아보기 위해 신속하고 저렴하게, 그리고 개략적으로 연구 모델을 제작하는 활동.***

특정 아이디어에 대한 개선 작업에 착수하기에 앞서 다음과 같은 프로토타이핑 방법을 통해 동일한 아이디어를 완전히 다른 각도에서 재빨리 탐색할 수 있다.

## 냅킨 스케치

p.80

냅킨 스케치를 이용해서 다른 대안들을 시각화한다. 당신의 아이디어가 선택할 수 있는 모든 잠재 방안을 하나씩 스케치해보는 것이다.

우리 ___은/는 ___하고 ___하게 해줌으로써 ___하고 싶어 하는 ___에게 유익하다.(___과 달리)

## 애드리브

p.82

즉석에서 변형이 가능한 짧은 문장의 빈칸을 채워 넣으면서 상이한 대안이 어떤 식으로 가치를 창출하는지 정확히 짚어낸다.

Tips

- 당신의 첫번째 프로토타입을 개략적으로 설명하는 데 5~15분 정도 할애한다.
- 눈에 잘 띄는 곳에 타이머를 설치하고 사전에 정한 활동 시간을 고수한다.
- 가능성이 있는 몇 가지 방안 중 무엇을 프로토타이핑할지 선택하는 데 너무 많은 시간을 허비해서는 안 된다. 재빨리 몇 가지를 프로토타이핑해서 비교해야 한다.
- 프로토타이핑은 탐색 도구라는 것을 명심해야 한다. 프로토타입의 세부적인 부분들에까지 시간을 할애해서는 안 된다. 그런 프로토타입은 어떤 식으로든 근본적인 변화를 겪게 될 확률이 아주 높기 때문이다.

## 가치 제안 캔버스

p.84

가치 제안 캔버스를 이용해서 가능성 있는 방안을 점점 더 구체화시킨다. 각각의 대안이 해결할 수 있는 활동, 불만, 혜택이 무엇인지 파악한다.

## 가치 제안 표현

p.234

직접적으로 만들지 않더라도 실감나게 표현함으로써 고객과 사업 파트너들이 잠재적 가치 제안을 이해할 수 있게 한다.

## 최소 기능 제품(Minimum Viable Product)

p.222

당신의 가치 제안에 생명력을 불어넣고 고객과 사업 파트너들을 상대로 테스트해볼 수 있는 최소 기능 제품을 제작한다.

보다 자세한 내용은 3장 테스트 부분 참조(→ p.172)

# 프로토타이핑의 10가지 원칙

프로토타이핑의 위력을 느껴보기 바란다. 오직 하나의 방안을 갈고 다듬는데 모든 시간과 에너지를 쏟아붓고 싶겠지만, 그런 유혹에서 벗어나야 한다. 대신 그런 시간과 에너지를 다양한 방안을 탐색하는 데 사용하라. 그러면 더 많은 것을 배우고 더 나은 가치 제안을 발견하게 될 것이다.

'프로토타이핑의 10가지 원칙' 포스터 받기

## 1

### 시각화하고 구체화시켜라

이런 종류의 프로토타입은 대화와 학습에 불을 붙인다. 또 다시 무익한 잡담의 세계로 퇴보하는 일이 없기를 바란다.

## 2

### 초심자의 마음을 유지하라

'실행 불가능한 것'을 프로토타이핑 하고 항상 새로운 마음으로 탐색하라. 기존에 알고 있던 지식이 탐색 활동에 장애물이 돼서는 안 된다.

## 3

### 첫 번째 아이디어에 집착하지 말고 다른 대안들을 고안하라

너무 처음부터 당신의 아이디어를 다듬어나가는 것은 다른 대안들을 고안하고 탐색하는 데 방해가 될 수 있다. 너무 빨리 결정해서는 안 된다.

## 4

### '유동적인 상태'를 편안하게 받아들여라

프로세스 초기에는 적합한 방안이 잘 드러나지 않는다. 상황이 그만큼 유동적이기 때문이다. 너무 불안해하지 말고 너무 성급하게 결론을 내리려고 해서도 안 된다.

## 5

### 완성도가 낮은 것부터 시작하고 반복하고 개선하라

프로토타입을 다듬기 시작하면 폐기하기가 힘들다. 프로토타이핑 활동은 신속하고 저렴하게 개략적으로 수행해야 한다. 효과적인 것과 그렇지 않은 것을 충분히 파악한 다음에 다듬고 개선해도 늦지 않다.

## 6

### 작업 내용을 초기에 보여주며 타인의 평가를 구하라

되도록 초기에, 그리고 개선 활동에 착수하기 전에 피드백을 요청해야 한다. 부정적인 피드백을 받았다고 기분 나빠해서는 안 된다. 프로토타입을 발전시켜나가는 데 그런 피드백이 귀중한 역할을 할 수 있기 때문이다.

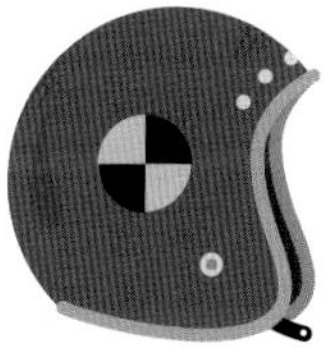

## 7

### 초반에, 적은 비용으로, 많이 실패해서 더 빨리 학습하라

실패에 대한 두려움 때문에 사람들은 무언가를 탐색하는 것을 주저하게 된다. 간단하고 신속하게 프로토타이핑하는 문화에 익숙해져서 두려움을 떨쳐내야 한다. 이런 프로토타이핑 문화는 저렴한 실패 비용으로 더 빨리 학습할 수 있게 해준다.

## 8

### 창의적 발상법을 사용하라

획기적인 프로토타입을 탐색하고 싶다면 창의적 발상법으로 눈을 돌려야 한다. 당신이 속한 조직이나 업계에서 일반화된 수행 방법을 과감히 탈피하는 것이다.

## 9

### '슈렉(Shrek) 모델'을 창조하라

슈렉 모델이란 극단적 혹은 아주 터무니없는 프로토타입을 가리킨다. 제작 가능성이 극히 낮은 그런 프로토타입을 이용해서 논의와 학습을 촉발시키는 것이다.

## 10

### 학습 내용, 통찰, 진척 상황을 추적하라

모든 대안 프로토타입, 학습, 통찰을 계속 기록하고 정리해야 한다. 초기의 아이디어와 통찰이 프로세스 후반에 요긴하게 사용될 수 있다.

# 냅킨 스케치로 아이디어를 시각화하라



활동 목적
가치 제안 관련 아이디어를 재빨리 시각화한다.

활동 결과
냅킨 스케치 형태의 대안 프로토타입.

냅킨 스케치는 가치 제안이나 비즈니스 모델을 간단히 묘사한 것으로, 작동 방식이 아니라 오로지 핵심 아이디어만을 강조한다. 한 장의 냅킨 안에 들어갈 정도로 아주 간단하지만 핵심 아이디어를 충분히 전달할 수 있다. 프로토타이핑 활동이 진행되는 초기에 사용하면 대안 프로토타입을 탐색하고 논의하는 데 아주 효과적이다.



### 냅킨 스케치란 무엇인가?

냅킨 스케치는 저렴한 비용으로 당신의 아이디어를 좀 더 구체적이고 공유 가능한 형태로 만드는 활동이다. 이 활동은 특정 아이디어의 작동 방식에 깊이 파고드는 것을 차단해주기 때문에 실행 문제로 전전긍긍하는 상황을 피할 수 있다.

### 어디에 사용되는가?

냅킨 스케치는 가치 제안 설계 프로세스 초기에 아이디어를 재빨리 공유하고 평가하는 데 사용된다. 일부러 간단히 작업하기 때문에 아무 미련 없이 폐기 처분하고 다른 대안으로 눈을 돌릴 수 있다. 또한 고객으로부터 초기 피드백을 수집할 때도 사용 가능하다.

### 주의 사항

냅킨 스케치는 일종의 탐색 도구라는 것을 사람들에게 이해시켜야 한다. 프로토타이핑과 테스트 활동 중에 스케치한 아이디어의 상당수가 사장되거나 근본적인 변화를 겪게 된다는 사실을 알려주는 것이다.

## 훌륭한 냅킨 스케치는…

오로지 한 개의 핵심 아이디어나 방향을 담고 있다(물론 나중에는 이런 아이디어들이 합쳐질 수도 있다).

아이디어의 작동 방식이 아니라 핵심 주제를 표현한다(아직 프로세스나 비즈니스 모델에 대해서는 거론하지 않는다).

한 눈에 알아볼 수 있도록 아주 간단하게 작성한다(세부 사항은 나중에 프로토타입을 좀 더 개선한 후 논의한다).

10~30초 내에 설명이 가능하다.

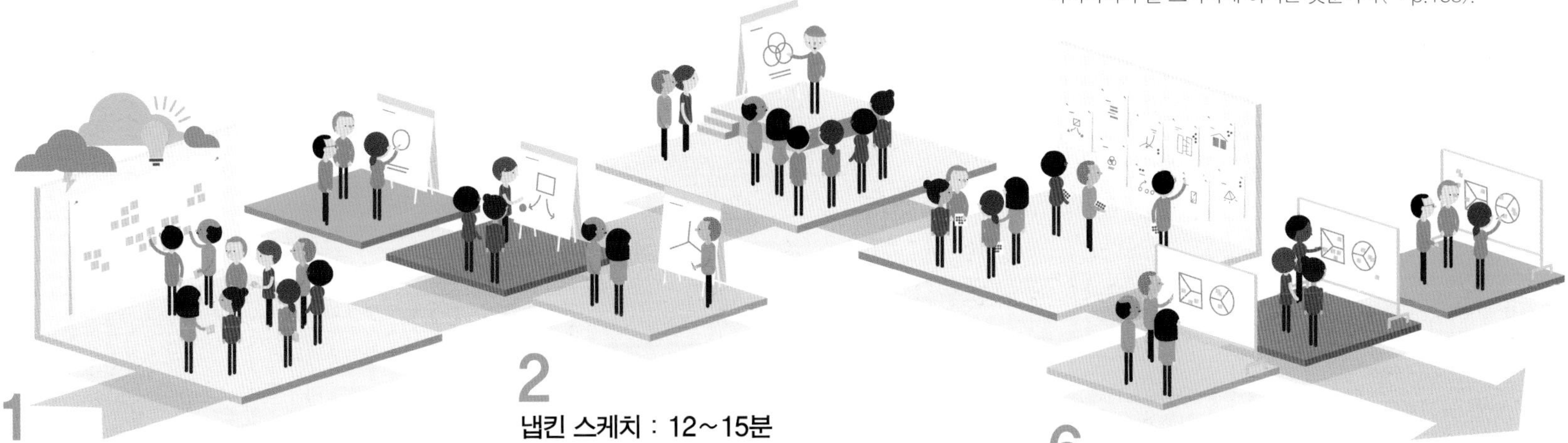

## 1
### 브레인스토밍 : 15~20분

트리거 질문(Trigger Question)(→ p.15, 17, 31, 33)이나 상황 가정 질문 같은 색다른 브레인스토밍 기법을 사용해서 흥미로운 가치 제안으로 이어질 수 있는 다양한 방안들을 유도한다. 이 단계에서는 선택 문제를 걱정하지 않아도 된다. 질보다는 양이 더 중요하기 때문이다. 이런 식으로 재빨리, 대강 만들어진 프로토타입은 나중에 다시 수정 과정을 거치게 된다.

## 2
### 냅킨 스케치 : 12~15분

참가자들을 몇 개의 그룹으로 나눈다. 그룹별로 상이한 세 가지 가치 제안에 맞춰 세 가지 아이디어를 재빨리 선택한 후, 플립 차트에 아이디어별로 냅킨 스케치를 작성하게 한다. 이런 식으로 2~3개의 냅킨 스케치를 작성하면 내용도 풍성해지고 토론이 끝없이 이어질 위험도 줄어든다.

## 3
### 설명하기 : 각 그룹별로 30초씩

각 그룹에서 팀원 한 명이 무대로 나와 자기 팀의 냅킨 스케치를 설명한다. 제한 시간은 30초다. 해당 아이디어의 핵심만 간략하게 설명할 뿐 작동 방식까지 소개할 필요는 없다. 각 그룹이 다양한 의견을 제시하도록 유도하라. 내용이 다양하지 않을 경우, 처음부터 다시 시작하도록 모두 돌려보내야 한다.

## 4
### 전시

작성된 냅킨 스케치를 모두 벽면에 걸어놓는다. 그러면 상당히 다양한 대안적 방안이 갖춰지게 된다.

## 5
### 스티커 투표 : 10~15분
**(휴식 시간에 하는 것이 가장 이상적이다)**

참가자들에게 각자 좋아하는 아이디어에 투표를 할 수 있도록 작은 원형 스티커를 10장씩 제공한다. 자신이 가장 좋아하는 냅킨 스케치에 스티커 10개를 모두 붙여도 되고 아니면 몇 개에 나누어 붙여도 상관없다. 여기에서 최종 결정이 이루어지는 것은 아니다. 그저 참가자들이 가장 열광하는 아이디어가 잘 드러나게 하려는 것뿐이다(→ p.138).

## 6
### 프로토타입

각 그룹은 자신들이 작성한 세 가지 냅킨 스케치 가운데 가장 많은 스티커를 받은 아이디어에 맞춰 가치 제안 캔버스를 간략히 작성하며 활동을 이어간다. 스티커를 가장 많이 받은 다른 그룹의 냅킨 스케치를 재분배할 수도 있다.

# 애드리브를 이용해서 재빨리 가능성을 창조하라

활동 목적
잠재 가치 제안의 방향을 재빨리 잡는다.

활동 결과
'설명이 가능한' 문장 형태의 대안 프로토타입

애드리브는 당신의 가치 제안의 다른 방향들을 재빨리 파악하는 데 아주 효과적인 방법이다. 당신이 어떤 식으로 가치를 창출하려고 하는지 정확히 짚어낼 수 있게 해주기 때문이다. 즉석에서 변형이 가능한 아래 문장의 빈칸을 채워가면서 3~5가지 정도 다른 방향으로 프로토타이핑 해보기 바란다.





견본 다운로드하기

우리 ______ 은/는 ______ 하고

제품/서비스

당신이 생각하는 불만 관련 동사
(예: ~을 줄이다/피하다)

______ 하게 해줌으로써 ______ 을 하고 싶어 하는

당신이 생각하는 혜택 관련 동사
(예: ~을 늘리다/가능하게 하다)

수행해야 하는 활동

______ 에게 유익하다. (Tip: ______ 과 달리 이 부분은 문장의 처음이나 중간에 자유롭게 삽입하라.)

고객 세그먼트

경쟁사의 가치 제안

우리 ___책___ 은 ___아무도 원치 않는 제품을 만드는 것을 피하고___ ___진척 상황을 측정할 수 있는 명확한 지표를 제시함___ 으로써

___사업을 개선하거나 수립하고___ 싶어 하는 ___비즈니스맨들___ 에게

도움을 제공한다.

# 가치 제안 캔버스를 이용해서 아이디어에 살을 붙여라





활동 목적
상이한 아이디어의 고객 가치 창출 방법에 대해 명쾌하게 설명한다.

활동 결과
가치 제안 캔버스 형태의 대안 프로토타입.

냅킨 스케치나 애드리브와 마찬가지로 가치 제안 캔버스를 사용해서도 대안 프로토타입을 신속하게 작성할 수 있다. 가치 제안 캔버스는 최종 아이디어를 개선하고 다듬는 데는 사용할 수 없어도 올바른 방향을 탐색하는 데 훌륭한 도구가 될 수 있다.

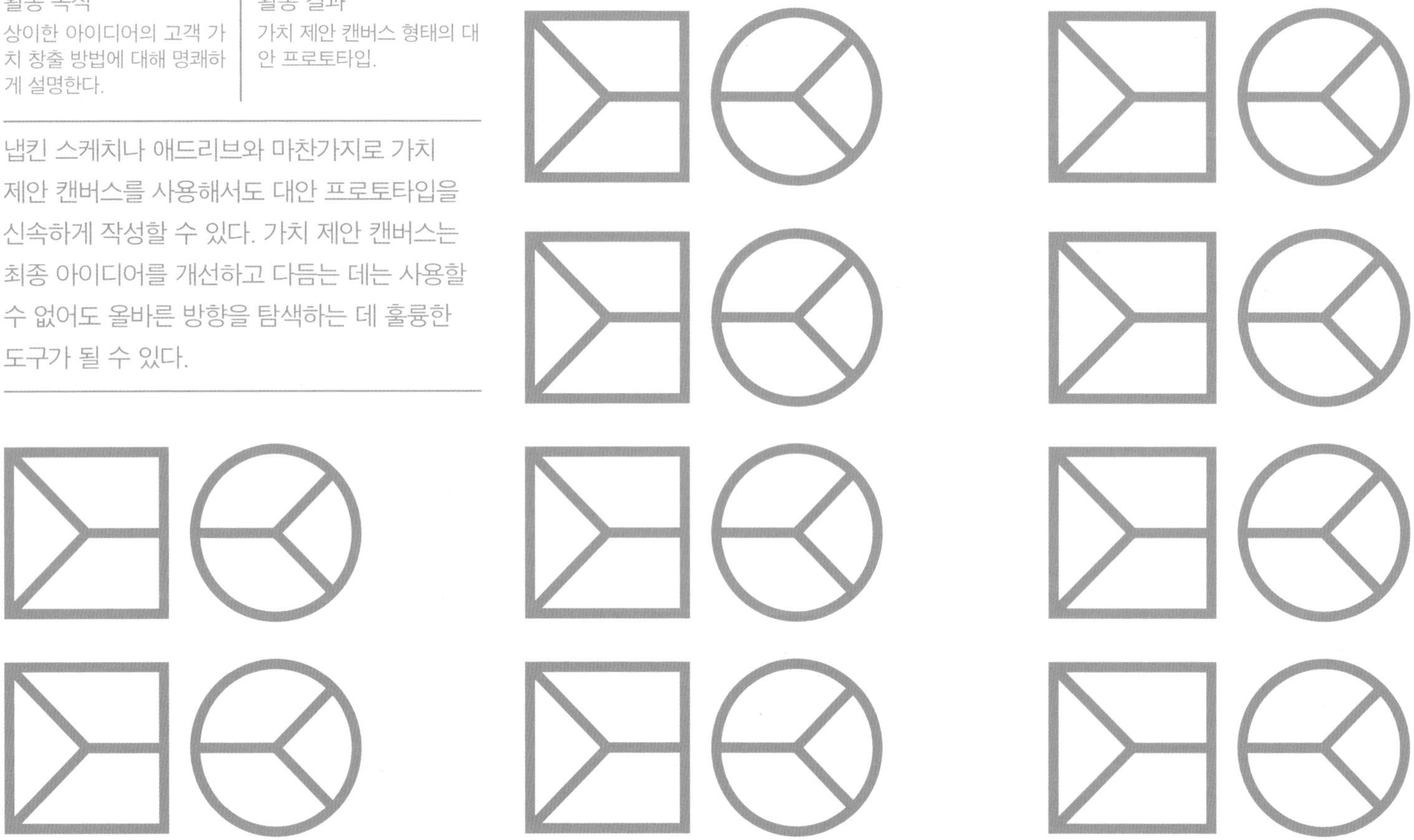

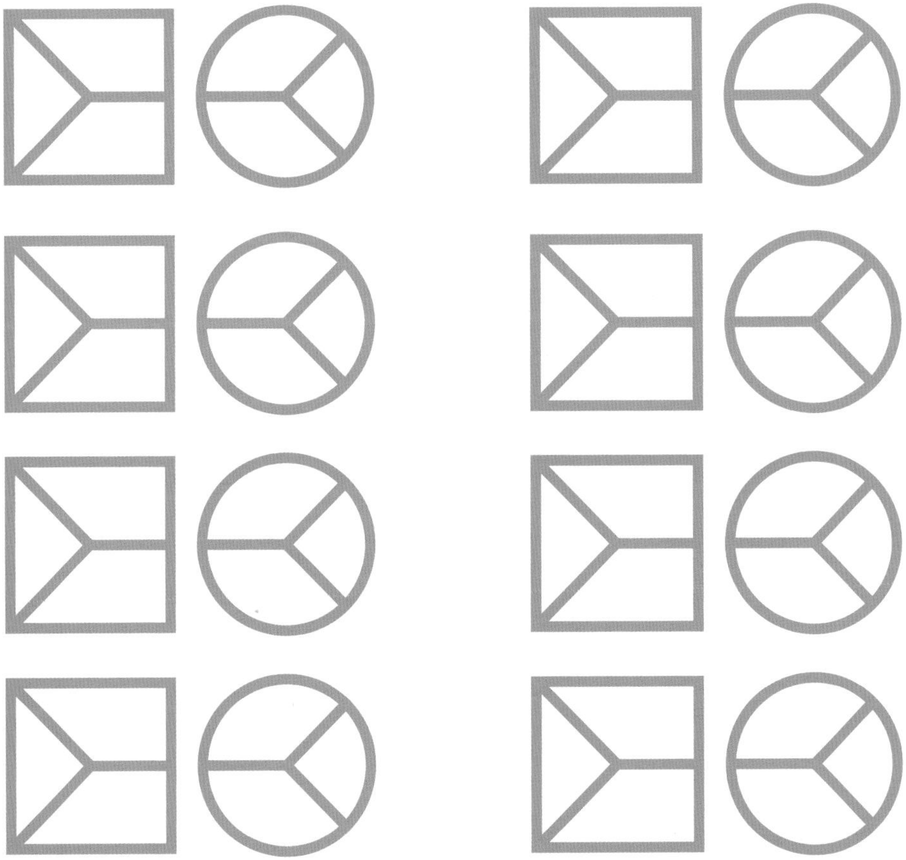

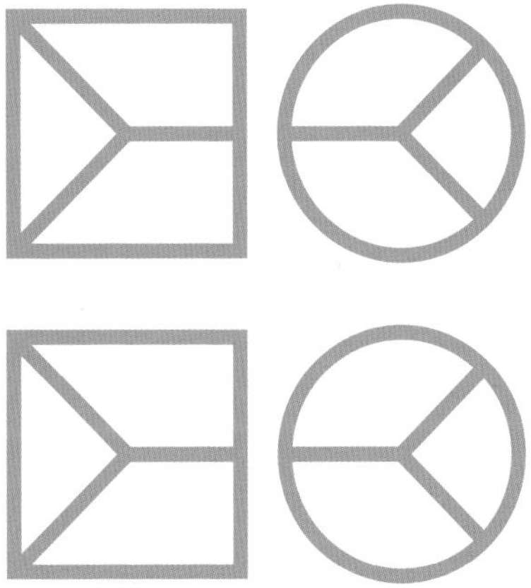

눈에 잘 띄는 타이머를 사용해서 당신이 특정 프로토타입에 할애하는 시간을 제한해야 한다. 초기의 프로토타입에는 시간을 짧게 안배하는 것이 바람직하다.

추진 가능성이 거의 없다 하더라도 급진적 방향에 대한 프로토타이핑을 두려워해서는 안 된다. 그런 방향에 대해서도 계속해서 탐색과 학습 활동이 이루어져야 한다.

# 2.2

# 출발점

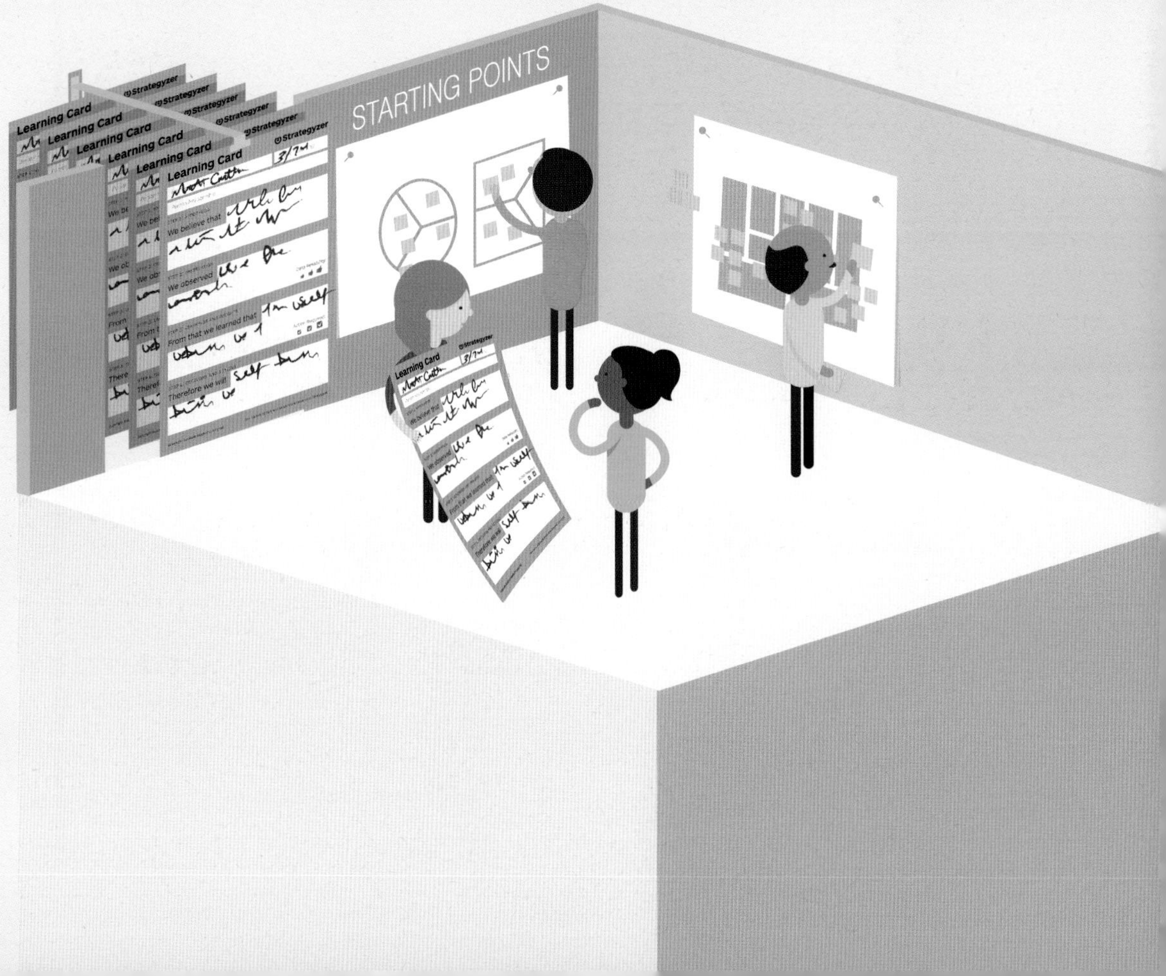
STARTING POINTS
Learning Card
Strategyzer
We believe that
We observed
From that we learned that
Therefore we will

# 어디에서 시작할 것인가

**사람들이 일반적으로 생각하는 것과는 달리, 훌륭하고 새로운 가치 제안이 항상 고객에서 출발하는 것은 아니다. 하지만 고객이 중요시하는 활동, 불만, 혜택의 해결이 항상 종착점인 것만은 분명하다.**

지금부터 두 페이지에 걸쳐 새로운 혹은 개선된 가치 제안의 출발점이 될 수 있는 16개의 트리거 영역을 소개하려고 한다. 이런 가치 제안은 고객, 기존 가치 제안, 당신의 사업 모델, 당신의 환경, 다른 산업이나 부문의 비즈니스 모델과 가치 제안 등 어디에서든 시작할 수 있다.

'혁신 출발점' 포스터 받기

축소

**당신은…**

다른 부문이나 업계에서 선구적 역할을 한 모델을 모방하거나 '도입' 할 수 있는가?

새로운 기술 동향을 바탕으로 가치를 창조하거나 새로운 규정을 당신에게 유리한 방향으로 활용할 수 있는가?

경쟁 업체들이 모방할 수 없는 새로운 가치 제안을 선보일 수 있는가?

새로운 파트너십을 기반으로 새로운 가치 제안을 마련할 수 있는가?

특허, 인프라, 기술, 사용자층 등 기존 자원과 활동을 확대할 수 있는가?

비용 구조를 대대적으로 조정해서 가격을 크게 낮출 수 있는가?

해당 고객 프로필에 부합하는 새로운 혜택 창출 방안을 고안해낼 수 있는가?

새로운 제품이나 서비스를 상상해낼 수 있는가?

해당 고객 프로필에 부합하는 새로운 불만 해결 방안을 고안해낼 수 있는가?

확대

당신의 비즈니스 모델 환경

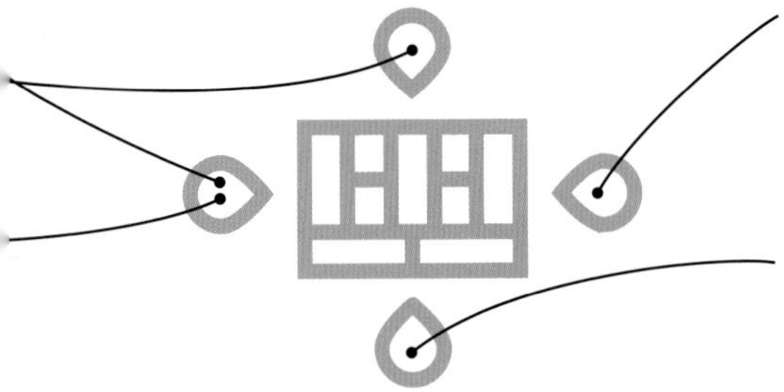

신흥 시장에서 부상하는 중산층 같은 새로운 고객 세그먼트나 지금까지 서비스가 취약했던 세그먼트에 부합하는 가치 제안을 채택할 수 있는가?

서반구에서 늘어나고 있는 의료 서비스 비용 같은 새로운 거시 경제 흐름에 맞춰 가치 제안을 설계할 수 있는가?

당신의 현재 비즈니스 모델(들)

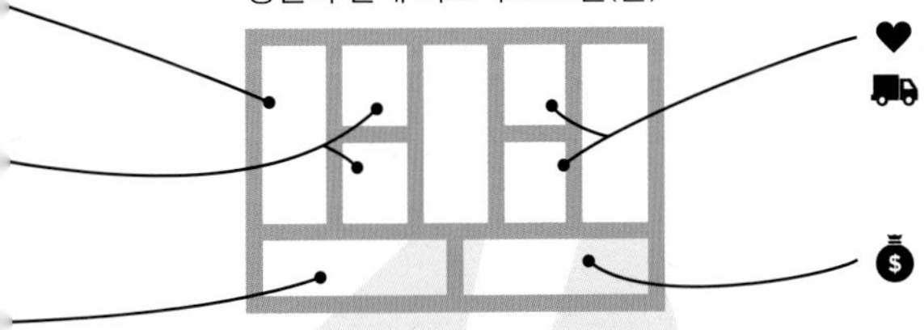

고객에게 새로운 가치 제안을 제공하는 데 기존 관계와 채널들을 적극 활용할 수 있는가?

당신의 핵심 제품을 무상으로 제공할 수 있는가? 아니면 가격을 몇 배 더 올릴 수 있는가?

당신의 가치 제안(들)

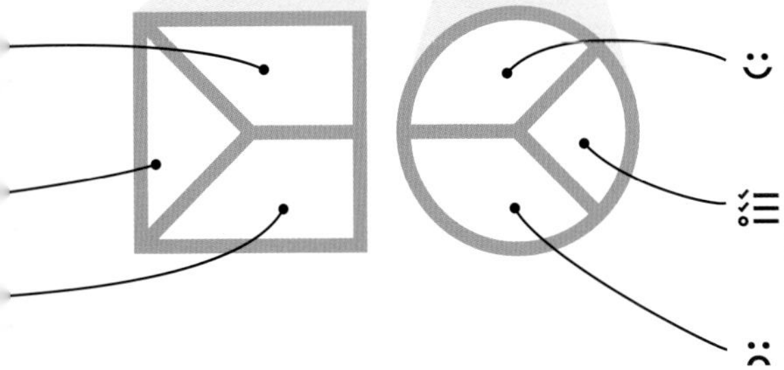

실현되지 않은 혜택 중에서 고객이 가장 중요시하는 것에 초점을 맞출 수 있는가?

충족되지 않은 새로운 활동을 찾아낼 수 있는가?

해결되지 않은 고객 불만 중에서 가장 극심한 불만을 해결할 수 있는가?

# 설계 제약을 이용해서 아이디어를 촉발시켜라

설계상 제약을 활용하면 훌륭한 비즈니스 모델에 내재된 혁신적인 가치 제안에 대해 생각해보도록 유도할 수 있다. 우리는 지금부터 다섯 개 업체의 사례를 소개하려고 한다. 이런 업체들의 가치 제안과 비즈니스 모델은 당신의 분야에도 얼마든지 이식 가능한 것들이다.

활동 목적
틀에 박힌 사고에서 벗어나게 한다.

활동 결과
당신의 '통상적'인 가치 제안 및 비즈니스 모델과는 차별화된 아이디어.

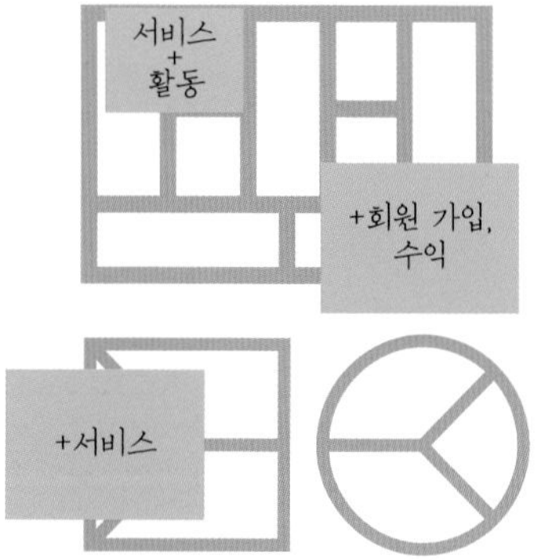


HILTI

## 서비스화

제약: 제품을 기반으로 한 가치 제안 판매에서 회원제 모델로 수익을 창출하는 서비스 기반 가치 제안 판매로 전환.

힐티는 건설업체에게 기계 공구를 판매하던 회사에서 건설 회사의 관리자에게 종합 관리 및 지원 서비스를 제공하는 업체로 변신했다.

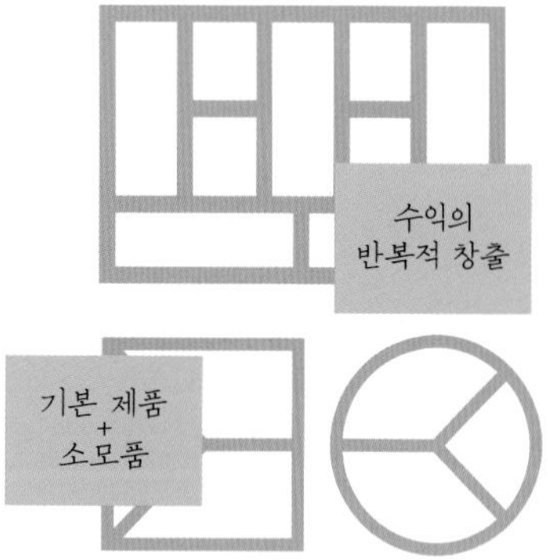


NESPRESSO

## 커피 소모품

제약: 기본 제품과 반복적 수익을 창출하는 소모품으로 이루어진 가치 제안 창조.

네스프레소는 기존의 커피 판매 방식에서 자사 에스프레소 머신의 1회용 커피 캡슐 판매를 통해 반복적 수익을 창출하는 형태로 판매 방식을 전환했다.

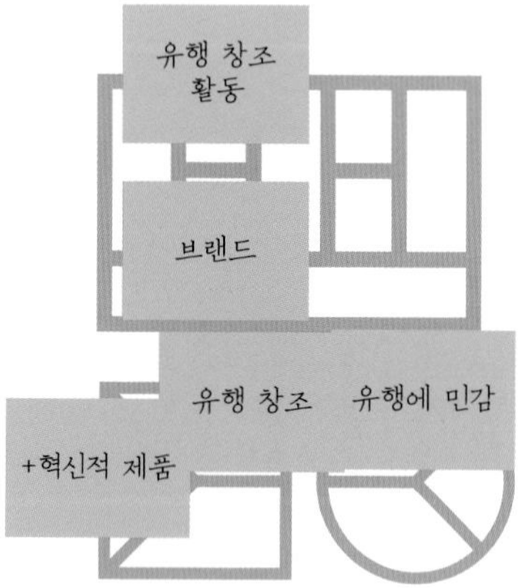


swatch

## 유행 창조자

제약: 첨단 기술(혁신)을 유행으로 전환.

스와치는 부품 개수 축소와 혁신적인 제작 기술을 바탕으로 제작 단가가 저렴한 플라스틱 시계를 유행시킴으로써 세계 시장을 정복할 수 있었다.

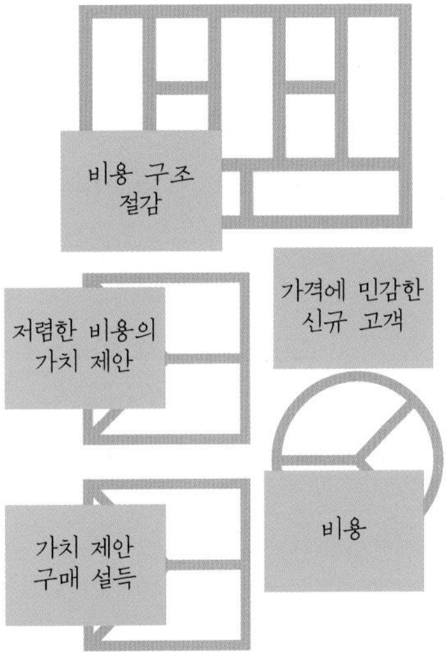


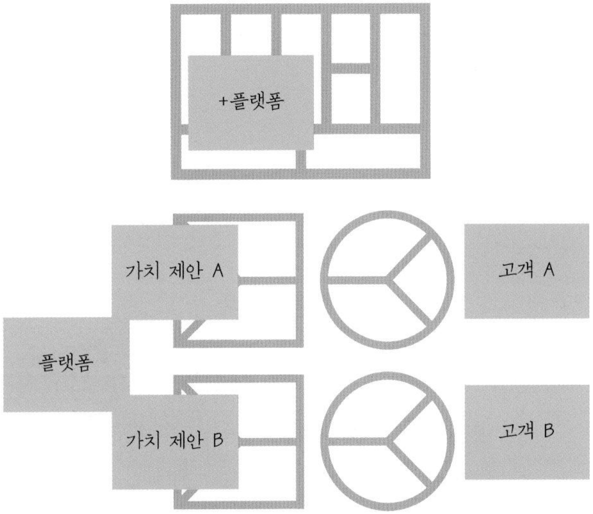


SOUTHWEST.COM

## 저렴한 비용

제약: 기본적인 기능만 남길 정도로 핵심 가치 제안 축소, 저렴한 비용을 무기로 그때까지 서비스를 제공하지 않았거나 서비스가 미진했던 고객 세그먼트 겨냥, 다른 모든 것을 판매하는 추가 가치 제안.

사우스웨스트는 아주 기본적인 서비스만 제공하는 식으로 가치 제안을 슬림화하고, A 지점과 B 지점만 왕복 운항하고, 저렴한 가격을 제시함으로써 최고의 저가 항공사로 우뚝 설 수 있었다. 그리고 새로운 고객 세그먼트를 겨냥한 운항 서비스도 도입했다.

airbnb

## 플랫폼

제약: 회원 각각에 맞춰 특정 가치 제안을 연결해주는 플랫폼 모델 수립.

에어비앤비는 자신의 집을 단기 임대하고 싶어 하는 사람과 여행객을 연결시켜줌으로써 여행객이 세계 여러 나라의 민간 가정을 숙박시설로 이용할 수 있게 했다.

### Tips

- 가능하다면 활동 그룹별로 상이한 제약을 부과해보라. 동시에 여러 가지 대안을 탐색해볼 수 있는 기회가 된다.
- 무료 가치 제안, 마진 축소 등 당신이 속한 업계의 대표적인 도전 과제를 제약으로 사용해보라.

제약 카드 다운로드하기

# 책과 잡지를 이용해서 원대한 아이디어를 이끌어내라





| 활동 목적 | 활동 결과 |
|---|---|
| 사고의 지평을 넓히고 참신한 아이디어를 도출한다. | 관련 주제들을 보강하고 최근 동향들을 통합한 아이디어 |

대중에게 많이 팔리는 서적과 잡지를 활용하면 새롭고 혁신적인 가치 제안과 비즈니스 모델에 관해 참신한 아이디어를 도출해낼 수 있다. 이것은 대중적으로 인기가 많은 주제에 다양하게 접해보고 최근 동향을 바탕으로 신속하고 효과적으로 아이디어를 수립하는 데 아주 효과적인 방법이다.

워크숍 활동에 서적을 활용하는 것은 세계 최고의 사상가들을 브레인스토밍 회의에 초대하는 것과 같다. 이렇게 하면 한 번에 그보다 더 많은 것들을 얻을 수 있다.

## 1

### 책 선택하기

어떤 동향이나 중요한 주제, 원대한 계획과 연관이 있는 도서와 잡지를 대형 테이블 위에 올려놓고 워크숍 참가자에게 한 권씩 고르게 한다.

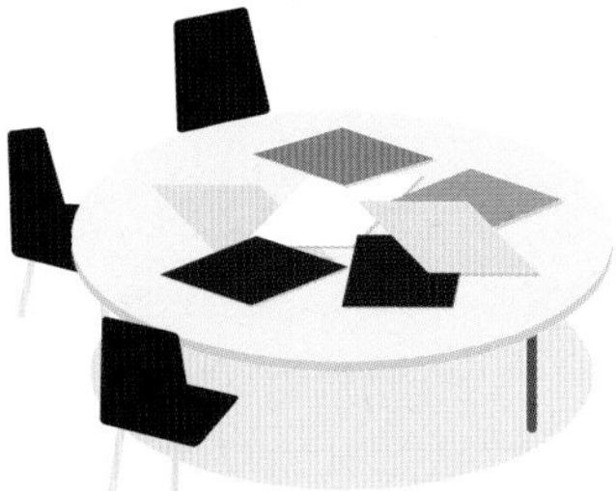

## 2

### 내용 훑어본 후 발췌하기

참가자는 각자가 고른 책을 훑어본 후 포스트잇 메모지에 핵심 아이디어를 발췌한다(45분).

## Tips

- 참가자들이 기존 사고 범위에서 벗어날 수 있도록 사회, 첨단 기술, 환경 관련 책을 준비한다.
- 복잡한 비즈니스 이론이나 방법론에 관한 책은 피하는 것이 좋다.
- 저자가 책의 요지에 대해 설명한 유튜브 동영상을 적절히 결합한다.
- 냅킨 스케치를 이용해서 당신의 가치 제안 아이디어를 다른 사람과 공유한다.

## 3

### 공유하고 논의하기

4~5명씩 그룹을 지어 발췌한 내용을 서로 공유하고 각자가 파악한 내용을 포스트잇 메모지에 적어 보드 위에 붙인다(20분).

## 4

### 가능한 방안 브레인스토밍하기

각 그룹은 토의 내용을 바탕으로 새로운 가치 제안을 3개씩 도출한다(30분).

## 5

### 설명하기

각 그룹이 도출한 가치 제안을 다른 그룹들에게 설명한다.

“Big Idea Book List” 다운로드하기

# 푸시 전략 VS. 풀 전략

푸시(Push) 전략을 사용할 것인가, 아니면 풀(Pull) 전략을 사용할 것인가는 이제 흔한 논쟁이 되었다. 푸시 전략은 당신이 갖고 있는 첨단 기술이나 혁신을 바탕으로 가치 제안 설계를 시작하는 반면, 풀 전략은 명확한 고객 활동이나 불만, 혜택에서 출발한다. 우리가 앞에서 간략히 소개했던 여러 출발점(→ p.88) 가운데 실제로 이 두 가지가 가장 보편적으로 사용되고 있으며 당신의 선호와 상황에 맞춰 얼마든지 실행 가능한 방안이다.

## 기술 주도(Technology Push) 전략

발명이나 혁신, 첨단 기술 자원을 출발점으로 삼아 고객 활동, 불만, 혜택을 해결할 수 있는 가치 제안을 개발하는 것이다. 한 마디로, 해결책이 문제를 찾아나서는 방식이라고 할 수 있다. 관심을 가질 만한 고객 세그먼트를 상대로 당신의 발명품이나 혁신, 첨단 기술 자원에 근거한 가치 제안 프로토타입을 탐색해보라. 문제-해결 적합성을 찾아낼 때까지 각각의 고객 세그먼트에게 맞춰 가치 맵을 설계해야 한다. 186쪽에 소개된 수립, 평가, 학습 순환 활동을 자세히 읽어보기 바란다.

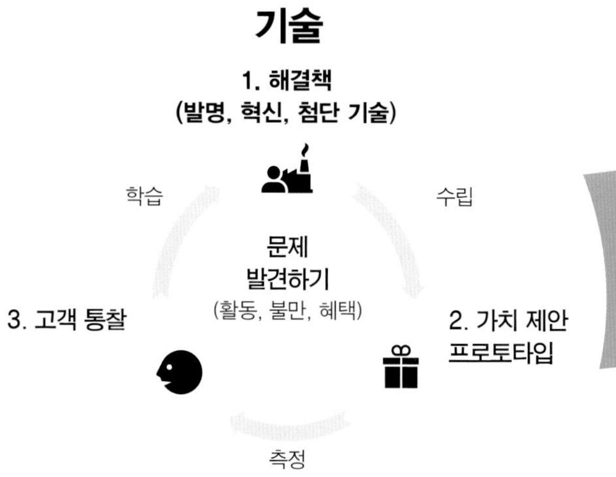


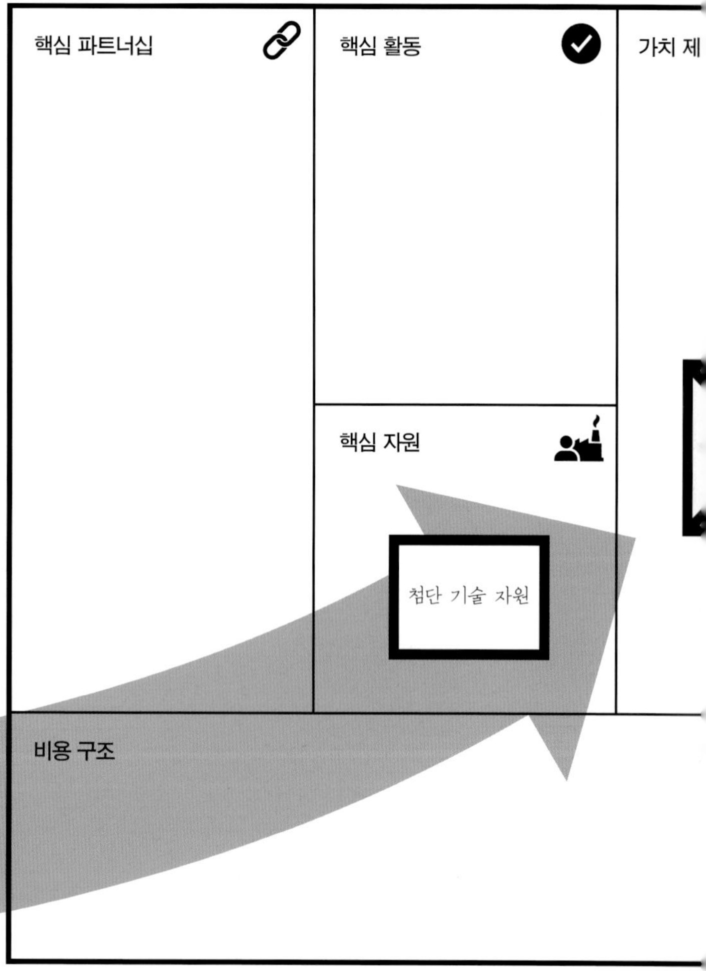

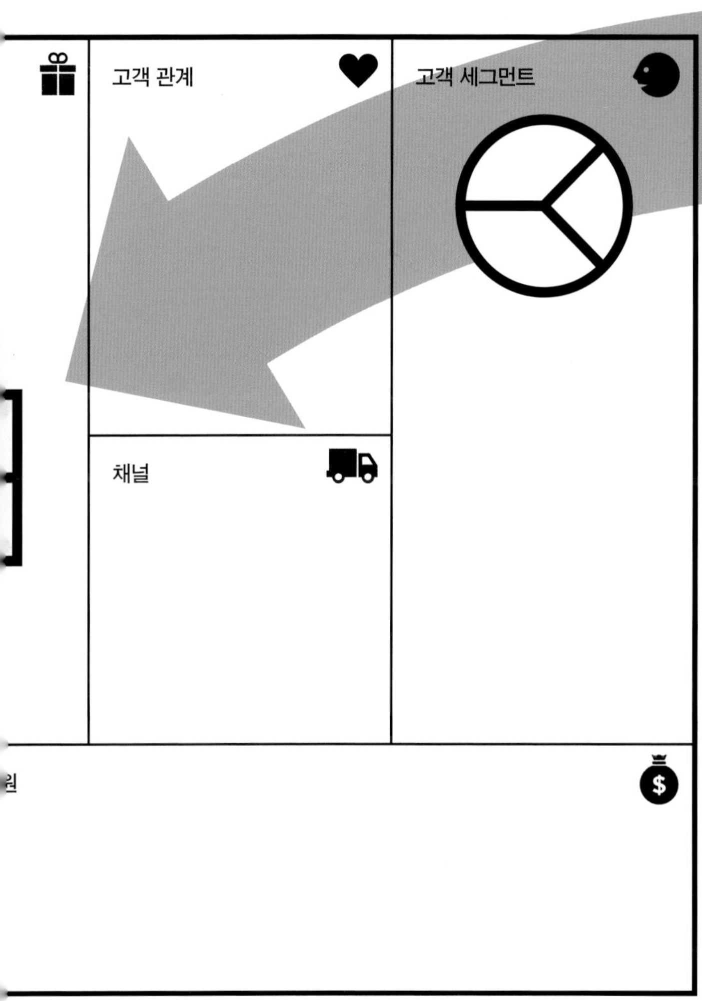


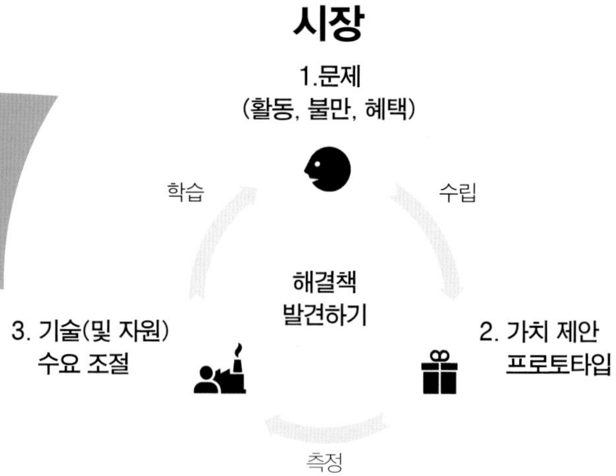


## 시장 견인(Market Pull) 전략

분명하게 드러난 고객 활동이나 불만, 혜택에서 출발한 후 여기에 맞춰 가치 제안을 설계하는 것이다. 간단히 설명하면 문제가 해결책을 찾아나서는 방식이라고 할 수 있다. 명확한 고객 활동, 불만, 혜택에 맞춰 설계된 각각의 가치 제안 프로토타입에 어떤 첨단 기술과 자원이 필요한지 파악한다. 실행 가능한 해결책을 발견할 때까지 당신의 가치 맵을 계속 재설계하고 자원을 조절해나가야 한다. 186쪽에 소개된 수립, 평가, 학습 순환 활동을 참조하기 바란다.

# 푸시: 고객 활동, 불만, 혜택을 찾아나서는 첨단 기술

| 활동 목적 | 활동 결과 |
|---|---|
| 위험 부담 없이 기술 주도 접근법을 연습해본다. | 기량 향상. |

이 푸시 훈련은 해결책에서 출발한다.

## 1
### 설계하기
스위스 로잔에 위치한 취리히 연방 공과대학교(Swiss Federal Institute of Technology, 이하 EPFL)의 간행물에 소개된 첨단 기술을 바탕으로 가치 제안을 설계해보라. 물론 이 첨단 기술에 관심을 가질 만한 고객 세그먼트를 타깃으로 삼아야 한다.

## 2
### 상상하기
압축 공기 형태의 에너지 저장 방법을 이용한 가치 제안 아이디어를 떠올려보라.

## 3
### 세그먼트
이러한 가치 제안에 관심을 보이고 여기에 기꺼이 비용을 지불할 고객 세그먼트를 선별하라.

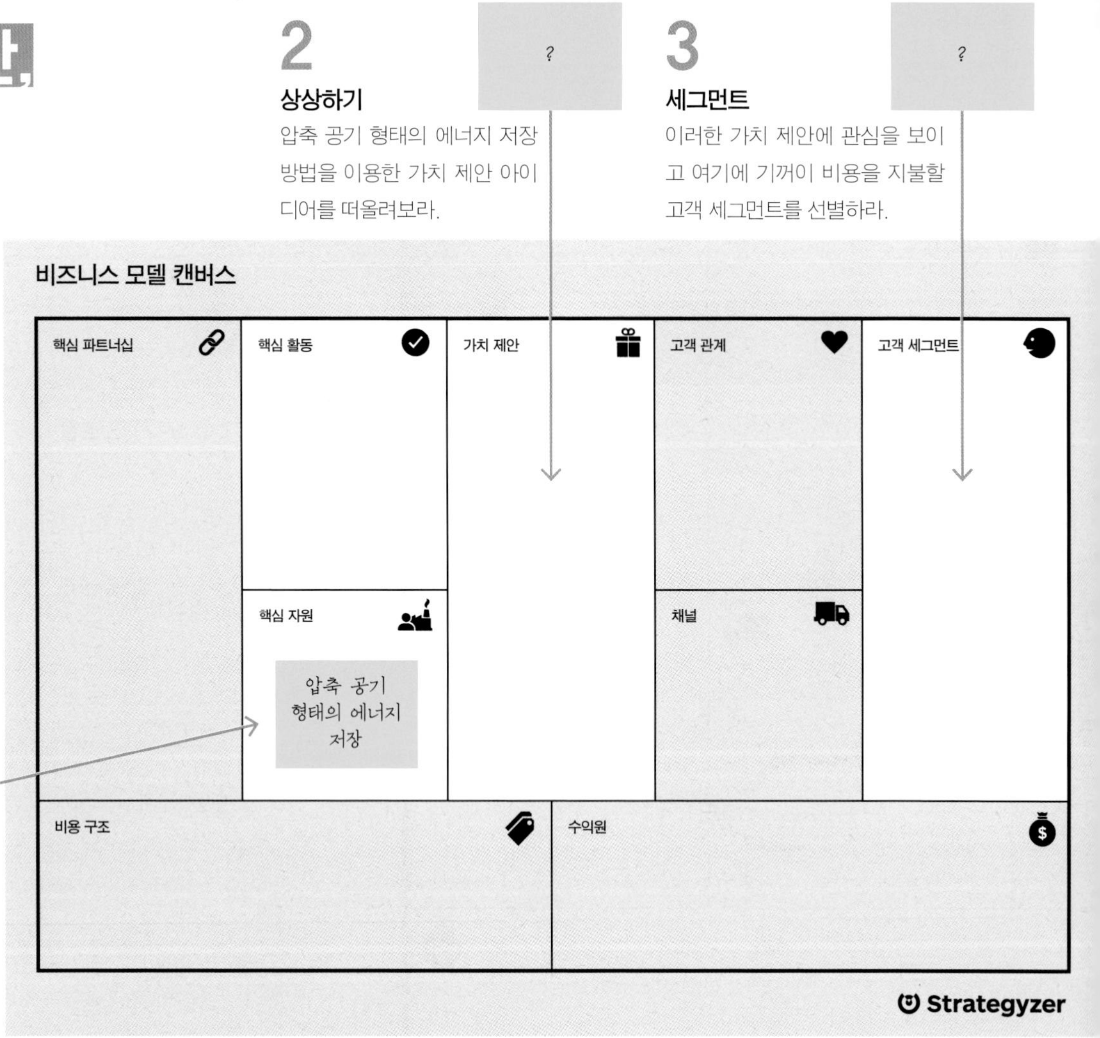


태양과 풍력은 앞으로 전기를 생산할 수 있는 아주 훌륭한 에너지원이다. 하지만 태양과 풍력은 에너지의 발생을 항상 최고 상태로 유지할 수 없고 일반적으로 수요가 최고조에 달하는 시간대에 공급량을 맞추기가 쉽지 않다. 그러므로 태양과 풍력에서 발생된 에너지를 일단 저장한 다음 나중에 다시 사용할 수 있는 방법을 고안해내야 한다.

이와 관련하여 EPFL은 10년 넘게 독창적인 저장 시스템을 연구해왔는데 바로 압축 공기였다. 유압 피스톤을 사용할 경우, 이 시스템의 성능을 최고 상태로 유지할 수 있다. 고압 기체 상태로 변환된 에너지는 실린더 안에서 가스를 팽창시켜 전기를 생성할 때까지 아무런 손실 없이 병 속에 안전하게 보관된다. 우리가 개발한 이 시스템의 장점 가운데 하나는 다른 물질을 거의 필요로 하지 않는다는 것이다.

이 원리를 개발하고 '턴키' 방식의 전기 에너지 저장 및 환원 장치를 만드는 과정에서 부산물이 탄생했다. 2014년에는 쥐라(Jura)의 광발전 공원에 25kw의 시범용 발전소가 설립되고 향후 250kw 발전소, 그 다음에는 2500kw 발전소들이 순차적으로 설치될 예정이다.'

### Tips

- 기술 주도 전략에 설계 제약들을 추가한다. 당신이 속한 조직은 특정 고객 세그먼트에 초점을 맞추는 것을 원치 않을 수도 있다(예: B2B, B2C, 특정 지역 등등). 또한 당신이 특정 방향의 전략을 선호할 수도 있다. 예를 들면, 해결책 수립보다 라이선싱 활동을 더 좋아할 수 있다.
- 관심을 가질 수 있는 고객 세그먼트를 선택한 다음 고객 조사(→ p.104)와 증거 도출(→ p.172) 등 고객 추정과 관련된 후속 작업을 벌여야 한다.

확대

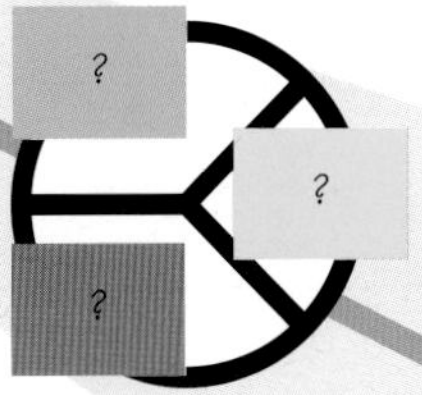


## 4

**프로필 작성**

고객 프로필을 간단히 작성하라. 수행 활동, 불만, 혜택을 추정해본다.

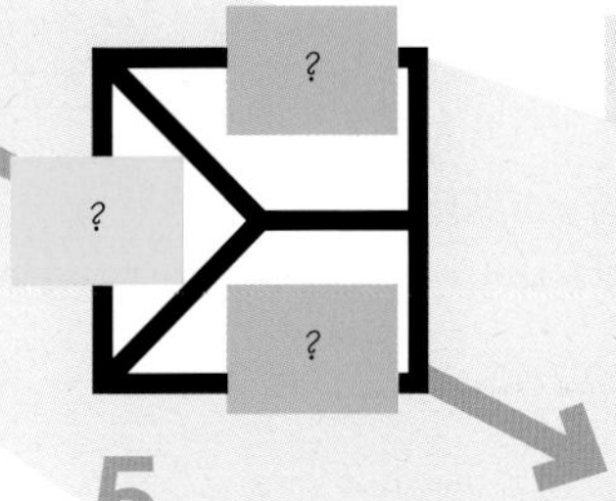


## 5

**요약하기**

고객 불만을 어떤 식으로 해소하고 혜택을 어떤 식으로 창출할 것인지 개략적으로 정리하면서 해당 가치 제안을 다듬는다.

## 6

**평가하기**

설계를 마친 가치 제안과 고객 프로필 간의 적합성을 평가한다.

152쪽에 이어짐

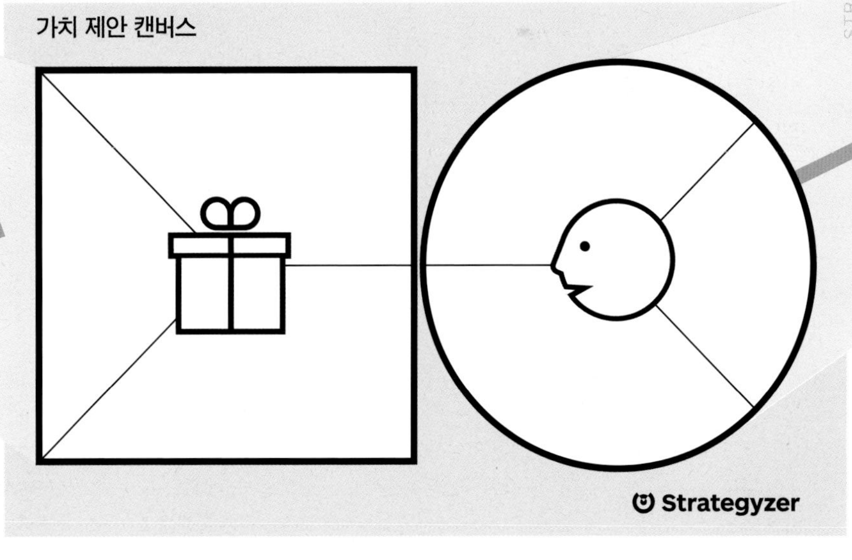

# 풀 전략: 가치 높은 활동을 찾아내라

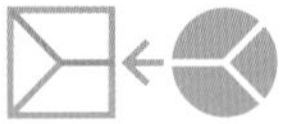

훌륭한 가치 제안을 창조하는 사람은 중요한 활동, 불만, 혜택에 초점을 맞추는 능력이 아주 뛰어나다. 다양한 활동, 불만, 혜택 중에서 어떤 것에 초점을 맞춰야 하는지 당신은 어떤 식으로 찾아내려고 하는가? 그것이 중요한지, 실질적인지, 미진한지, 수익성이 높은지를 질문해보는 방법으로 가치가 높은 활동을 찾아내야 한다.

가치 높은 활동은 불만과 혜택 면에서 다음과 같은 특징을 갖고 있다.

+

+

## 중요하다

고객이 수행해야 하는 활동의 성패가 필수적인 혜택이나 극심한 불만으로 이어지는 경우.

- 해당 활동의 수행이 실패할 경우, 극심한 불만으로 이어지는가?
- 해당 활동의 수행이 실패할 경우, 필수적인 혜택의 상실로 이어지는가?

## 실질적이다

활동과 관련된 불만이나 혜택을 며칠이나 몇 주 후가 아니라 즉각적 혹은 자주 느끼거나 경험하는 경우.

- 그런 불만을 느낄 수 있는가?
- 그런 혜택을 느낄 수 있는가?

+

=

## 불만족스럽다

현재의 가치 제안이 고객 불만을 경감시키는 데 별로 도움이 안 되거나 고객이 열망하는 혜택을 만족스러운 수준으로 제공하지 못하거나 그런 가치 제안 자체가 존재하지 않는 경우.

- 해결되지 않은 불만이 존재하는가?
- 실현되지 않은 혜택이 존재하는가?

## 수익성이 높다

관련 불만과 혜택을 수반하는 활동을 행하는 사람이 많거나 일부는 기꺼이 추가 비용을 지불하려고 하는 경우.

- 이러한 활동이나 불만, 혜택을 중요시하는 사람들이 많은가?
- 비용을 더 많이 지불하겠다는 사람이 적은가?

## 가치 높은 활동

가치가 가장 높은 활동과 관련 불만, 혜택에 초점을 맞춰야 한다.

Based on initial work by consultancy, Innosight.

# 풀 전략: 활동 선택

활동 목적
당신이 초점을 맞출 수 있는 고객 활동 중에서 가치가 높은 것을 파악한다.

활동 결과
당신의 관점에서 매긴 고객 활동 순위.





이 풀 전략은 고객이 출발점이다.

고객이 정보 담당 최고경영자이고 당신은 그 사람에게 가장 중요한 활동을 찾아내야 하는 상황이라고 가정해보자. 고객 활동의 우선순위를 정해야 할 때 이 훈련을 실시하라. 당신의 고객 프로필에 직접 적용해보기 바란다.

Tips

- 이 활동은 고객의 관점에서 활동의 우선순위를 정하는 데 도움이 된다. 그렇다고 해서 당신의 가치 제안이 고객에게 가장 중요한 활동을 모두 해결해야 한다는 뜻은 아니다. 어쩌면 그것은 당신 능력 바깥의 일인지도 모른다. 하지만 고객에게 상당히 중요한 활동을 어느 정도는 해결해줄 수 있어야 한다.
- 훌륭한 가치 제안을 만드는 사람은 오로지 몇 개의 활동, 불만, 혜택에만 집중하는 경우가 많다. 대신 집중의 강도가 아주 높다.
- 현장에서 고객 통찰(→ p.106)과 증거 도출 실험(→ p.216)을 통해 이 훈련을 보완해야 한다.

**고객 프로필**
정보 담당 최고경영자인 고객의 종합 프로필

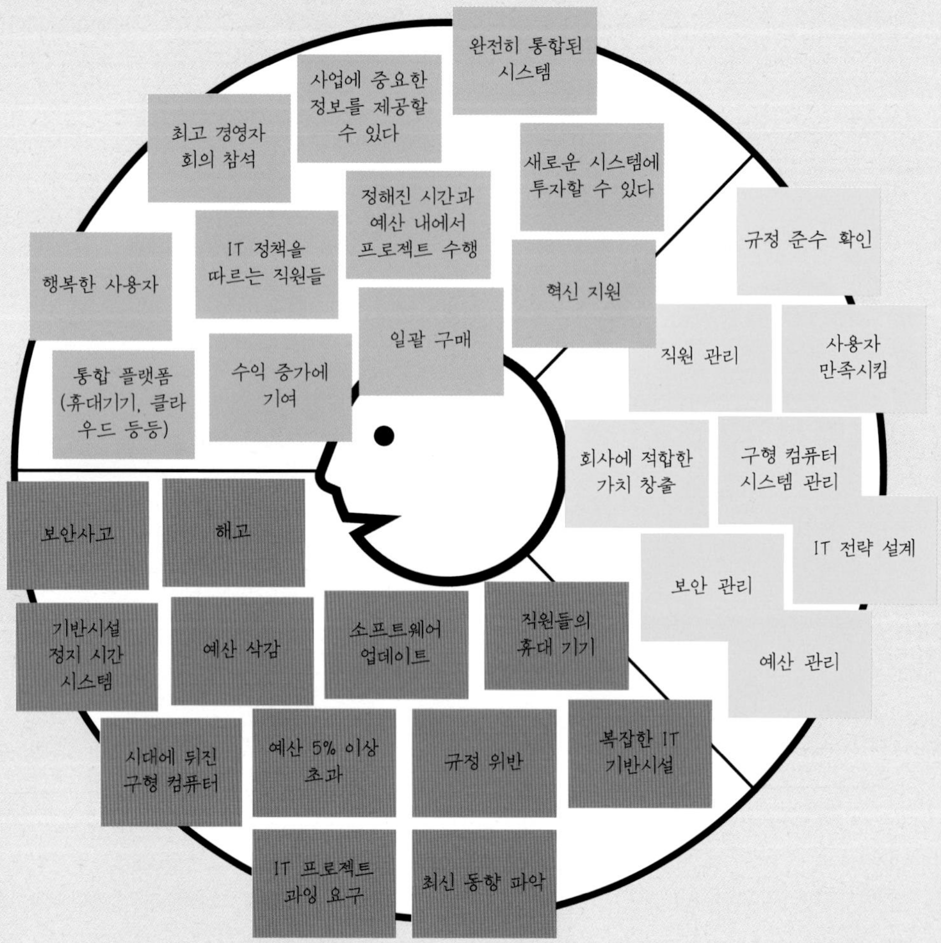

- 해당 활동의 수행이 실패할 경우, 극심한 불만으로 이어지는가?
- 해당 활동의 수행이 실패할 경우, 필수적인 혜택의 상실로 이어지는가?

- 그런 불만을 느낄 수 있는가?
- 그런 혜택을 느낄 수 있는가?

- 해소되지 않은 불만이 존재하는가?
- 실현되지 않은 혜택이 존재하는가?

- 이 활동이나 불만, 혜택을 중요시하는 사람이 많은가?
- 비용을 더 많이 지불하겠다는 사람이 적은가?

가장 가치 높은 활동과 관련 불만, 혜택에 초점을 맞춰야 한다.

| 활동 | 중요하다 | 실질적이다 | 불만족스럽다 | 수익성이 높다 | 가치 높은 활동 |
|---|---|---|---|---|---|
| 회사에 적합한 가치 창출 | ••• | • | ••• | •• | = 9 |
| IT 전략 설계 | •• | • | •• | •• | = 7 |
| | | | | | |
| | | | | | |
| | | | | | |
| | | | | | |
| | | | | | |
| | | | | | |

채점 등급: •(저) ••(중) •••(고)

자문회사 이노사이트(nnosight)의 초기 작업을 바탕으로 작성함

# 고객 프로필을 이용한 여섯 가지 혁신 방법

당신은 지금까지 고객 프로필을 작성했다. 그럼 이제부터 무엇을 해야 할까?
당신의 가치 제안이 다음 단계로 나아갈 수 있게 해줄 여섯 가지 방법을 소개한다.

**당신은…**

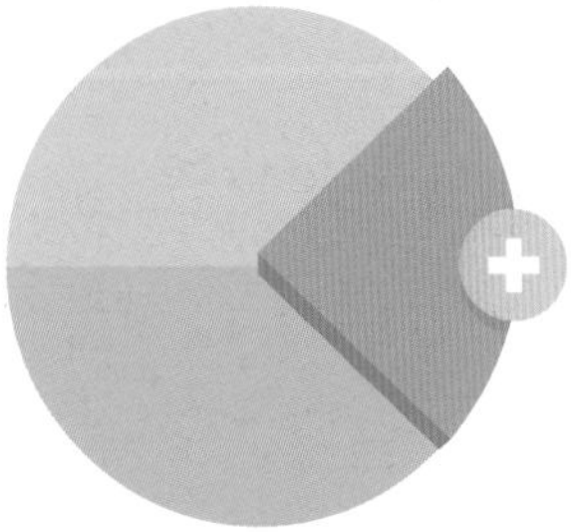

### 더 많은 활동을 해결할 수 있는가?

관련 활동은 물론 부수적 활동까지 더욱 광범위한 활동을 해결해줘야 한다.

*애플은 아이폰으로 단순히 휴대전화만 재고안한 것이 아니다. 하나의 기기를 통해 음악 저장과 재생은 물론 인터넷 검색까지 가능하게 해주었다.*

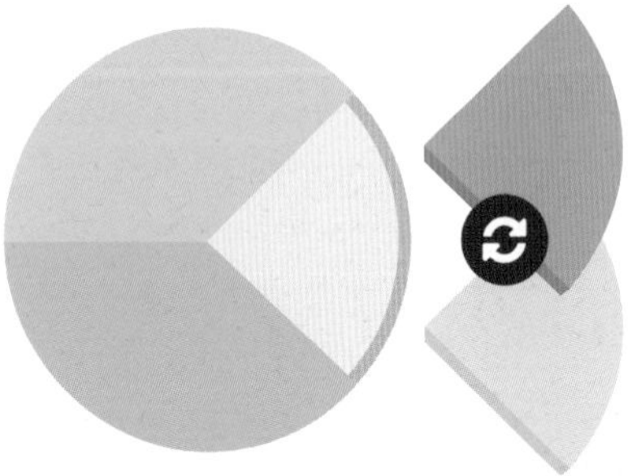

### 더 중요한 활동으로 전환시킬 수 있는가?

기존의 대다수 가치 제안이 초점을 맞추고 있는 것과 차별화된 활동을 수행할 수 있어야 한다.

*기계 공구 제조업체인 힐티는 건설회사의 관리자들에게는 땅에 구멍을 뚫는 일 못지않게 벌금을 물지 않도록 공사 일정을 관리하는 일도 아주 중요하다는 사실을 깨달았다. 일체의 공사 관리 및 지원 서비스를 제공하는 힐티의 해결책은 전자는 물론 후자까지 한 방에 해결해주었다.*

### 기능적 활동 그 너머로까지 확대할 수 있는가?

기능적 활동 그 너머까지 내다보고 중요한 사회적, 정서적 
지 충족시킬 수 있는 새로운 가치를 창조해내야 한다.

*미니 쿠퍼(Mini Cooper)는 단순히 이동 수단만이 아니라 운전자
체성까지 대변해주는 자동차를 탄생시켰다.*

## 더 많은 고객이 활동을 수행하도록 도와줄 수 있는가?

너무 복잡하거나 비용이 너무 많이 들어서 주저하는 활동을 더 많은 사람이 수행할 수 있게 해줘야 한다.

*한때 고가의 대용량 웹 데이터 저장 장치와 연산장치는 엄청난 IT 예산을 갖춘 거대 기업들의 전유물이었다. 하지만 아마존닷컴(Amazon.com)은 각각의 규모와 예산에 맞춰 다양한 기업들이 이용할 수 있도록 아마존 웹 서비스를 선보였다.*

## 고객의 활동 수행을 더욱 개선시킬 수 있는가?

기존 가치 제안을 아주 세세한 부분까지 계속 개선해나감으로써 고객이 특정 활동을 좀 더 훌륭히 수행할 수 있게 해야 한다.

*엔지니어링 및 전자 장치 분야의 독일 다국적 기업 보쉬(Bosch)는 자사의 회전 톱의 기능을 다각도로 개선시켰다. 회전 톱의 그런 기능들은 고객이 아주 중요하게 여겼던 문제였고 그 결과, 다른 경쟁 제품들을 능가하는 실적을 거둘 수 있었다.*

## 고객의 활동 수행을 획기적으로 개선시킬 수 있는가?

이것은 신규 시장 창출과 관련된 내용으로 새로운 가치 제안은 고객이 어떤 활동을 수행하는 데 사용하던 기존 방법보다 훨씬 탁월해야 한다는 뜻이다.

*최초로 스프레드시트 소프트웨어를 개발한 비지칼크(VisiCalc)는 그런 장비 시장을 새로이 선보였을 뿐 아니라 손쉽게 사용하고 눈으로 직접 확인할 수 있는 계산 장치에 힘입어 산업 전반에 걸쳐 완전히 새로운 가능성을 제시했다.*

# 2.3

# 고객
# 이해하기

OBSERVATION
?

# 고객 통찰을 얻을 수 있는 여섯 가지 방법

고객의 관점을 이해하는 것은 훌륭한 가치 제안 설계에 필수적이다.
당신이 고객의 관점을 이해할 수 있게 도와줄 여섯 가지 방법을 소개한다.
이 방법들을 적절히 혼용한다면 고객에 대해 심도 높은 이해를 갖추게 될 것이다.

## 데이터 수사관형

기존에 실시한 작업을 바탕으로 기록이나 통계를 조사한다. 이미 확보하고 있을지 모를 부수적인 조사 보고서와 고객 데이터가 활동 착수에 훌륭한 토대가 되어줄 것이다. 업계 외부의 데이터는 물론 유사한 데이터, 정반대의 데이터, 인접한 데이터도 면밀히 살펴보아야 한다.

난이도: ★

강점: 추가 조사의 훌륭한 토대.

단점: 다른 상황에서 발생한 고정 데이터.

(보다 자세한 내용은 108쪽 참조)

## 기자형

고객 통찰을 얻을 수 있는 가장 손쉬운 방법은 (잠재)고객에게 직접 말을 걸어보는 것이다. 이는 효력이 입증된 아주 확실한 방법이다. 하지만 고객이 인터뷰에서 얘기한 내용과 실제 행동이 일치하지 않을 수도 있다.

난이도: ★★

장점: 신속하고 저렴한 비용으로 초기 학습과 통찰 활동에 착수할 수 있다.

단점: 고객도 자신이 무엇을 원하는지 항상 알고 있는 것은 아니며 인터뷰에서 답한 내용과 실제 행동이 다를 수도 있다. (보다 자세한 내용은 110쪽 참조)

## 인류학자형

실제로 고객이 어떻게 행동하는지 좀 더 정확한 통찰을 얻기 위해 현실 세계의 (잠재)고객을 관찰하는 것이다. 고객이 어떤 활동에 초점을 맞추고 그런 활동을 어떤 식으로 수행하는지 자세히 살펴본다. 어떤 불만이 고객을 화나게 만들고 고객이 어떤 혜택을 확보하려고 애쓰는지 세심한 주의를 기울여야 한다.

난이도: ★★★

장점: 데이터를 통해 편견 없는 시각을 얻고 실제 세계에서의 행동을 파악할 수 있게 해준다.

단점: 새로운 아이디어와 관련된 고객 통찰을 얻기가 어렵다. (보다 자세한 내용은 114쪽 참조)

## 배우형

'당신이 직접 고객이 되어' 제품과 서비스를 적극적으로 사용해보는 것이다. 하루나 그 이상의 시간 동안 고객의 입장이 되어 생활한다. 불만족스런 고객이 되어본 당신의 경험에서 고객 통찰을 이끌어내야 한다.

난이도: ★★

장점: 고객 활동, 불만, 혜택을 직접 체험해볼 수 있다.

단점: 항상 실제 고객을 대변할 수 없고 언제나 적용 가능한 것도 아니다.

## 공동 창조자

고객을 가치 창출 프로세스에 참여시켜서 그들과 함께 학습하는 것이다. 고객과 함께 작업을 하면서 새로운 아이디어를 탐색하고 개발할 수 있다.

난이도: ★★★★★

장점: 고객과 물리적으로 가까워지면 깊은 통찰을 얻을 수 있다.

단점: 모든 고객과 모든 세그먼트에 일반화할 수 없다.

## 과학자형

실험에 참여할 고객을 모집한다(물론, 고객에게 해당 실험에 대해 사전에 알려줄 수도 있고 아니면 모르게 진행할 수도 있다). 거기에서 나온 결과를 통해 학습이 이루어진다.

난이도: ★★★★

장점: 실제 세계에서의 고객 행동에 대해 사실에 근거한 통찰을 얻을 수 있다. 특히 새로운 아이디어를 개발하는 데 아주 효과적이다.

단점: 엄격한 (고객)정책과 지침 때문에 기존 회사에는 적용하기 힘들 수도 있다.

(보다 자세한 내용은 216쪽 참조)

# 데이터 수사관형: 기존 정보를 이용해 활동에 착수하라

가치 설계에 착수하기도 전에 회사 내외부에서 손쉽게 구할 수 있는 정보와 데이터를 이렇게 많이 들여다본 적이 아마 없었을 것이다. 그럼 지금부터 사용 가능한 데이터를 발판으로 고객 통찰 활동에 착수해보자.





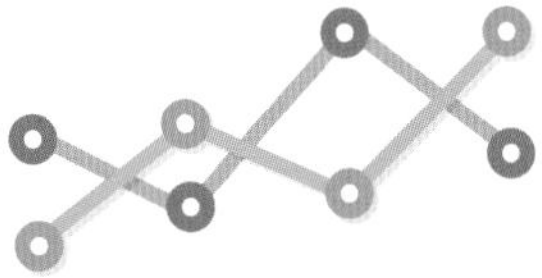

**구글 트렌드**(Google Trends)

당신의 아이디어와 관련된 세 가지 상이한 트렌드의 대표 검색 용어 3개를 비교해보라.

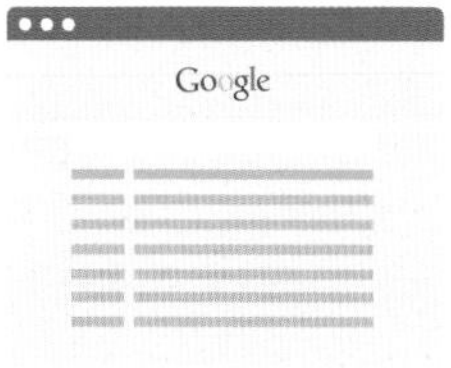


**구글 키워드 플래너**
(Google Keyword Planner)

당신의 아이디어와 관련된 상위 5개의 검색 용어를 찾아내는 식으로 잠재 고객에게 인기가 많은 것을 알아낸다. 고객은 얼마나 자주 그런 용어를 검색하는가?

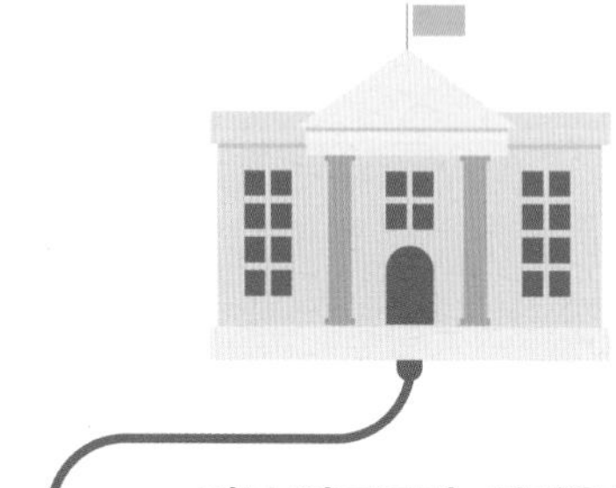

**정부 인구통계, 세계은행, IMF**

당신의 아이디어와 관련이 있고 온라인에서 즉시 이용 가능한 (정부)데이터들은 무엇인지 알아내라.

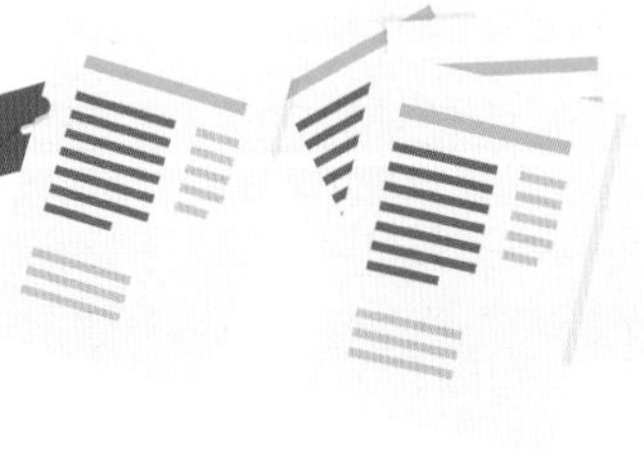

**제3자가 작성한 조사 보고서**

손쉽게 구할 수 있는 조사 보고서 3개를 찾아내라. 고객 및 가치 제안 조사를 준비하는 데 이런 보고서가 출발점이 되어줄 수 있다.

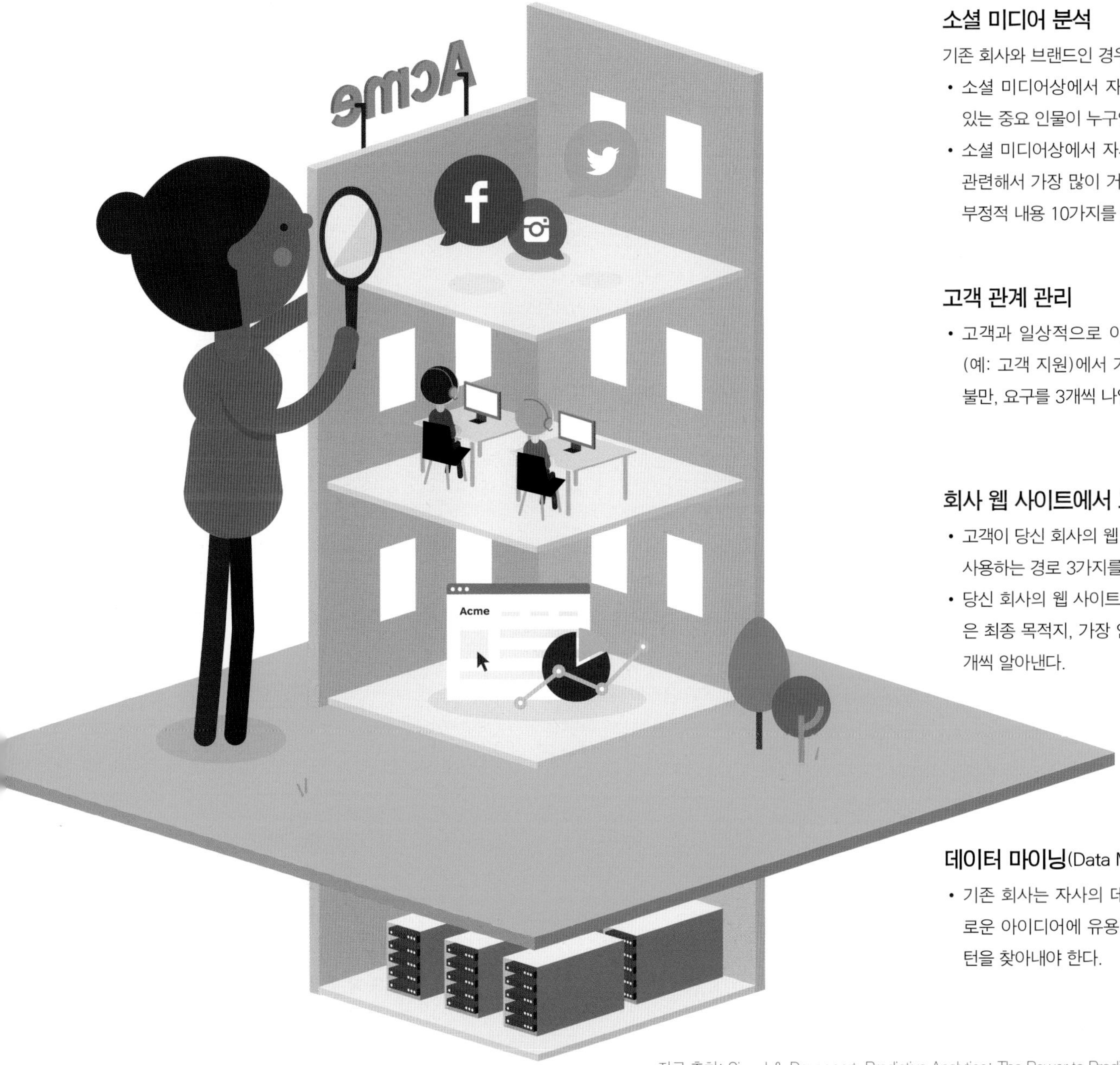


### 소셜 미디어 분석

기존 회사와 브랜드인 경우,

- 소셜 미디어상에서 자사 브랜드와 관련이 있는 중요 인물이 누구인지 파악해야 한다.
- 소셜 미디어상에서 자사 및 자사 브랜드와 관련해서 가장 많이 거론되는 긍정적 내용, 부정적 내용 10가지를 찾아내야 한다.





### 고객 관계 관리

- 고객과 일상적으로 이루어지는 상호작용 (예: 고객 지원)에서 가장 많이 받는 질문, 불만, 요구를 3개씩 나열한다.

### 회사 웹 사이트에서 고객 추적하기

- 고객이 당신 회사의 웹 사이트를 방문할 때 가장 많이 사용하는 경로 3가지를 나열한다(예: 검색, 추천).
- 당신 회사의 웹 사이트에서 고객에게 가장 인기가 많은 최종 목적지, 가장 인기가 없는 최종 목적지를 10개씩 알아낸다.

### 데이터 마이닝(Data Mining)

- 기존 회사는 자사의 데이터를 이용해서 새로운 아이디어에 유용할 수 있는 3가지 패턴을 찾아내야 한다.

자료 출처: Siegel & Davenport, Predictive Analytics: The Power to Predict Who Will Click, Buy, Lie or Die. 2013

# 기자형: 당신의 고객을 인터뷰하라





활동 목적
고객에 대한 이해를 심화한다.

활동 결과
처음으로 약간 입증된 고객 프로필.

고객과 대화를 나누면서 당신의 상황과 관련된 고객 통찰을 얻어야 한다. 가치 제안 캔버스를 활용하면 인터뷰 준비는 물론 인터뷰를 통해 얻게 될 혼란스럽고 방대한 정보를 처리하는 데 많은 도움이 될 것이다.

## 1

### 고객 프로필 만들기

당신이 타깃으로 잡은 고객의 특징을 잘 드러낸다고 생각되는 활동, 불만, 혜택을 대략적으로 적는다. 중요도에 따라 고객 활동, 불만, 혜택의 순위를 매긴다.

## 2

### 인터뷰 큰 틀 짜기

당신이 알고 싶은 것이 무엇인지 스스로에게 물어보라. 당신의 고객 프로필에서 인터뷰 질문을 끌어내야 한다. 가장 중요한 활동, 불만, 혜택에 대해 물어보라.

## 5

### 인터뷰 재검토하기

당신이 파악한 내용을 바탕으로 인터뷰 질문을 재검토해야 할지 판단하라.

## 3
### 인터뷰 실시하기

뒷장에 간략히 소개한 인터뷰의 기본 원칙에 따라 인터뷰를 실시한다.

## 4
### 기록 정리하기

인터뷰에서 당신이 파악한 활동, 불만, 혜택을 고객 프로필의 공란에 어떤 식으로 배치할지 계획을 세운다.

또한 비즈니스 모델과 관련해서 알아낸 사실도 기록해야 한다. 당신이 얻은 가장 중요한 통찰을 종이에 적어라.

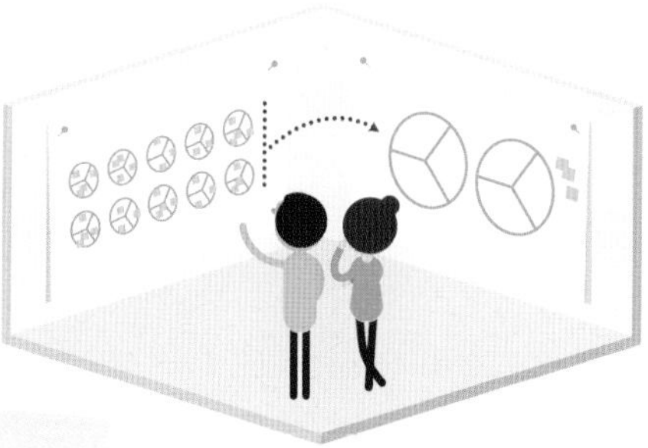

## 6
### 패턴 발견하기

유사한 활동, 불만, 혜택을 발견할 수 있는가? 두드러지게 나타난 것은 무엇인가? 인터뷰에 응한 사람들의 유사점과 차이점은 무엇인가?

그런 유사점이나 차이점이 생긴 이유는 무엇인가? 활동, 불만, 혜택에 영향을 미치고 반복적으로 발생하는 특정 상황을 발견할 수 있는가?

**Tip**
모든 인터뷰에서 당신이 얻은 가장 중요한 통찰을 기록한다.

## 7
### 종합하기

인터뷰에 참가한 모든 고객 세그먼트에 맞춰 종합적인 고객 프로필을 별도로 작성한다. 당신이 통찰한 가장 중요한 내용을 포스트잇 메모지에 기입한다.

# 인터뷰의 기본 원칙

가치 제안 설계에 필요한 통찰을 제공해주는 인터뷰를 성공적으로 실시하는 것도 일종의 기술이다. 인터뷰에서 가장 중요한 것은 고객에게 자신의 해결책을 홍보하는 것보다 (잠재)고객이 중요시하는 것을 찾아내는 데 초점을 맞춰야 한다는 것이다. 여기에 소개한 원칙을 그대로 따르면 성공적으로 인터뷰를 실시할 수 있다.

'인터뷰의 기본 원칙' 포스터 받기

## 원칙 1

### 초심자의 마음을 가져라

인터뷰 대상자가 하는 말을 주의 깊게 듣고 도중에 말을 끊어서는 안 된다. 예상치 못했던 활동, 불만, 혜택이 있는지 특히 주의를 기울여야 한다.

## 원칙 2

### 당신의 말은 줄이고 상대의 이야기를 더 많이 들어라

인터뷰를 실시하는 목적은 상대방의 이야기를 듣고 그 속에서 무언가를 알아내는 것이다. 고객에게 어떤 정보를 제공하거나, 좋은 인상을 심어주거나, 무언가에 대해 확신을 심어주기 위함이 아니다. 자신의 생각을 떠들어대면서 시간을 낭비하면 안 된다. 당신의 고객에 대해 파악할 수 있는 귀중한 시간을 그만큼 허비하는 것이기 때문이다.

## 원칙 3

### 의견이 아니라 사실을 찾아내라

'당신이라면…' 식으로 질문을 던져서는 안 된다. '당신이 ~을 마지막으로 했던 것은 언제인가?'라고 구체적인 사실을 물어야 한다.

## 원칙 4

### 진짜 동기를 알고 싶다면 '이유'를 물어라

'왜 ~을/를 해야만 하나요?', '왜 당신에게는 ~이/가 중요한가요?', '~이 왜 불만인가요?'와 같이 이유를 물어야 한다.

# 원칙 5

**고객 통찰 인터뷰의 목적은 판매가 아니다. 물론 판매와 관련이 있긴 하지만 여기서 중요한 것은 고객을 파악하는 것이다.**

'당신이라면 저희 제품을 구입하시겠습니까?' 라고 질문을 해서는 안 된다. '당신이 ~를 구매할 때 결정 기준은 무엇입니까?' 라고 물어야 한다.

# 원칙 6

**해결책(예: 당신의 프로토타입 가치 제안)을 너무 일찍 제시하지 마라**

'우리가 해결책으로 내놓은 제품은…' 식의 설명 대신 '당신이 현재 고심하는 가장 중요한 문제는 무엇입니까?'와 같은 질문을 던져야 한다.

# 원칙 7

**후속 조치를 취하라**

인터뷰 대상자의 연락처를 기록해도 괜찮은지 허락을 받아라. 나중에 추가 질문이나 답변을 요청하거나 프로토타입을 테스트할 때 유용하다.

# 원칙 8

**마지막은 항상 개방형 질문으로 끝내라**

'제가 어떤 분과 더 이야기를 나눠야 할까요?' 라고 묻는 것이다.

## Tips

- 인터뷰가 고객으로부터 무언가를 알아내는 데 훌륭한 출발점이 되는 것은 사실이지만 일반적으로 중요한 의사결정을 내리는 데 충분한, 혹은 신뢰할 만한 통찰을 제공해주는 것은 아니다. 유능한 기자가 사람들의 이야기 속에 숨어 있는 진상을 파악하기 위해 추가 조사를 실시하는 것처럼 다른 조사 활동을 통해 당신의 인터뷰 내용을 보완해야 한다. 고객의 실제 행동을 자세히 관찰하고 당신의 여러 조사에 확실한 근거가 되어줄 실험들을 추가로 실시해야 한다는 뜻이다.
- 두 사람이 팀을 이뤄 인터뷰를 실시하라. 누가 인터뷰를 진행하고 누가 메모를 할 것인지 사전에 정하라. 가능하다면 녹음기를 사용하라. 그러나 테이블 위에 녹음기가 있을 때와 없을 때 인터뷰 대상자의 답변이 다를 수 있다는 점을 유념하기 바란다.

Fitzpatrick, The Mom Test, 2013

# 인류학자형: 고객의 세계 속으로 풍덩 뛰어들어라

고객의 활동, 불만, 혜택과 관련된 통찰을 얻기 위해서는 (잠재)고객의 세계에 깊숙이 뛰어들어야 한다. 고객이 실제 세계에서 일상적으로 하는 행동은 당신의 추정이나 인터뷰, 서면답변, 포커스 그룹 활동에서 그들이 말하는 것과 다를 때가 많기 때문이다.

**B2C : 고객의 가족들과 함께 시간 보내기**

잠재 고객 중 한 사람의 집에 며칠간 머무르면서 그 가족들과 함께 생활해본다. 일상적으로 이루어지는 일들에 직접 참여하면서 그 사람의 특정 행동을 유도하는 요인이 무엇인지 알아내는 것이다.

**B2B : 함께 업무를 추진하기/상담하기**

시간을 갖고 (잠재)고객과 함께 혹은 나란히 업무를 추진(예: 컨설팅 활동)하면서 자세히 관찰한다. 그 사람이 밤잠을 이루지 못할 정도로 고민하는 것은 무엇인가?

**B2B/B2C?**

어떻게 해야 (잠재)고객의 삶 속으로 들어갈 수 있을까? 창의적 발상이 필요하다. 한마디로 일반적인 사고의 범위를 뛰어넘어야 한다는 얘기다.

**B2C: 쇼핑 행동 관찰하기**

(잠재)고객이 쇼핑을 하는 상점에 가서 10시간 정도 사람들을 관찰하면서 가만히 행동을 지켜본다. 어떤 패턴을 발견할 수 있겠는가?

**B2C: 온종일 고객을 그림자처럼 따라다니기**

(잠재)고객의 그림자가 된다 생각하고 하루 종일 그 사람을 따라다닌다. 그러면서 당신이 관찰한 활동, 불만, 혜택은 물론 해당 시각도 꼼꼼히 기록한다. 그런 것들을 종합해서 무언가를 알아내는 것이다.

# 일과 기록표로 살펴본 고객의 하루

활동 목적
고객의 세계를 보다 자세히 이해한다.

활동 결과
고객의 하루를 보여주는 맵.

당신이 하루 종일 그림자처럼 따라다닌 고객에게 가장 중요한 활동, 불만, 혜택은 무엇인지 정확히 포착하라.

## Tips

- 관찰하고 메모하라. 당신 자신의 경험에 근거한 해석을 삼가고 계속 판단을 유보해야 한다. '참신한' 시각과 열린 마음으로 인류학자처럼 작업하고 관찰하라.
- 당신의 눈으로 직접 확인할 수 있는 것과 확인할 수 없는 것, 양쪽 모두에 주의를 기울여야 한다.
- 당신이 직접 관찰할 수 있는 것은 물론 느낌이나 감정처럼 겉으로 드러나지 않는 것까지 포착해야 한다.
- 고객 공감 능력을 키워야 한다. 이런 형태의 맥락 조사를 효과적으로 수행하는 데 필수적인 마음가짐이기 때문이다.

| 시간 | 활동(내가 직접 관찰한 것) | | 메모(내가 생각한 것) |
|---|---|---|---|
| 오후 7시 | 잠자리에 들기 전에 아이의 이를 닦아준다 | | 여기저기로 물이 튀어서 부모가 짜증이 난 것 같다 |
| | | | |
| | | | |
| | | | |
| | | | |
| | | | |
| | | | |
| | | | |
| | | | |
| | | | |
| | | | |

'하루 일과' 워크시트 다운로드하기

# 고객 조사에서 패턴을 찾아내라

활동 목적
고객에 대해 명확히 분석한다.

활동 결과
고객 종합 프로필.





고객 조사 자료가 충분히 모아지면 데이터를 분석하고 그 속에서 패턴을 찾아내야 한다. 활동이나 불만, 혜택 면에서 유사성을 갖는 고객 또는 동일한 활동이나 불만, 혜택에 관심을 갖는 고객을 찾아내서 별도의 고객 프로필을 작성한다.

### 4 설계하기

처음으로 시도한 고객 세분화 작업을 마쳤다면 이제는 가치 제안 프로토타이핑 작업에 착수하라. 종합 프로필에서 새롭게 파악한 패턴을 바탕으로 자신 있게 하나 또는 그 이상의 가치 제안을 설계하는 것이다.

### 3 종합하기

그룹별로 프로필을 종합해서 하나의 종합 프로필로 작성한다. 가장 보편적인 활동, 불만, 혜택이 무엇인지 파악하고 종합 프로필 안에 그것들을 설명하는 별도의 라벨을 붙인다.

### 2 그룹 나누기

고객 활동, 불만, 혜택에서 어떤 패턴을 발견했다면 유사한 고객 프로필을 하나 또는 둘 이상의 세그먼트로 분할한다.

### 1 펼쳐놓기

조사 활동을 통해 작성한 고객 프로필을 커다란 벽면에 모두 붙인다.

# 종합화 예시: 비즈니스맨/독자의 마스터 프로필

독자에 대한 종합 프로필을 만들기 위해 우리는 인터뷰 결과를 바탕으로 작성된 상이한 고객 프로필의 활동, 불만, 혜택들을 살펴보았다. 그리고 거기에서 가장 빈번하게 등장하는 것들을 종합하고 각각에 색깔 라벨을 사용해서 종합 프로필을 작성했다.





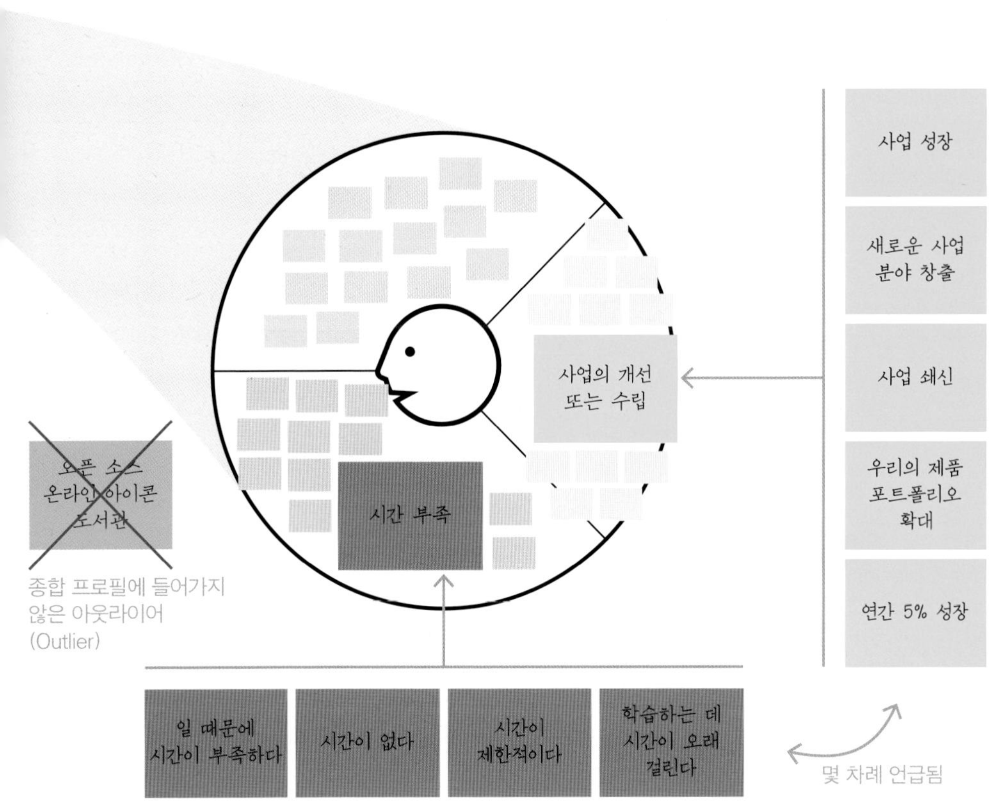


## Tips

- 아웃라이어 프로필에 특히 관심을 기울여야 한다. 아무 관련이 없을 수도 있지만 특별한 무언가를 발견하는 기회가 될 수도 있기 때문이다. 가끔은 주변부에 최고의 보석이 숨어 있을 때도 있다.
- 아웃라이어가 앞으로 닥칠 상황의 전조나 신호는 아닌지, 그렇기 때문에 더 관심을 기울여야 하는 것은 아니지 자문해보아야 한다. 긍정적인 일탈 때문에 다르게 보이는 것일 수도 있고 아니면 고객 활동, 불만, 혜택과 관련해서 동료들이 제시하는 것보다 그저 약간 더 나은 해결책일 수도 있다.

# 얼리반젤리스트*를 찾아라

잠재 고객을 조사하면서 패턴을 찾을 때는 얼리반젤리스트에 주목해야 한다. 이것은 새로운 제품이나 서비스를 기꺼이 사용해볼 용의가 있고 그런 능력을 갖춘 고객을 설명하기 위해 스티브 블랭크*가 고안해낸 용어다. 이런 얼리반젤리스트를 활용하면 기반 시장을 만들고 실험과 학습 활동을 통해 당신의 가치 제안의 형태를 잡아나갈 수 있다.

## 5

**예산을 확보하고 있거나 앞으로 확보할 수 있다**

해결책 구매를 약속했거나 구매 예산을 조속히 확보할 수 있다.

## 4

**엉성하지만 임시변통의 해결책을 갖고 있다**

해당 활동이 아주 중요해서 임시 해결책을 고안해냈다.

## 3

**해결책을 적극적으로 찾아나선다**

해결책을 탐색하고 그것을 찾아내기 위해 계획표를 만든다.

## 2

**문제가 있음을 인식하고 있다**

해결해야 할 문제나 수행해야 할 활동이 존재한다는 것을 고객이 인식하고 있다.

## 1

**문제를 갖고 있거나 무언가를 필요로 한다**

바꿔 말하면 수행해야 할 활동이 존재하는 것이다.

*얼리반젤리스트(Earlyvangelist): 당장은 기능이 조금 부족하지만, 혁신적이고 새로운 상품/서비스에 대한 통찰에 입각해 기꺼이 구매에 나서는 사람. 역자 주
*Steve Blank, Bob Dorf, The Start-up Owner's Manual, 2012

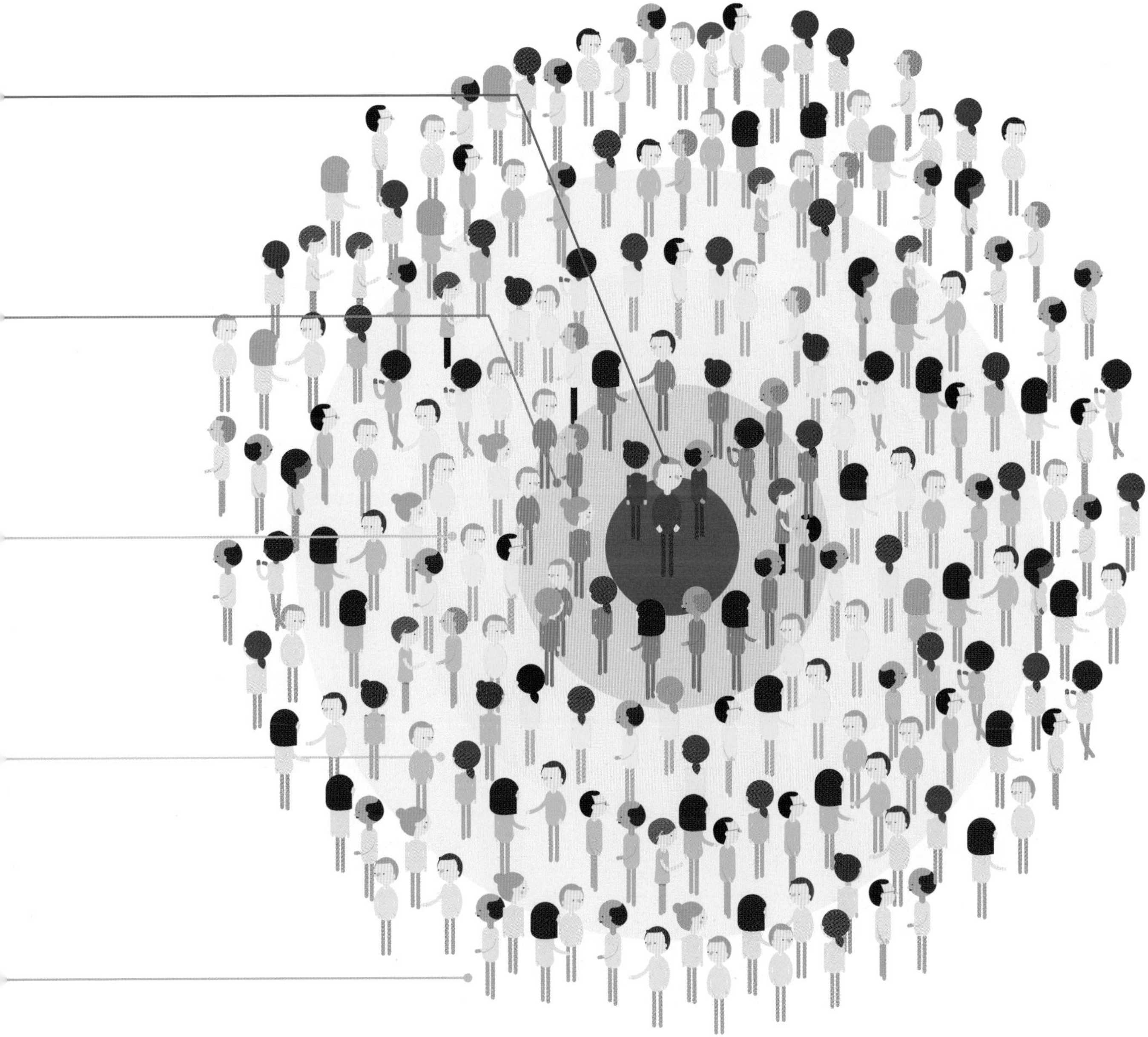

# 2.4

# 선택하기

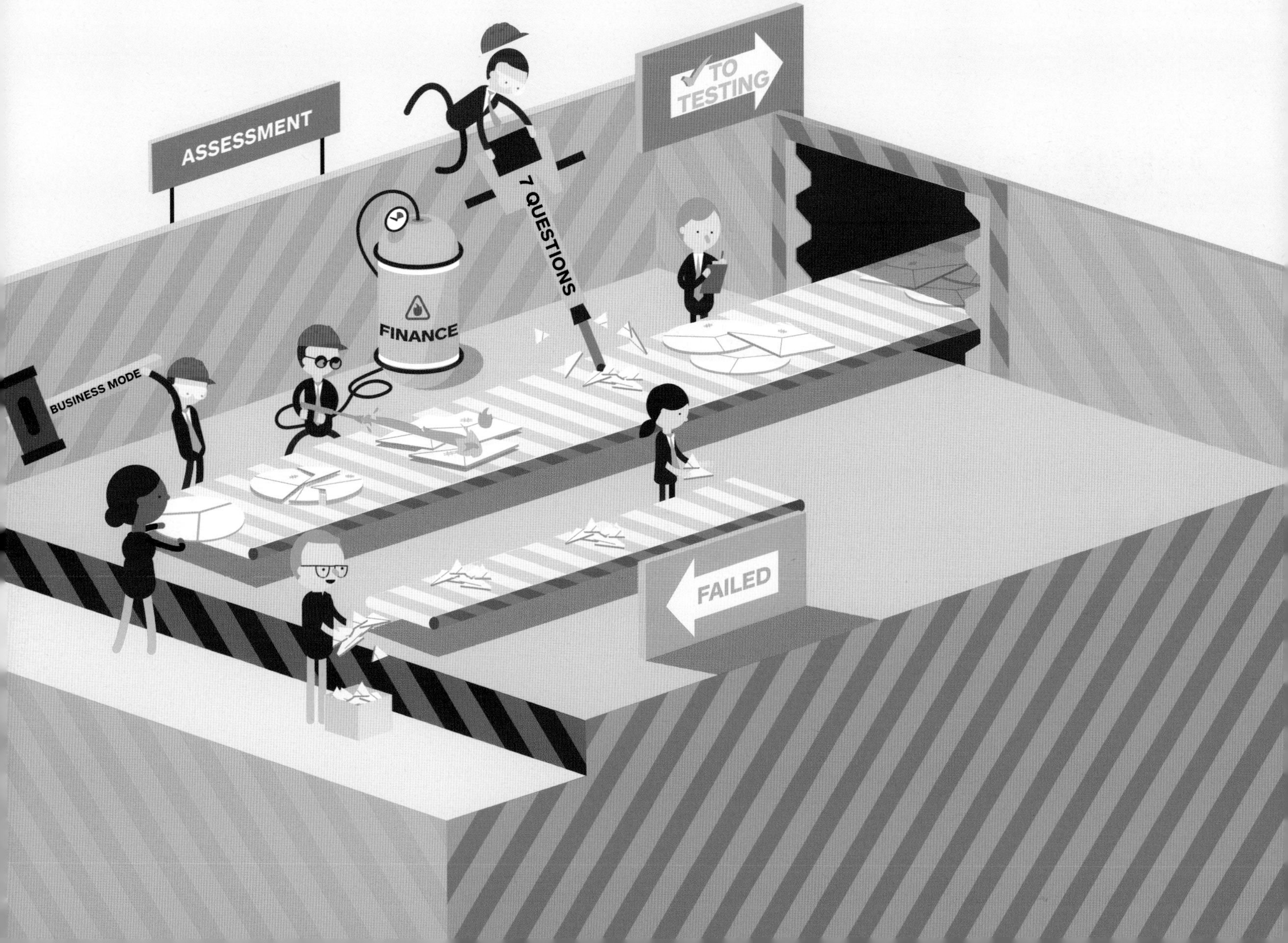

ASSESSMENT
TO TESTING
7 QUESTIONS
FINANCE
BUSINESS MODE
FAILED

# 당신의 가치 제안을 평가할 수 있는 질문 10가지

**활동 목적**
당신의 가치 제안을 개선시킬 수 있는 잠재 가능성을 발견한다.

**활동 결과**
가치 제안 평가.





앞에서 소개했던 '훌륭한 가치 제안을 만드는 10가지 질문'은 당신의 가치 제안을 지속적으로 평가하는 데도 유용하다. 이런 질문들을 이용해서 당신의 고객 통찰을 하나로 통합해보라. 추가 탐색하고 고객을 상대로 테스트할 프로토타입을 결정할 때도 이런 질문을 접목시킬 수 있다.

온라인으로 훈련 실시하기

1

당신의 가치 제안은 훌륭한 비즈니스 모델 안에 단단히 자리 잡고 있는가?

2

당신의 가치 제안은 가장 중요한 활동, 가장 극심한 불만, 가장 필수적인 혜택에 초점을 맞추고 있는가?

3

당신의 가치 제안은 불만족스런 활동, 해소되지 못한 불만, 실현되지 않은 혜택에 초점을 맞추고 있는가?

4

당신의 가치 제안은 소수의 불만 해결 방안과 혜택 추가 방안에 초점을 맞추고 있는가? 그리고 그런 활동을 아주 훌륭히 수행하고 있는가?

5

당신의 가치 제안은 기능적, 정서적, 사회적 활동을 모두 해결해주는가?

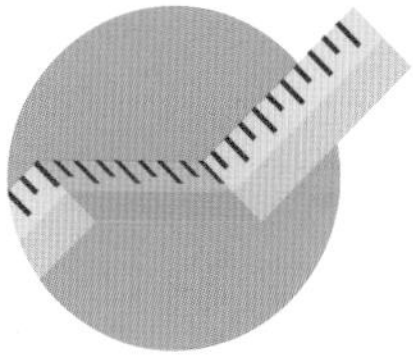

## 6

당신의 가치 제안은 고객이 성공을 측정하는 방식과 일치하는가?

## 7

당신의 가치 제안은 다수의 고객에게 해당되는 활동, 불만, 혜택에 초점을 맞추고 있는가? 또는 일부는 그런 것들을 위해 기꺼이 추가 비용을 지불하려고 하는가?

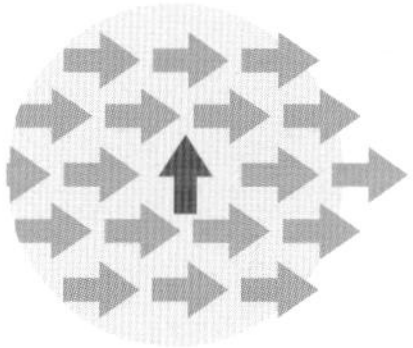

## 8

당신의 가치 제안은 유의미한 방식으로 경쟁 제품과 차별화를 꾀하고 있는가?

## 9

당신의 가치 제안은 최소한 한 가지 면에서는 경쟁 제품을 월등히 능가하고 있는가?

## 10

당신의 가치 제안은 모방하기 어려운가?

# 고객 의견 시뮬레이션하기

**활동 목적**
'회의실에서' 당신의 가치 제안을 상대로 스트레스 테스트를 실시해본다.

**활동 결과**
'시장에서'의 효과가 입증되기도 전에 더 강력해진 가치 제안.

현실 세계에서 당신의 가치 제안을 직접 테스트하기 전에 역할극을 이용해서 고객의 의견과 다른 이해관계자들의 시각을 '회의실'에서 미리 살펴보는 것이다.

가치 제안의 성공은 일반적으로 핵심 이해관계자의 수에 달려 있다. 물론 고객도 핵심 이해관계자 중 하나다. 그러나 고객 외에도 많은 이해관계자들이 존재한다. 이를 테면, 회사 내부의 이해관계자 말이다. 그중에서도 가장 중요한 이해관계자를 선별한 후 역할극을 이용해서 그들의 관점에서 당신의 가치 제안에 대해 스트레스 테스트를 실시해보라.

### Tips

- 해당 이해관계자 역할을 훌륭하게 수행할 수 있는 사람을 선발해야 한다. 고객의 의견을 잘 대변해줄 수 있는 사람은 누구인가? 영업 사원? 고객 지원 담당자? 현장 엔지니어? 아니면 해당 제품의 구매자와 가까운 다른 누군가가 존재하는가? 적절한 대상을 잘 선택하기 바란다.
- 현실 세계에서 고객과 이해관계자를 상대로 실시하는 가치 제안 테스트를 역할극이 대신할 수는 없지만 특정 이해관계자의 시각을 고려하게 된다는 점에서 당신의 아이디어를 더 발전시킬 수 있는 기회인 것은 분명하다.
- 역할극은 고객 행동을 심도 높게 분석한 후 고객의 의견을 반영하는 데 효과적인 활동이다.

두 명의 워크숍 참가자가 역할극에 참여한다.
한 사람은 회사의 영업 사원 역할을, 다른 한 사람은 이해관계자, 이를 테면 고객 역할을 맡는 것이다. 그리고 제3자는 대화 내용을 메모한다.

판매 사원

**핵심 이해관계자의 의견을 시뮬레이션 할 수 있는 역할극을 통해 당신의 아이디어를 신속하게 평가하라.**

### 고객

고객의 관점에서 고객 활동, 불만, 혜택 그리고 경쟁 제품들의 가치 제안에 초점을 맞춰야 한다. B2B 상황이라면, 최종 사용자, 영향력 행사가, 예산 실행자, 의사 결정자, 방해자 등을 떠올려보기 바란다.

### 최고경영자, 고위 경영진, 이사회

최고경영자(CEO), 재무 담당 최고 책임자(CFO), 최고 업무 집행 책임자(COO) 같은 회사 경영진의 관점에서 바라보는 것이다. 회사의 비전, 방향, 전략의 관점에서 피드백을 제공하라.

### 여타 내부 이해관계자들

당신의 아이디어가 성공을 거두기 위해서는 그 외 어떤 내부인의 동의가 필요한가? 생산팀이 중요한 역할을 하는가? 아니면 판매 팀이나 마케팅팀을 설득해야 하는가?

### 전략적 파트너

당신의 가치 제안은 어쩌면 전략적 파트너와의 협업에 성패가 달려있을 수도 있다. 당신은 그들에게 가치를 제공하고 있는가?

### 정부 관리

정부는 어떤 역할을 하는가? 당신의 아이디어를 실행하는 데 조력자 역할을 하는가 아니면 방해자 역할을 하는가?

### 투자자/주주

투자자나 주주는 당신의 아이디어를 지지할 것 같은가 아니면 거부할 것 같은가?

### 지역 사회

당신의 아이디어는 지역 사람들에게 어떤 영향을 미치는가?

### 지구 전체

당신의 가치 제안은 지구 전체의 환경에 어떤 영향을 미치는가?

# 맥락 이해하기

가치 제안과 비즈니스 모델은 항상 특정 맥락 속에서 설계되기 마련이다. 당신이 추진할 프로토타입의 설계 및 선택 환경을 매핑하기 위해서는 당신의 모델에서 벗어나 범위를 좀 더 넓게 잡아야 한다. 그런 환경은 경쟁, 첨단 기술의 변화, 법률적 제약, 변화된 고객 욕구, 기타 다양한 요소들로 이루어져 있기 때문이다. 여기에 소개된 그림과 설명을 통해 많은 것을 배우게 될 것이다. 보다 자세한 내용은 〈비즈니스 모델의 탄생〉을 참조하기 바란다.

**산업 요소**

당신이 속한 업계의 핵심 주체들. 예를 들면 경쟁사, 가치 체인의 주체들, 첨단 기술 제공자 등등이 여기에 해당된다.

**거시 경제적 요소**

세계 시장 상황, 자원 이용, 생필품 가격 같은 거시 경제의 흐름을 말한다.

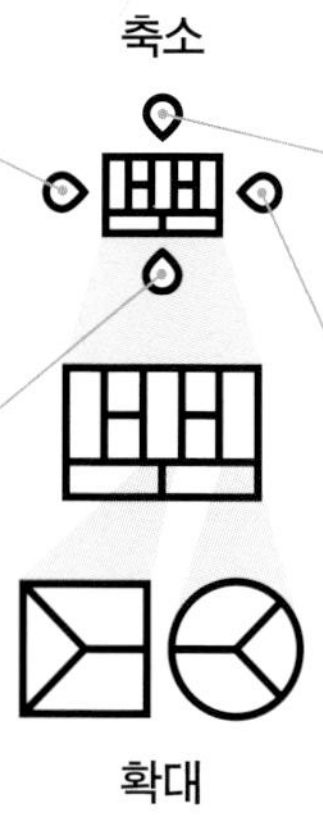


**주요 동향**

당신이 속한 업계를 형성하는 주요 흐름. 예를 들면, 첨단 기술 혁신, 규제나 제약, 사회 동향 같은 것들이다.

**시장 요소**

해당 업계의 핵심 고객과 관련된 쟁점들. 성장하는 세그먼트, 고객 전환 비용, 변화된 고객 활동, 불만, 혜택 등을 말한다.

Osterwalder & Pigneur, Business Model Generation, 2010.

## 참여형 TV

당신이 영화업계에서 활동하는 사람이라고 가정해보자. 지금까지 당신은 주연 배우들과 함께 극장과 전 세계 시청자들을 타깃으로 한 영화와 TV 드라마를 제작해왔다. 그러나 이제 새로운 활로를 모색하고 싶다.

당신의 혁신팀에서 좀 더 자세히 탐색하고 싶어 하는 아이디어가 하나 있다. 바로 참여형 TV다. 이것은 TV 드라마의 줄거리에 시청자들의 크라우드소싱(Crowdsourcing)을 가능하게 해준다.

## 예시: 참여형 TV

### 당신의 상황을 요약한 후 다음과 같은 질문을 던져보기 바란다.

- 당신의 가치 제안을 강화시켜줄 기회처럼 보이는 요소는 무엇인가?(녹색)
- 당신의 가치 제안을 약화 또는 제한하는 위협 요소, 제약처럼 보이는 요소는 무엇인가?(빨간색)

**민주적인 배급 방식**

\+ 소셜 미디어는 열혈 시청자들에게 강력한 영향력을 행사하는 마케팅 채널이다.

− 규모는 더 이상 문제가 되지 않는다. 누구라도 수백만 명의 사용자들에게 접근할 수 있다.

**TV와 인터넷 결합**

\+ TV와 인터넷을 결합하면 높은 수준의 참여 체험이 가능해질 것이다.

**저작권 침해**

\+ 사용자들이 생산하는 콘텐츠는 무단 복제를 하는 경우가 적다.

− 무단 복제가 점점 더 증가하고 있다.

**민주적인 제작 방식**

\+ 웹 도구들을 사용하면 누구든지 좀 더 쉽게 참여할 수 있다.

− 사용자 주도 콘텐츠는 전문가들이 제작하는 콘텐츠에 방해가 될 수 있다.

**플랫폼 충성도**

− 시청자들이 넷플릭스(Netflix)나 애플 같은 기존의 플랫폼을 포기하도록 유도하기가 쉽지 않다.

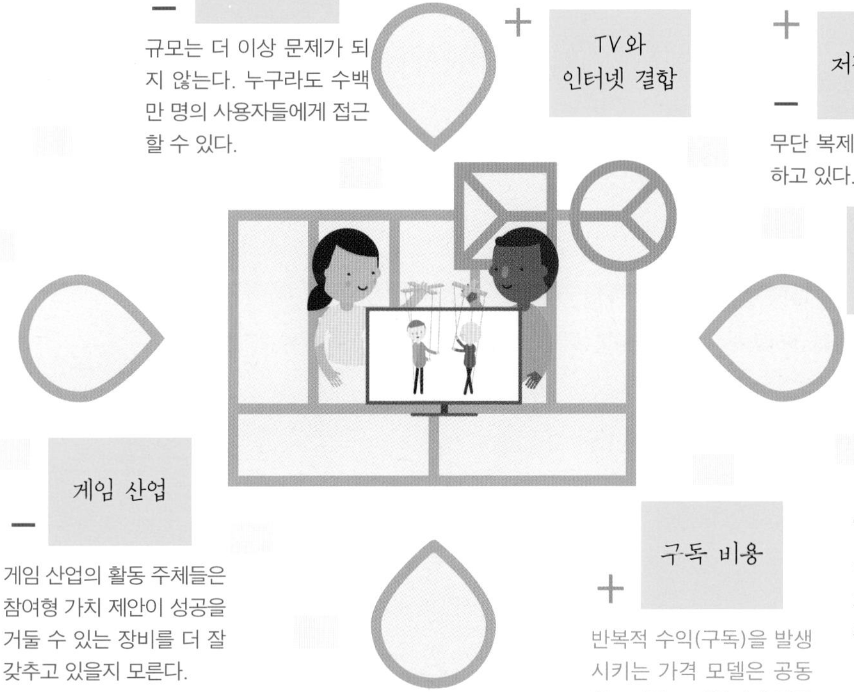

**게임 산업**

− 게임 산업의 활동 주체들은 참여형 가치 제안이 성공을 거둘 수 있는 장비를 더 잘 갖추고 있을지 모른다.

**인터넷 세대**

\+ 인터넷과 함께 성장한 사용자 세대는 매일같이 온라인 활동에 참여한다.

**구독 비용**

\+ 반복적 수익(구독)을 발생시키는 가격 모델은 공동 창조자들로 이루어진 집단에도 아주 잘 들어맞는다.

**스타 연기자 비용**

\+ 출연하는 연기자에게 들어가는 비용이 줄어든다.

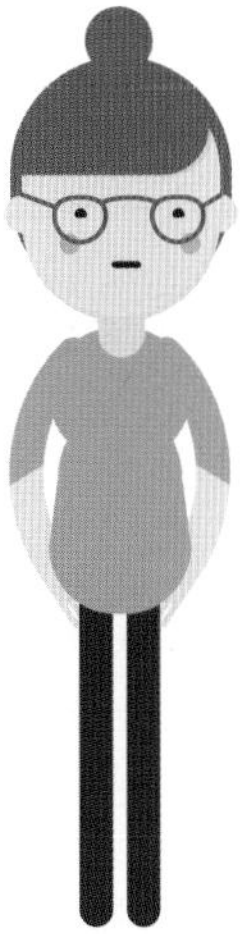

# 가치 제안 설계 VS. 경쟁 제품

그럼 지금부터는 당신의 설계 및 의사 결정 환경을 구성하는 요소 가운데 하나인 경쟁 도서에 초점을 맞춰보도록 하자. 〈블루 오션 전략(Blue Ocean Strategy)〉*이라는 책에 등장한 그래픽 도구인 전략 캔버스(Strategy Canvas)를 이용해서 위의 가치 전략들을 비교한 후 당신의 가치 제안이 경쟁 제품에 어떤 식으로 맞서고 있는지 평가해보라. 이것은 당신의 가치 제안의 '이점들'이 어떤 식으로 작동되는지를 시각화하고 비교해볼 수 있는 간단하면서도 효과적인 방법이다.

여기에서 우리는 가치 제안 설계의 성과를 경영자 교육 과정, 대규모 온라인 공개강좌(MOOC: Massive Online Open Courses)의 성과와 비교해보려고 한다. 그래서 X축에 여러 경쟁 요소들이 늘어선 전략 캔버스를 만들었다. 그런 다음 서로 다른 경쟁 제품들이 이런 각각의 요소들에 어떤 식으로 작동하는지 좌표로 나타냈다. 이런 경쟁 요소들은 우리의 가치 맵에서 주로 선택했고 경쟁 제품들의 가치 맵에 있는 요소 몇 가지를 추가했다.

**가치 제안(VP) 설계**

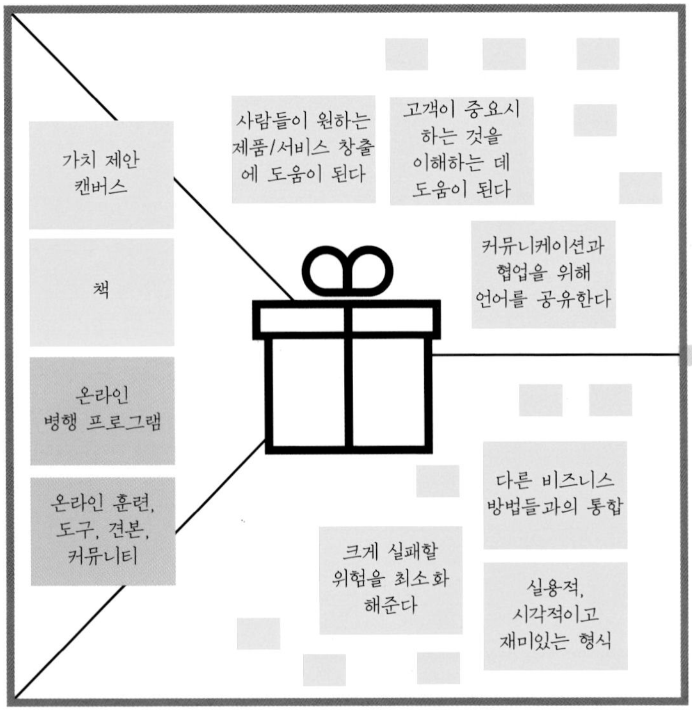


당신의 가치 제안에서 전략 캔버스에 경쟁 요소로 사용할 가장 중요한 특징들을 선택하라.

**경영자 교육 과정**

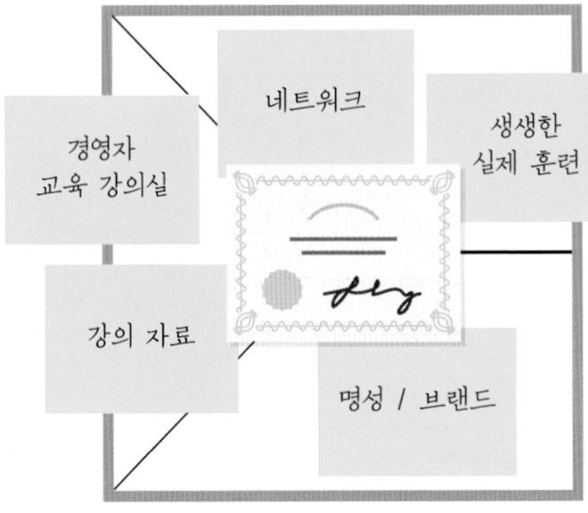


**대규모 온라인 공개강좌**

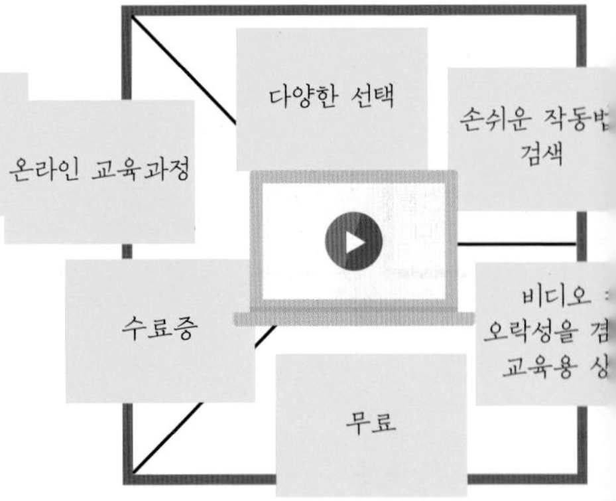


Kim & Mauborgne, Blue Ocean Strategy, 2005.

## 전략 캔버스

이 책의 가치 제안 VS. 경영자 교육 과정 VS. 대규모 온라인 공개강좌 비교





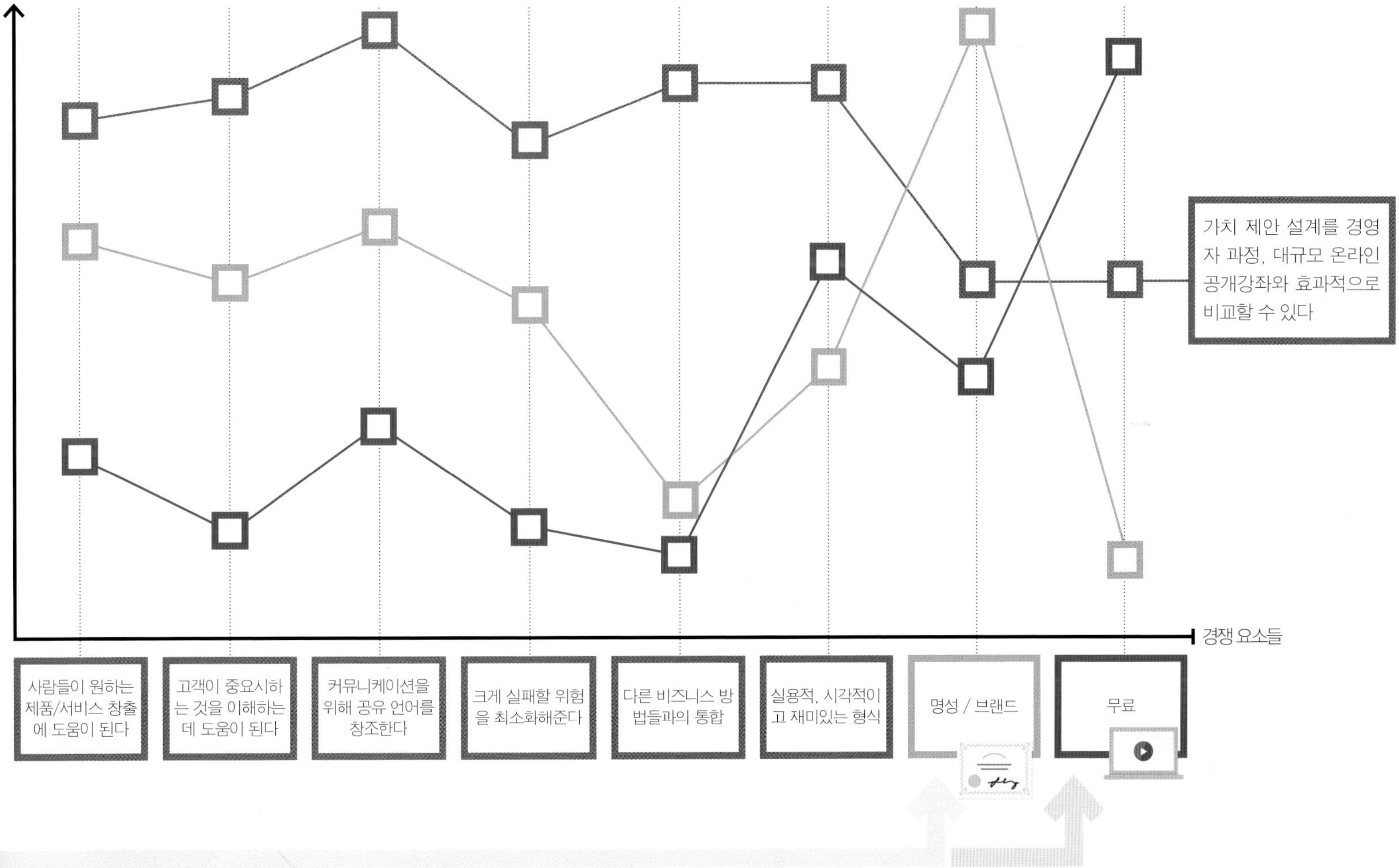

# 당신의 가치 제안을 경쟁 제품들과 비교하라





| 활동 목적 | 활동 결과 |
|---|---|
| 경쟁 제품의 가치 제안과 비교해봄으로써 당신의 가치 제안이 얼마나 성과를 거둘 수 있는지 파악한다. | 경쟁 제품들과의 시각적 비교. |

〈블루 오션 전략〉에 소개된 전략 캔버스를 이용해서 당신의 가치 제안과 경쟁 제품의 가치 제안의 성과를 좌표로 나타낸다. 그런 다음 각각의 좌표들을 선으로 연결해서 비교한 후 당신의 차별화 방법을 평가해보기 바란다.

### 지시 사항

단계별로 전략 캔버스를 작성한 다음 당신의 가치 제안과 경쟁 제품의 가치 제안을 비교한다.

1. 이 활동에 사용할 가치 맵 하나를 준비하거나 선택한다.
2. 커다란 종이를 한 장 준비한다. 아니면 화이트보드를 사용해도 상관없다.
3. 아래 단계들을 그대로 따라간다.

## 1

### 가치 제안 하나를 선택하라

당신이 비교해보고 싶은 가치 제안(프로토타입)을 한 가지 고른다.

## 2

### 경쟁 요소들을 선택하라

수평선(X축)을 한 개 그린다. 경쟁 제품들과 비교하고 싶은 불만 해결 방안과 혜택 창출 방안을 선택한다. 그런 방안을 X축에 나란히 배치한다. 이것이 당신의 전략 캔버스의 경쟁 요소들이 된다.

### Tip

중요한 경쟁 요소들을 더 잘 보여줄 수 있다고 생각되면 여기에 불만과 혜택을 추가해도 무방하다.

## 3

### 당신의 가치 제안에 점수를 매겨라

가치 제안의 성과를 표시해줄 수직선(Y축)을 그린다. 눈금은 저, 중, 고나 0~10까지의 숫자로 표시할 수 있다. X축에 있는 각각의 경쟁 요소(예: 당신이 선택한 불만 해결 방안과 혜택 창출 방안)에 해당되는 당신의 가치 제안의 성과를 좌표로 나타낸다.

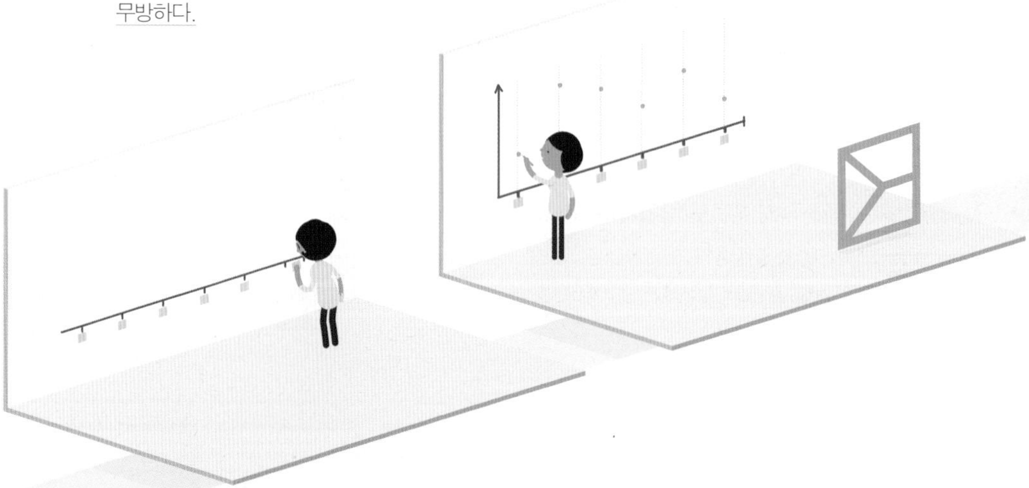

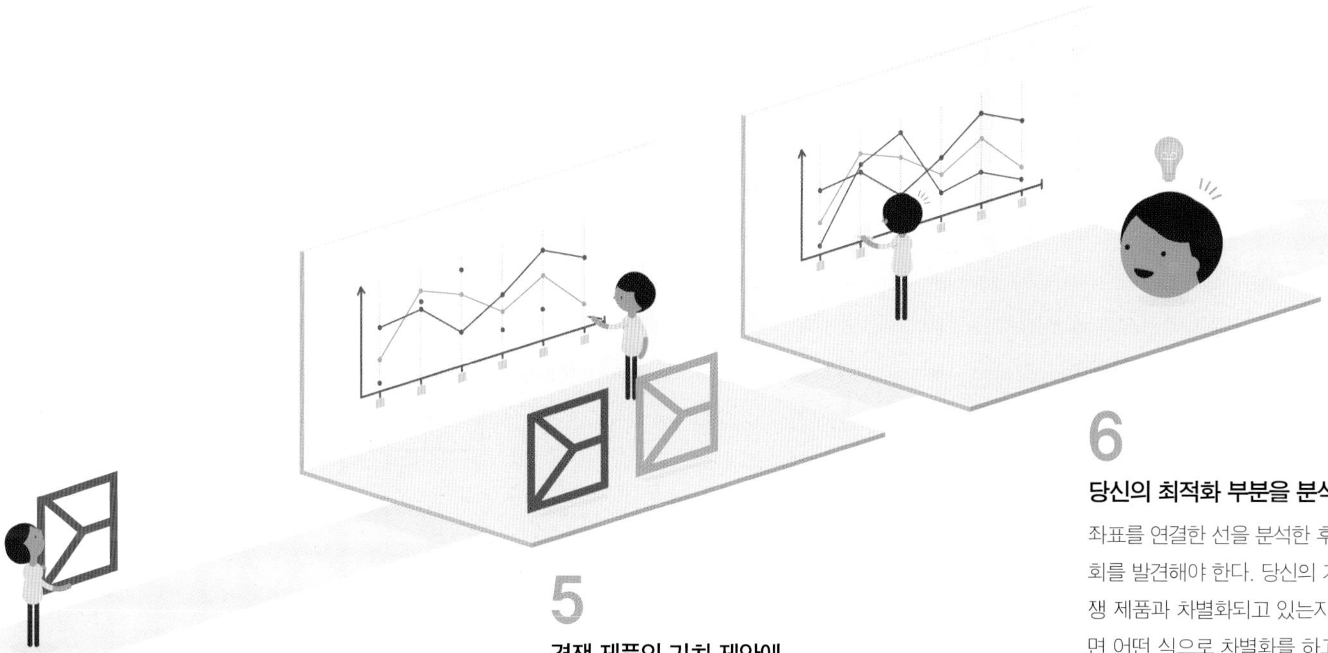

## 4

### 경쟁 제품의 가치 제안을 삽입하라

전략 캔버스에 경쟁 상품의 가치 제안을 하나씩 추가한다. 해당 제품을 가장 잘 대변해주는 가치 제안을 선택해야 한다. 필요하다면, 해당 가치 제안의 불만 해결 방안과 혜택 창출 방안을 X축의 경쟁 요소에 추가할 수도 있다.

**Tip**

경쟁 제품의 가치 제안을 선택할 때는 산업 간 전통적 경계를 뛰어넘는 것이 바람직하다. 단순히 당신과 비슷한 상품/서비스를 바탕으로 가치 제안을 비교해서는 안 된다.

## 5

### 경쟁 제품의 가치 제안에 점수를 매겨라

당신의 가치 제안과 마찬가지로 경쟁 제품의 가치 제안의 성과도 좌표로 나타낸다.

**Tip**

당신이 고려하고 있는 다른 가치 제안의 성과를 비교할 때도 이 방법을 사용하면 효과적이다.

## 6

### 당신의 최적화 부분을 분석하라

좌표를 연결한 선을 분석한 후 그 속에서 기회를 발견해야 한다. 당신의 가치 제안은 경쟁 제품과 차별화되고 있는지, 만약 그렇다면 어떤 식으로 차별화를 하고 있는지 스스로에게 물어보기 바란다.

**Tip**

당신이 비교하는 경쟁 요소들이 고객 프로필에서 상위를 차지한 활동, 불만, 혜택과 부합되어야 한다. 불만 해결 방안과 혜택 창출 방안이 관련 활동, 불만, 혜택에 맞춰 설계되기 때문에 일반적으로 이런 부분들이 서로 부합되는 것이 바람직하다.

# 더 나은 피드백을 얻으려면 인지적 어려움을 탈피하라

1. 다른 사람들에게 당신의 가치 제안을 소개한 후 피드백을 모으고, 동의를 얻어라. 그런 다음, 우리가 앞에서 소개한 좀 더 '분석적 평가 방법'과 앞으로 3장(테스트)에서 설명할 실험을 이용해서 부족한 부분을 보완하라.
2. 상대방을 무장 해제시킬 정도로 단순하고 일관성 있는 설명으로 당신의 아이디어를 성공적으로 프레젠테이션해야 한다. 훌륭한 가치 제안을 설계하는 데 엄청나게 많은 에너지를 쏟아부어도 정작 중요한 순간에 그것을 설득력 있게 설명하지 못하면 그런 노력은 모두 헛수고가 되고 만다.
3. 당신의 아이디어와 캔버스를 명확하고 구체적으로 소개하는 것은 이 설계 프로세스 전반에 걸쳐 아주 중요한 부분을 차지한다. 상이한 이해관계자들로부터 동의를 얻어내기 위해, 개선 작업에 착수하기에 앞서 개략적인 프로토타입을 먼저 선보여야 한다. 그런 프레젠테이션을 좀 더 다듬는 것은 프로세스 후반에 필요한 작업이다.
4. 가치 제안을 소개하는 활동에서 가장 중요한 것은 고객 활동, 불만, 혜택과 관련해서 당신이 생각하고 있는 메시지를 정확히 전달하는 것이다. 단순히 기능을 홍보하는 데 열을 올려서는 안 된다. 그보다는 당신의 가치 제안이 어떤 식으로 중요한 고객 활동을 돕고, 극심한 불만을 제거하고, 필수적인 혜택을 창출하려고 하는지를 깊이 고민해야 한다.

### 프레젠테이션 행동 수칙

| ✓ 따라야 할 것 | ✕ 피해야 할 것 |
|---|---|
| 간단하다 | 복잡하다 |
| 구체적이다 | 추상적이다 |
| 중요한 것만 소개한다 | 당신이 아는 것을 모두 소개한다 |
| 고객 중심 | 기능 중심 |
| 한 번에 한 가지 정보를 소개한다 | 모든 정보를 한꺼번에 소개한다 |
| 적절히 매체를 활용한다 | 시각적 매체를 활용하지 않는다 |
| 일관성 있는 스토리 | 이야기의 흐름이 중구난방이다 |

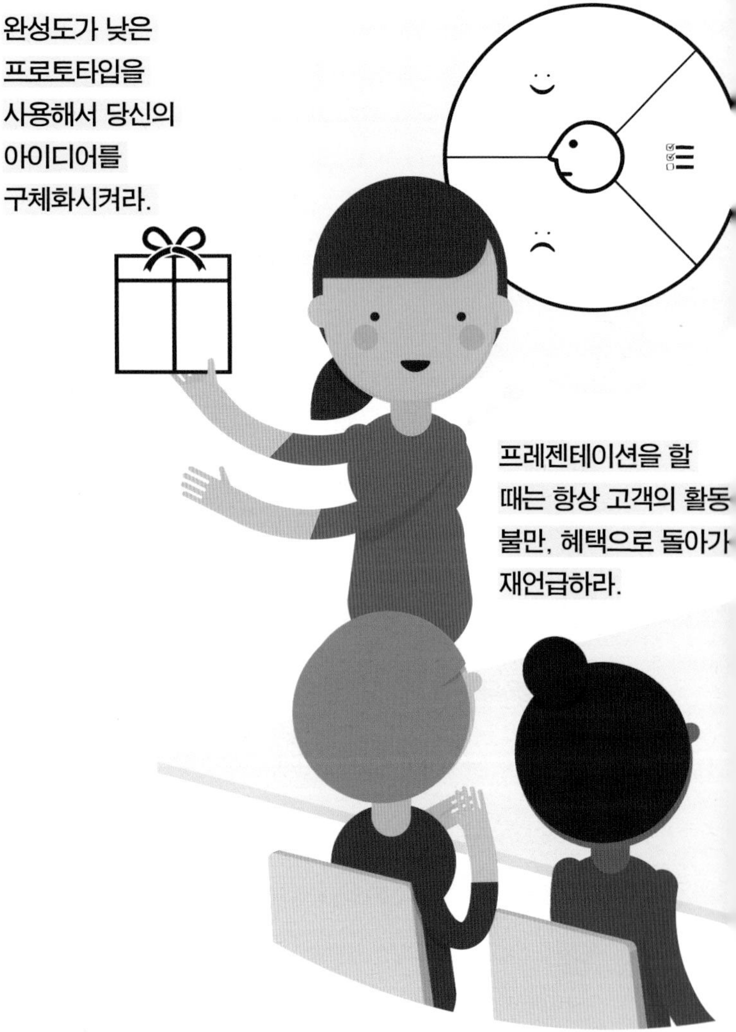

1. 텅 빈 캔버스를 준비한다. 청중에게 짤막하게라도 해당 캔버스에 대해 소개한다.

2. 가장 적당하다고 생각되는 부분에서 프레젠테이션을 시작한다. 제품에서 시작할 수도 있고 활동에서 시작할 수도 있다.

3. 포스트잇 메모지를 하나씩 붙여가면서 당신의 가치 제안을 설명하라. 그래야만 청중이 인지적 어려움을 겪지 않는다. 말을 하는 것과 포스트잇 메모지를 붙이는 행동이 동시에 이루어져야 한다. 제품/서비스를 고객 활동, 불만, 혜택과 연결시켜 가면서 가치 창출에 대해 설명한다.

**무엇을, 언제 소개할 것인가**

설계 및 테스트 활동의 진척 상황에 맞춰 다른 형태의 프로토타입을 선보여야 한다.

# 비평 기술을 터득하라





1. 교착상태에 빠지지 않고 아이디어를 계속 발전시키기 위해서는 피드백 기술을 훈련해야 한다. 이것은 어떤 아이디어에 대해 자신의 의견을 말하는 피드백 제공자뿐만 아니라 해당 아이디어를 소개하는 피드백 수신자에게도 해당된다.
2. 설계 분야의 종사자들은 자신의 아이디어를 되도록 초기에 소개하고 피드백 제공자 역시 효과적인 설계가 이루어질 수 있도록 비평하는 훈련을 받는다. 이와는 달리, 비즈니스 업계의 피드백 제공자는 이사회나 자문 위원회를 이끄는 리더가 대부분이다. 그들은 피드백 제공보다는 의사 결정을 훈련받은 사람들이다. 그래서 대다수 리더들은 신속한 의사 결정이 이루어지지 않으면, 불안해하거나 불만족스러워 하는 경우가 많다.
3. 피드백 제공자에게는 아이디어에 관한 결정이 아니라 아이디어가 발전할 수 있도록 도와주는 방법을 가르쳐야 한다. 그리고 가치 제안 프로토타입이 아직 기본 뼈대만 갖춘 상태이고 설계 및 테스트 단계를 거치면서 더욱 발전하게 된다는 것을 이해시켜야 한다. 특히 프로토타입은 피드백 제공자의 의견보다 더 중요한 시장 상황에 따라 근본적인 변화를 겪을 수 있다.
4. 피드백을 제공받는 사람에게 피드백 제공자의 영향력이 아무리 막강해도 고객보다 더 중요하지는 않다는 것을 분명히 교육시켜야 한다. 고객의 의견보다 피드백 제공자의 이야기와 시장 상황에 더 귀를 기울이는 태도는 필연적으로 실패를 부를 수밖에 없다.

'비평 기술 터득' 포스터 받기

**훌륭한 피드백 문화를 갖춘 조직은…**

새롭고 대담한 아이디어를 초기에 선보이는 것에 대해 전혀 거부감을 갖지 않는다. 그런 아이디어가 앞으로 계속 발전하고 어쩌면 아주 독특한 아이디어가 될 수도 있다는 것을 잘 알기 때문이다.

초기에 선보여라

**세 가지 피드백 유형의 차이점 구분하기**

| | | + | − |
|---|---|---|---|
| 의견 | '만약 여기에 ~를 추가한다면 성공을 거둘 수 있는 더 좋은 기회가 될 것 같다.' | 논리적 추론은 아이디어를 발전시키는 데 도움을 줄 수 있다. | 좀 더 영향력 있는 사람들이 특별히 관심을 갖는 아이디어가 추진될 수 있다. |
| 경험 | '지난번 프로젝트에서 ~을(를) 하면서 ~을 알게 되었다.' | 과거의 경험은 과다 비용이 발생하지 않도록 막아주는 귀중한 교훈이 된다. | 상황이 다르면 결과도 달라진다는 것을 깨닫지 못한다. |
| 시장 상황 | '이것에 대해 사람들과 인터뷰를 실시한 결과, ~%가 이 문제로 고심하고 있다는 사실을 알게 되었다.' | 불확실성과 시장 위험을 감소시켜줄 지식을 제공한다. | 잘못된 데이터나 부적절한 데이터를 평가했을 경우, 절호의 기회를 놓칠 수 있다. |

리더와 의사 결정자들은 초기 아이디어가 발전할 수 있는 방향으로 피드백을 제공하는 훈련을 받는다. 그리고 그런 아이디어들이 시장 상황에 따라 대성공을 거둘 수도 있다는 것을 잘 알기 때문에 그런 피드백 제공 훈련에 거부감을 느끼지 않는다.

| | | | | | | | | |
|---|---|---|---|---|---|---|---|---|
| **피해야 할 것** ✕ | 새롭고 대담한 아이디어를 제시하는 사람을 맹비난하는 것 | 리더와 의사 결정자에게 잘 다듬어진 아이디어만 제시하는 것 | 체계나 일관성이 없이 대화가 중구난방으로 흐르면서 시간만 낭비하는 토론 | 오로지 의견만 많이 제시하는 것 | 정치적, 개인적 의제들이 가치 창출 관련 의제를 압도해 버리는 상황 | 긍정적인 창조 에너지를 파괴하는 부정적 분위기 형성 | 실행하기 어렵다는 이유로 훌륭한 아이디어를 말살하는 피드백 문화 조장 | 자꾸 이유만 따지고 드는 것 |
| **따라야 할 것** ✓ | 대담한 아이디어를 편하게 소개할 수 있는 안전한 환경 조성 | 급속도로 발전하는 아이디어에 대해 신속하게 피드백을 제공하는 문화 조성 | 용이하고 체계적인 피드백 프로세스 운영 | 경험이나 시장 상황에 입각한 피드백 제공 | 정치적 중립성을 유지하는 고객 중심의 피드백 문화 | 즐겁고 생산적인 피드백 프로세스 도입 | 하기 어려운 것과 잘못된 것 간의 명확한 구분 | '~하는 게 어떤가?' '만약 ~이라면?' '다른 것은 또 없는가?'라는 식의 질문 |

# 보노의 생각하는 모자 기법을 통해 효율적으로 피드백을 수집하라



에드워드 드 보노(Edward de Bono)의 생각하는 모자 기법(Thinking Hats)을 사용해서 아이디어, 가치 제안, 비즈니스 모델에 관해 피드백을 수집하라. 이 방법은 특히 규모가 큰 그룹 활동에 아주 효과적이다. 시간만 낭비한 채 토론이 끝없이 이어지는 것을 막아주기 때문이다.

활동 목적
효과적으로 피드백을 수집하고 토론이 한없이 길어지는 것을 막는다.

활동 결과
아이디어의 장점과 단점, 아이디어의 발전 가능성과 방법에 대한 이해.



워크숍 참가자들에게 특정 사고 유형을 상징하는 색깔 모자를 하나씩 골라 쓰게 한다. 이 기법을 사용하면 서로 다른 유형의 피드백을 신속하게 수집할 수 있고 정치적 이유 때문에 아이디어가 사장되는 것을 막을 수 있다. 그럼 지금부터 보노의 여섯 색깔 생각하는 모자 가운데 네 개를 사용해서 피드백을 수집해보자.

1
## 소개
**아이디어의 단계에 따라 3~15분 정도 소요**
설계 팀에서 그들의 아이디어와 가치 제안, 비즈니스 모델 캔버스를 소개한다.

2
## 흰색 모자
정보와 데이터 / 중립적, 객관적
**아이디어의 단계에 따라 2~5분 소요**
'청중'을 구성하는 사람들이 해당 아이디어를 완전히 이해하기 위해 명확화 질문을 던진다.

3a 3b
## 검정색 모자
어려움, 약점, 위험 / 해당 아이디어의 위험 요소 탐색

**메모 작성(1분)**
참가자들은 포스트잇 메모지에 해당 아이디어가 바람직하지 않은 이유를 적는다.

**피드백 수거(3분)**
참가자들이 각자 적은 내용을 큰 소리로 읽는 동안 진행자는 재빨리 피드백을 하나씩 플립 차트에 모은다.

## Tips

- 이 활동에는 강력한 진행 능력이 요구된다. 흰색 모자가 명확화 질문을 던지는 시간에는 다른 사람들이 의견을 말하지 못하게 해야 한다.
- 특정 아이디어에 대한 호불호를 떠나 모든 사람이 흰색, 검정색, 노란색, 녹색 모자를 하나씩 쓰게 해야 한다.
- 극단적으로 부정적 입장을 보이는 사람은 노란색 모자에 앞서 검정색 모자를 먼저 쓰게 하면 좀 더 중립적인 태도를 취할 수 있게 된다. 일단 자신의 피드백을 밝히고 나면 긍정적인 방향으로도 생각해볼 수 있기 때문이다.
- 어떤 아이디어가 실패 또는 성공할 것 같은 이유를 모두 제시하도록 유도하는 보노의 생각하는 모자 기법은 소규모 그룹이나 개인별 활동에도 아주 효과적이다.

## 4a

### 노란색 모자

긍정적 내용, 장점 / 해당 아이디어가 유용한 이유

**메모 작성(1분)**

참가자들은 포스트잇 메모지에 그것이 왜 좋은 아이디어인지를 적는다.

## 4b

**피드백 수거(3분)**

참가자들이 각자 적은 내용을 큰 소리로 읽는 동안 진행자는 재빨리 피드백을 하나씩 플립 차트에 모은다.

## 5

### 녹색 모자

아이디어, 대안, 가능성: 검정색 모자가 지적한 문제점에 대한 해결책

**공개 토론(5~15분)**

공개 토론의 장을 마련한다. 소개된 아이디어들을 발전시킬 방안에 대해 참가자들이 의견을 제시한다.

## 6

### 발전

프레젠테이션을 실시한 설계팀은 흰색, 검정색, 노란색, 녹색 모자에서 나온 피드백을 이용해 자신들의 아이디어를 발전시켜나간다.

Edward de Bono, Six Thinking Hats, 1985

# 도트 스티커를 사용해서 투표를 시각화하라

활동 목적
그룹의 선호도를 시각화하고 토론이 장시간 이어지는 것을 막는다.

활동 결과
아이디어의 신속한 선별.

동그란 도트 스티커를 사용하면 특히 대규모 워크숍 환경에서 특정 그룹의 선호도를 재빨리 시각화할 수 있다. 이것은 상이한 가치 제안과 비즈니스 모델에 대해 간단하고 신속하게 순위를 매길 수 있는 방법이다. 그리고 토론이 장황하게 길어지는 것도 막을 수 있다.

1
**아이디어 갤러리**
한쪽 벽면에 전시관처럼 아이디어와 캔버스들을 걸어 놓는다.

2
**스티커**
참가자들에게 똑같은 개수(예: 10개)의 스티커를 제공한다. 스티커 한 개당 투표 하나로 간주한다.

3
**기준**
투표 기준을 설명한다. 이를 테면, 참가자들에게 각자가 좋아하는 아이디어에 스티커를 붙이라고 지시하는 것이다.

4
**투표**
참가자들은 자신이 가진 스티커를 하나의 아이디어에 모두 붙일 수도 있고 아니면 몇몇 아이디어에 나눠 붙일 수도 있다.

5
**투표 수 계산**
각각의 아이디어에 붙은 스티커 수를 계산한다. 사람들이 선호하는 아이디어가 금방 드러난다.

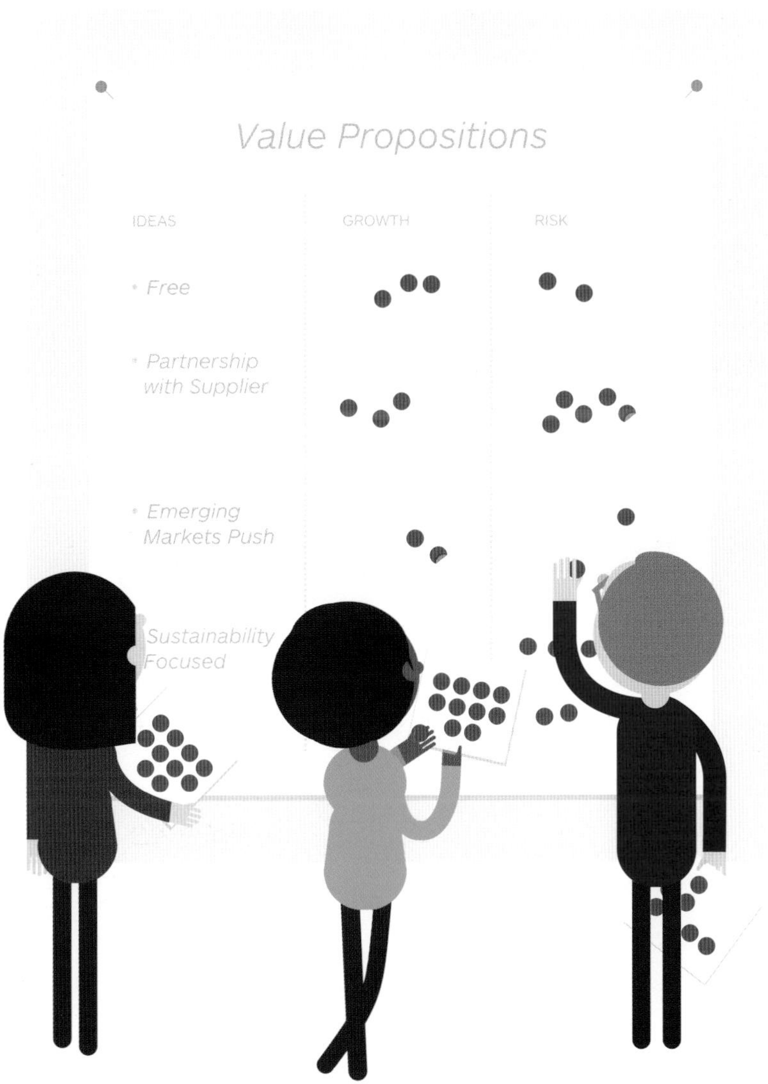


**다기준**(Multicriteria)

여러 가치 제안과 비즈니스 모델 중에서 선택을 해야 하는 상황에서 몇 가지 기준을 사용하고 싶을 때는 도표를 활용하는 것이 바람직하다.

스티커를 사용한 투표 방식은 내부 기준, 예를 들면 성장 잠재력, 위험 부담, 차별화 가능성에 근거해서 아이디어를 선택할 때 주로 사용된다. 실제 세계에서의 테스트 활동에 앞서 설계 프로세스를 진행하는 동안 몇 가지 대안을 놓고 선택해야 할 때 이 방법을 적용해보기 바란다.

# 기준을 정하고 프로토타입을 선택하라

활동 목적
여러 대안들 중에서 선택한다.

활동 결과
프로토타입의 순위





당신과 당신의 조직에게 가장 중요한 기준을 정하고 설계 프로세스가 진행되는 동안 그런 기준에 맞춰 가치 제안과 비즈니스 모델을 선택하라. 물론 프로세스 후반에 가서 고객이 당신의 아이디어에 대한 최종 결정을 내리겠지만 대안(매력적인 대안이길 바란다)의 우선순위는 당신 스스로 정해야 한다.

## 1

### 기준 브레인스토밍하기

당신이 소개한 프로토타입의 매력도를 평가하기 위해서는 최대한 많은 기준을 제시해야 한다.

당신 자신의 선택 기준에 다음과 같은 주제와 기준을 추가하라.

### 전략 측면의 적합성

해당 아이디어가 회사의 전체적인 방향과 얼마나 잘 들어맞는가?

| | | |
|---|---|---|
| 전략과의 조화 | 적절한 시기 | 바람직한 위험 수위와의 부합 정도 |
| 시대에 뒤진 비즈니스 모델을 대체할 수 있다 | | |

### 고객 통찰 측면의 적합성

해당 아이디어가 초기 시장 조사에서 얻은 초기 고객 통찰과 얼마나 관련이 있는가?

| | | |
|---|---|---|
| 중요한 활동 | 적합한 해결책이 존재하지 않는다 | 가시적이고 구체적인 불만 |
| 강력한 고객 성공 사례 | | |

### 경쟁과 환경

해당 아이디어는 회사가 이 경쟁에서 스스로를 어떤 식으로 포지셔닝하게 해주는가?

| | | |
|---|---|---|
| 경쟁 우위 제공 | 첨단기술 및 여타 흐름과의 부합 | 차별화 가능 |

### 기존 비즈니스 모델과의 관련성

해당 아이디어는 현재의 비즈니스 모델과 어떤 관련이 있는가? 아니면 현재의 비즈니스 모델과 전혀 관련이 없는가?

| | | | |
|---|---|---|---|
| 브랜드와 부합된다 | 현재의 비즈니스 모델과 부합된다 | 강점을 더욱 확대해준다 | 약점을 보완해준다 |
| 현재의 고수익 사업을 파괴한다 | | | |

### 재정과 성장

각각의 아이디어는 성장과 재정 측면에서 어떤 잠재력을 갖고 있는가?

| | | | |
|---|---|---|---|
| 시장 규모 | 잠재 수익 | 시장 성장 | 이윤 |

### 실행 기준

설계에서 시장까지 해당 아이디어의 실행은 어느 정도 어려운가?

| | | | |
|---|---|---|---|
| 제품 개발에서 시장 진출까지의 소요 시간 | 수립 비용 | 적합한 팀과 기술을 갖추고 있는가 | 대상 고객에 대한 접근 |
| 첨단 기술 위험 | 실행 위험 | 관리 저항 위험 | |

# 2

## 기준 선택

당신의 팀과 조직에게 가장 중요한 기준을 선택하라

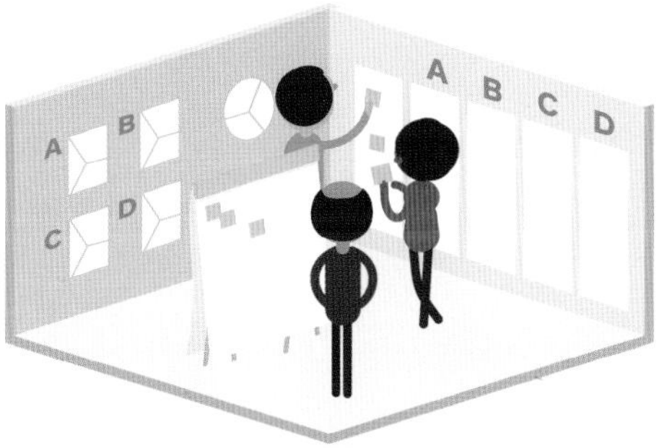


| 기준 | 프로토타입 A: 36 | 프로토타입 B: 32 | 프로토타입 C: 12 | 프로토타입 D: 42 |
|---|---|---|---|---|
| 차별화 가능 | | | | |
| 강점의 확대 | | | | |
| 시장 성장 | | | | |

# 4

## 프로토타입의 발전 및 시장 탐색

채점 점수를 바탕으로 당신의 프로토타입을 발전시켜라. 그리고 진짜로 잠재력을 갖고 있는지 시장에서 테스트해보기 바란다.

# 3

## 프로토타입 점수 매기기 (0[저]~10[고])

당신이 선택한 기준에 근거해서 각각의 아이디어에 점수를 매긴다.

# 2.5

# 적합한 비즈니스 모델 찾기

ASSESSMENT
TO TESTING
7 QUESTIONS
FINANCE
BUSINESS MODE
PROTOTYPING
FAILED

# 당신의 고객, 당신의 사업에 맞는 가치를 창출하라

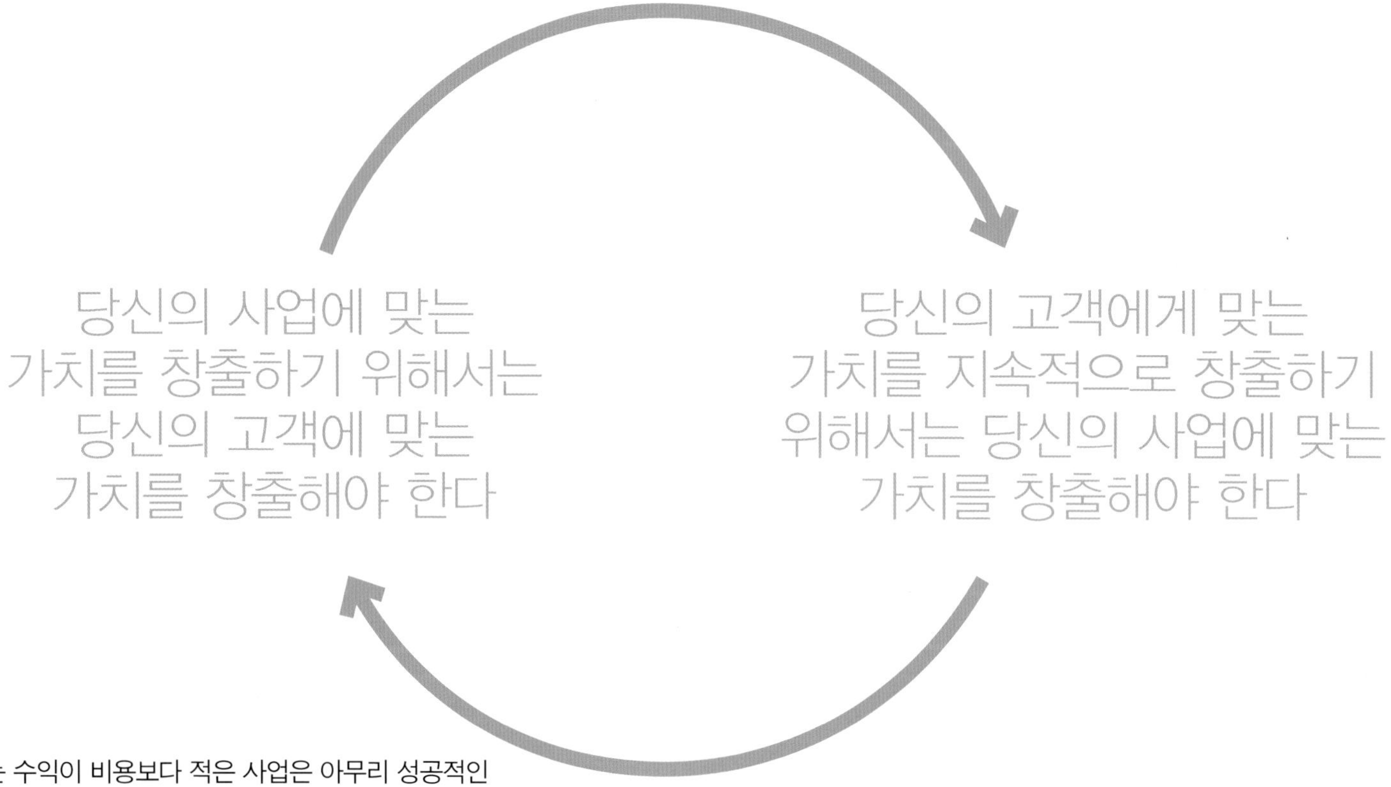


발생하는 수익이 비용보다 적은 사업은 아무리 성공적인 가치 제안을 갖추고 있어도 필연적으로 실패할 수밖에 없다. 비즈니스 모델과 가치 제안, 양쪽 모두를 제대로 갖추는 일은 적합한 것을 찾을 때까지 계속 반복해야 하는 힘든 과정임을 알게 될 것이다.

**당신의 사업에 맞는 가치를 창출하고 있는가?**

당신의 사업에 맞는 가치를 어떤 식으로 창출, 포착하고 있는지 비즈니스 모델 캔버스를 보면 분명하게 알 수 있다.

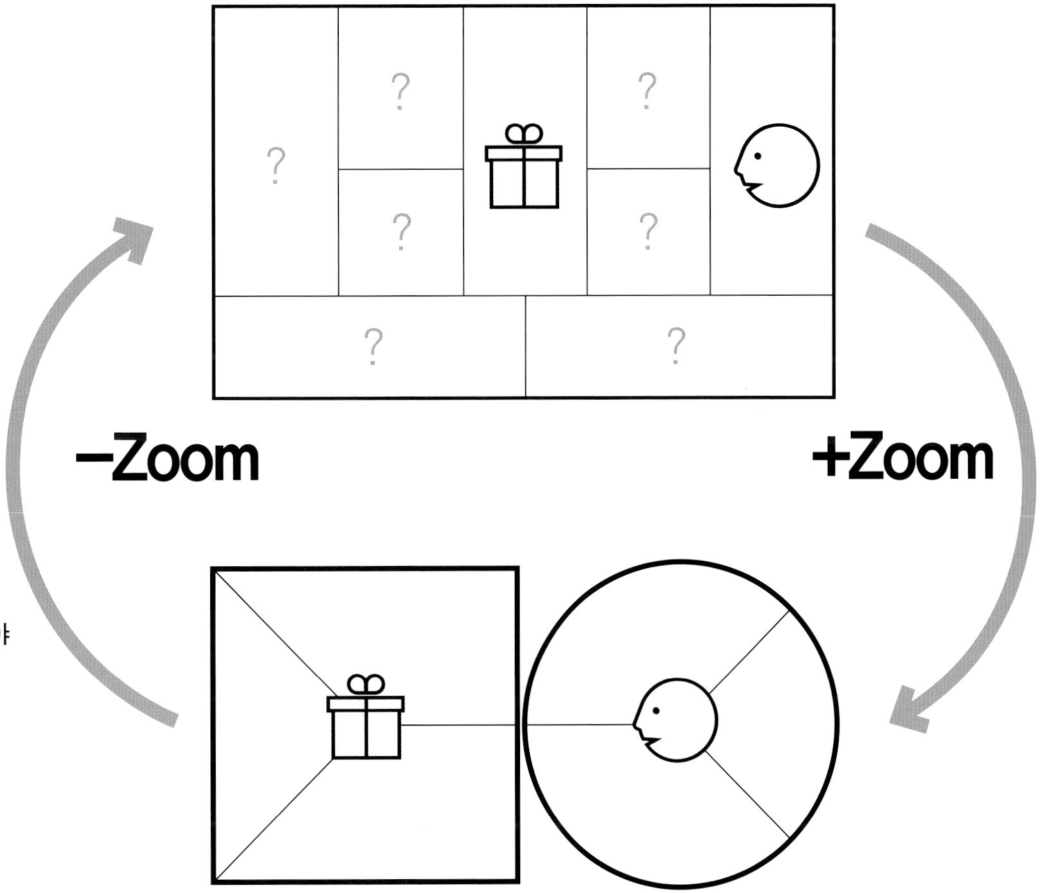


이처럼 특정 고객 가치 제안을 중심으로 수익성과 가치를 창출하고, 전달하고, 포착할 수 있는지 분석하기 위해서는 축소해서 크게 살펴보아야 한다.

당신의 비즈니스 모델에 내재된 고객 가치 제안이 정말로 고객에게 맞는 가치를 창출하고 있는지 조사하기 위해서는 확대해서 세부적으로 파고들어야 한다.

**당신의 고객에 맞는 가치를 창출하고 있는가?**

당신의 고객에 맞는 가치를 어떤 식으로 창출하고 있는지 가치 제안 캔버스를 보면 분명하게 알 수 있다.

# 태양열 에너지 관련 첨단기술을 실행 가능한 사업으로 전환시킨 아주리(Azuri)(Eight 19)





아직도 이 지구상에는 전기 혜택을 누리지 못한 채 살아가는 사람들이 무려 16억 명에 달한다. 그렇다면 새로운 첨단기술로 무장한 혁신적인 가치 제안과 비즈니스 모델이 이 문제를 해결해줄 수 있을까?

시몬 브랜스필드-가쓰(Simon Bransfield-Garth)는 케임브리지 대학에서 처음으로 개발된 프린트 박막 플라스틱 기술을 앞세워 Eight 19라는 회사를 설립했다. 프린트 박막 플라스틱 기술은 저렴한 비용으로 태양광 전지를 생산할 목적으로 설계된 것인데 2012년, 이 기술의 상용화에 성공한 Eight 19은 전기 문명에서 소외된 신흥 시장의 시골 거주민들에게 전기를 공급하기 위해 아주리를 출범시켰다.
물론 이런 상황에 적합한 가치 제안과 비즈니스 모델을 발견한다는 것은 결코 쉬운 일이 아니었다. 지금부터 우리는 다음 몇 페이지에 걸쳐 가치 제안과 비즈니스 모델 사이를 어떤 식으로 계속 왔다 갔다 해야 하는지 설명하려고 한다.

## 1

초기 아이디어

### 기회

비용이 저렴한 태양열 에너지 기술을 개발해서 빈곤 지역에 사는 사람들도 전기를 사용할 수 있게 해준다.

Azuri 비즈니스 모델: 버전 0

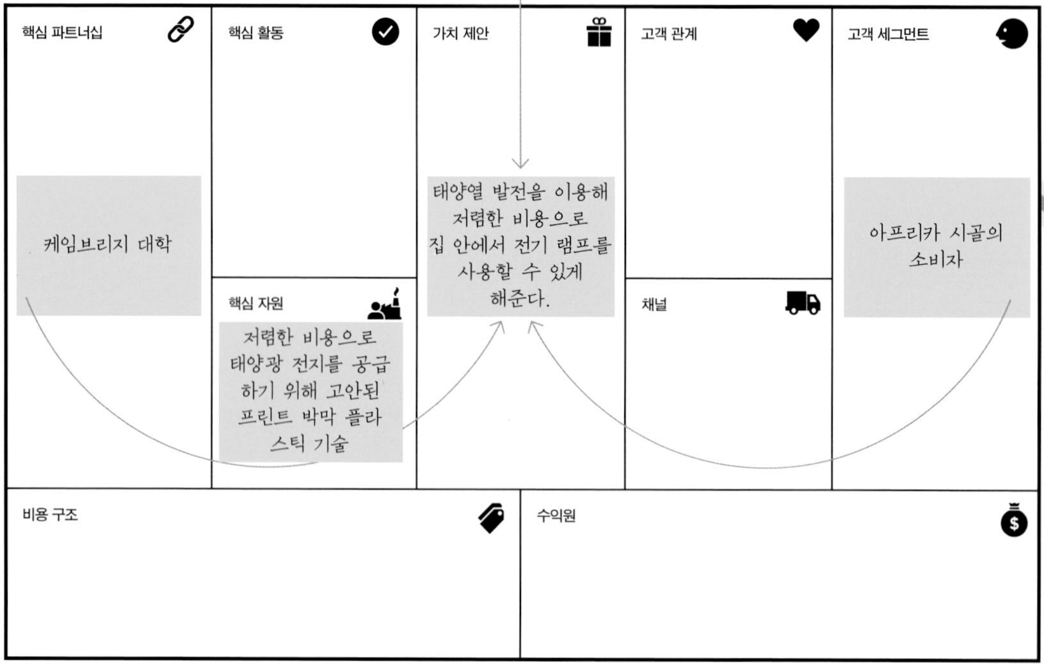


아주리의 사례를 인용함

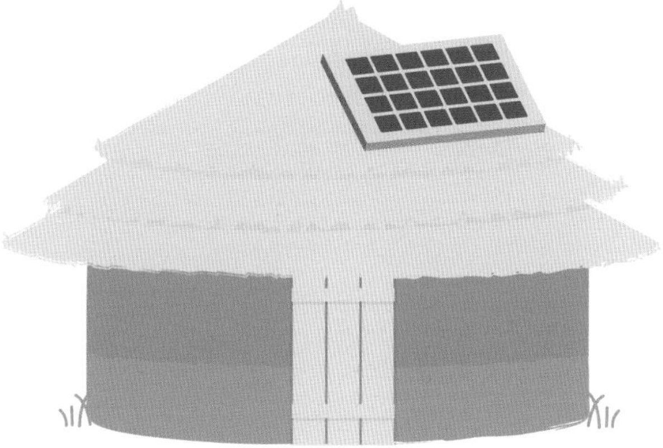

확대

2
관찰
**비용 장벽**

'하루에 3달러로 겨우 생계를 유지하는 시골 농부가 어떻게 70달러 상당의 태양열 발전 설비를 감당할 수 있겠는가?'

3
설계
**상황 가정**

선불 투자라는 장애물을 제거하기 위해 태양열 발전기를 무상으로 설치해준다면?

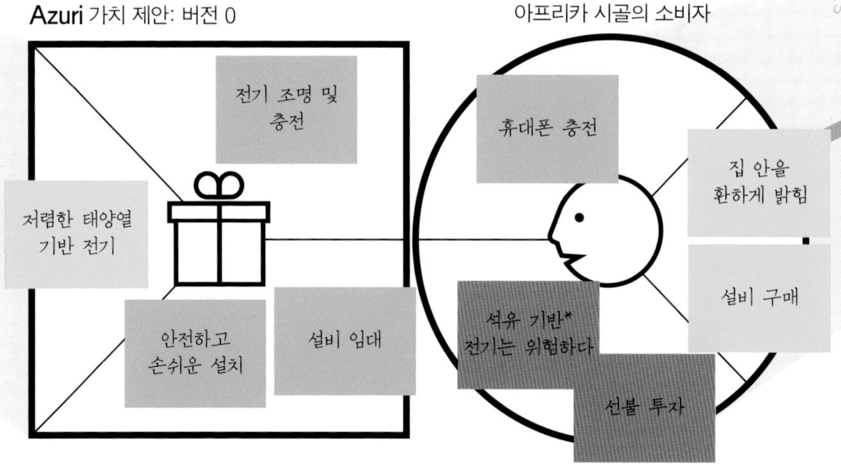


*전기를 사용할 수 있는 대안 중 하나는 석유를 연소하는 것인데, 이것은 위험하고 비용도 많이 든다.

# 4

두 번째 반복

## 비즈니스 모델 아이디어

태양열 발전 설비를 임대해주고 정기적으로 사용료를 거둔다. 기존의 태양 전지판을 사용할 경우, 충분히 가능하다. 설비 자금을 마련하기 위해 파트너십과 자원이 필요하다.

축소

Azuri 비즈니스 모델: 버전 1

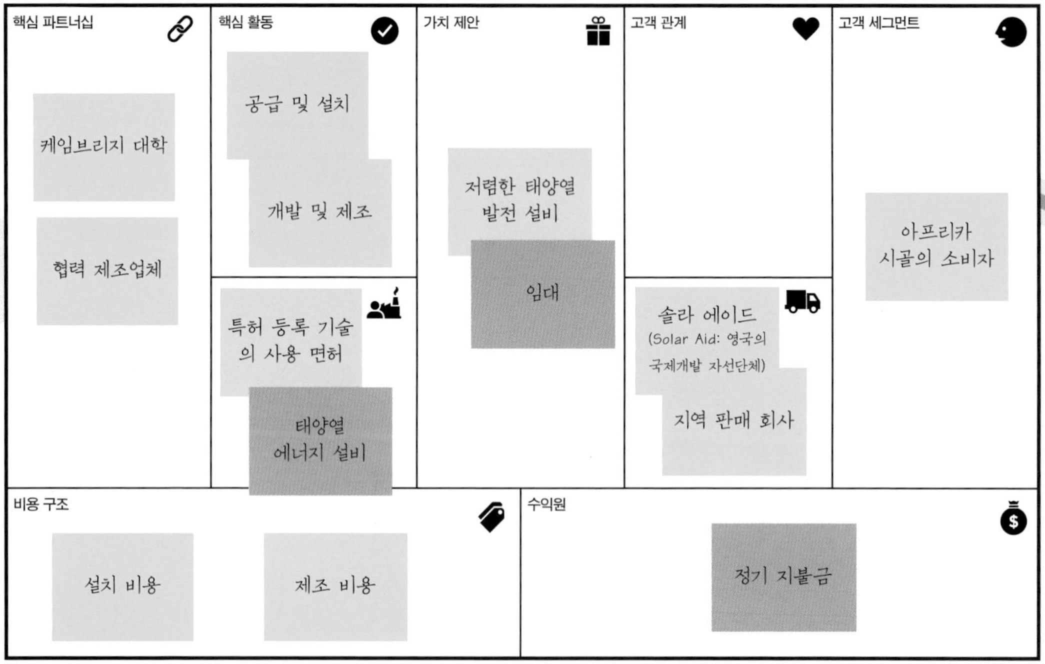

확대

## 5
관찰
### 금융 시스템 부재라는 장벽

효율적인 금융 시스템이 없는 상태에서 어떤 식으로 정기 지불금을 수납할 것인가?

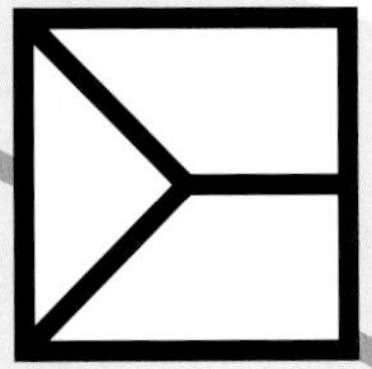

## 6
설계
### 첨단 기술이 아닌 재래 기술로 해결

태양열 발전 첨단 기술, 휴대폰, 스크래치 카드를 결합해서 일정 기간 동안 전기를 사용할 수 있게 한다.

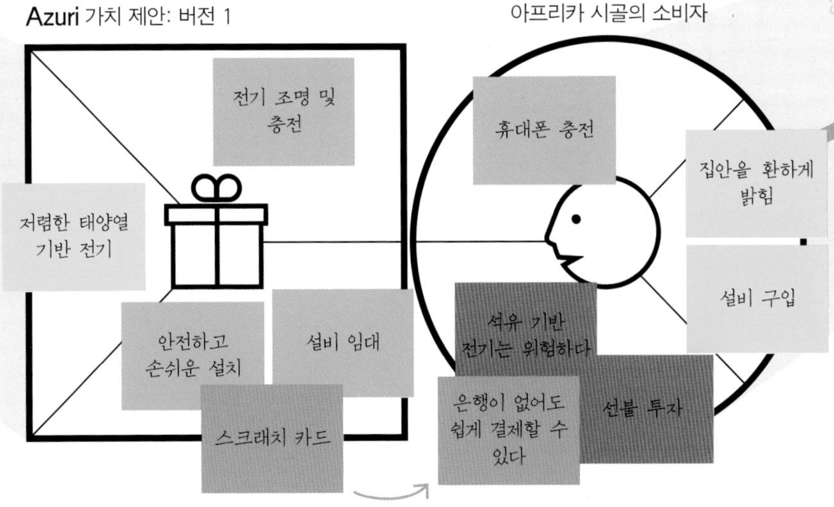

# 7

세 번째 반복

## Azuri 비즈니스 모델 관련 아이디어

일주일 단위로 스크래치 카드를 구입하는 고객을 위해 필요한 만큼 전기를 사용하고 충전할 수 있는 인디고(Indigo)시스템을 도입해서 임대 방식으로 태양열 서비스를 제공한다. 따라서 수익원을 거기에 맞춰 조정해야 한다.

범위 확대

Azuri 비즈니스 모델: 버전 2

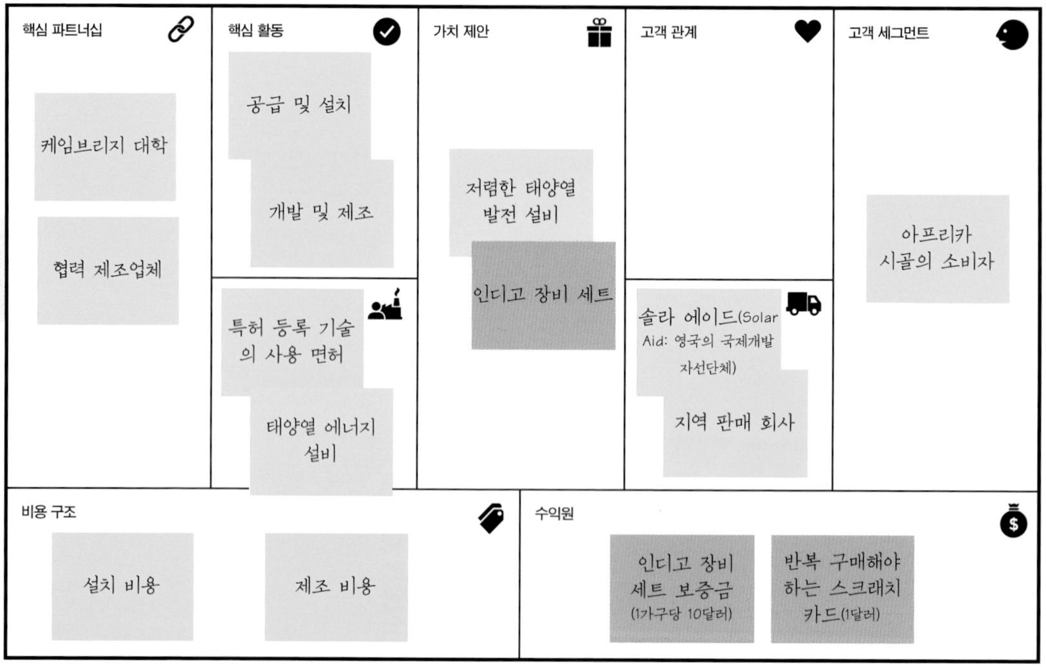


*적정 가격의 스크래치 카드는 설치 비용을 서서히 충당할 수 있게 해준다.*

# 그렇다면…

인디고의 가치 제안은 어떤 식으로 고객을
확보하는가?

10달러 | 1달러 | 무료 | 업그레이드 Time

**인디고 장비 세트**(태양 전지판, 램프, 충전기) **구입.**

**스크래치 카드를 구입하고 휴대폰으로 전송받은 문자 메시지를 사용해서 인디고 유닛에 암호를 입력한다. 그리고 일정 기간**(통상 일주일) **해당 설비를 사용한다.**

**스크래치 카드를 80번 구입할 경우 인디고 장비 세트를 소유할 수 있게 된다.**

**더 큰 규모의 시스템으로 업그레이드해서 더 많은 전기를 사용한다. 스크래치 카드를 계속 구입한다.**

# 가치 제안에서부터 비즈니스 모델까지…

활동 목적
위험 부담이 없는 상태에서 가치 제안과 비즈니스 모델을 연결하는 연습을 실시한다.

활동 결과
기량 향상.

p.96쪽에서 이어짐

## A1
### 전면
수익 모델을 프로토타입하고 유통 채널을 선택하라. 그리고 채택 가능성이 있는 고객 관계를 명확히 규정하라.

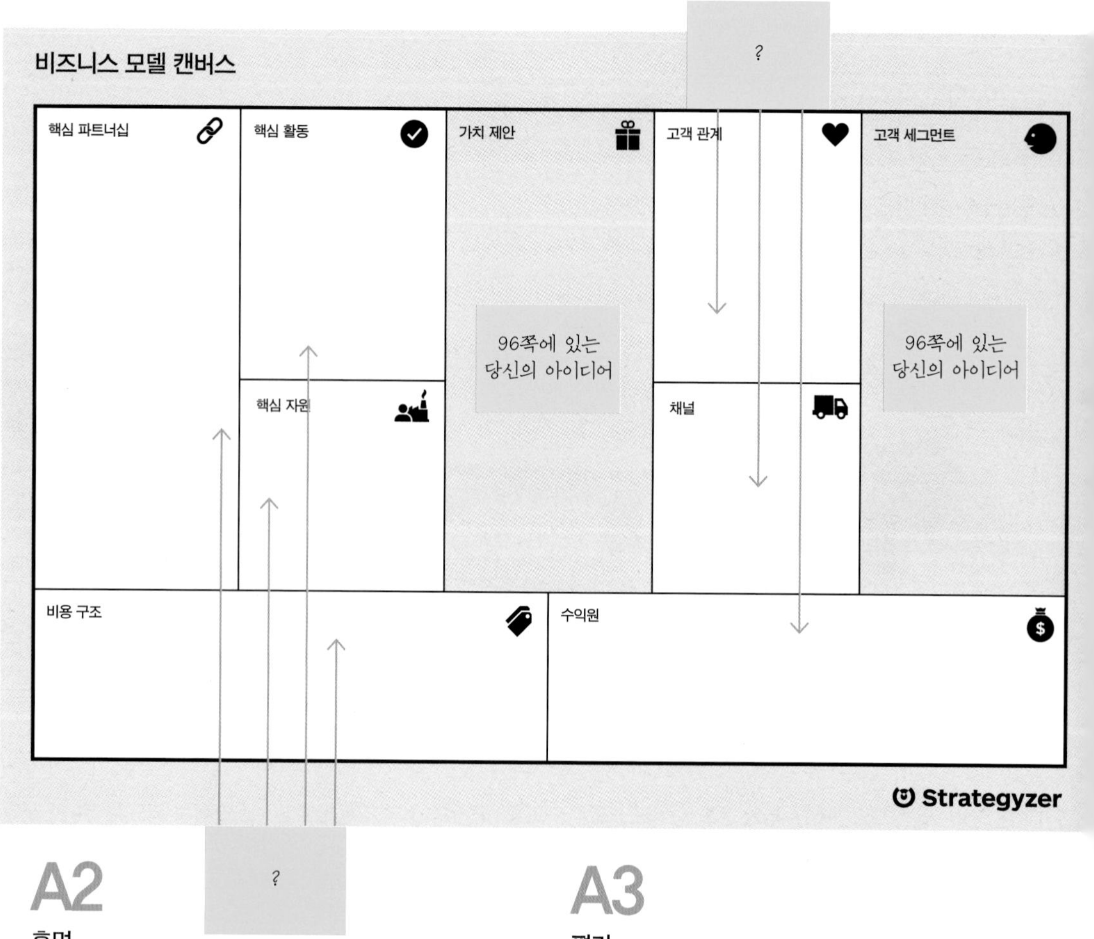


# Part A
## 전체 비즈니스 모델 설계하기

96쪽에서 당신은 압축 공기 형태의 혁신적인 에너지 저장 기술의 상용화에 맞는 가치 제안을 머릿속에 그려보았다. 이제는 비즈니스 모델의 남은 요소를 매핑하고 대강의 수치를 개략적으로 적어 넣을 시간이다(Part A).

## A2
### 후면
해당 모델이 효과적으로 작동하는 데 필요한 핵심 자원, 핵심 활동, 파트너들을 추가한다. 그리고 그것을 이용해서 비용 구조를 추산한다.

## A3
### 평가
당신의 프로토타입을 평가한 후 해당 비즈니스 모델에서 약점에서 될 수 있는 것을 찾아본다(→ p.156).

# 그리고 다시 뒤로 돌아가서

## Part B

### 가치 제안 재탐색하기

Part A에서 당신이 처음에 작성한 전체 비즈니스 모델 프로토타입의 단점을 평가한다. 초기 가치 제안을 어떤 식으로 개선하거나 수정할 수 있는지 스스로에게 물어보라. 아래 다섯 가지 질문들을 감안하면서 완전히 다른 세그먼트로 이동하는 것도 하나의 방법이 될 수 있다.

확대

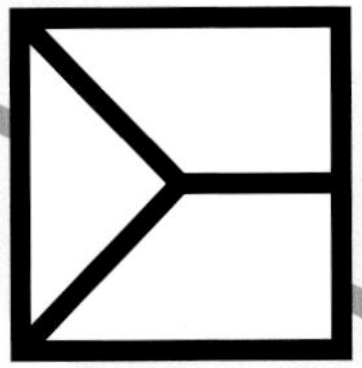

## B1

**새로운 가치 제안?**

동일 기술에 적합하면서 근본적으로 다른 가치 제안이 존재하는가?

## B2

**새로운 세그먼트?**

동일한 고객 세그먼트를 앞으로도 계속 유지할 생각인가? 아니면 완전히 다른, 어쩌면 좀 더 규모가 큰 시장 세그먼트로 바꾸려고 하는가?

## B3

**당신의 프로필을 개선하거나 완전히 폐기해야 하는가?**

당신의 고객 프로필을 개선할 수 있겠는가? 아니면 고객 세그먼트를 바꾸었기 때문에 고객 프로필도 완전히 새로 작성해야 하는가?

## B4

**당신의 이점을 변경하거나 완전히 폐기해야 하는가?**

고객 프로필이 변경되었기 때문에 당신의 가치 제안이 창출하는 이점들도 변경하거나 완전히 폐기해야 하는가?

## B5

**잘 들어맞는가?**

당신이 새로 작성한 고객 프로필과 새로 설계한 고객 가치가 서로 부합하는가?

필요한 경우, A 단계를 반복하라.

가치 제안 캔버스

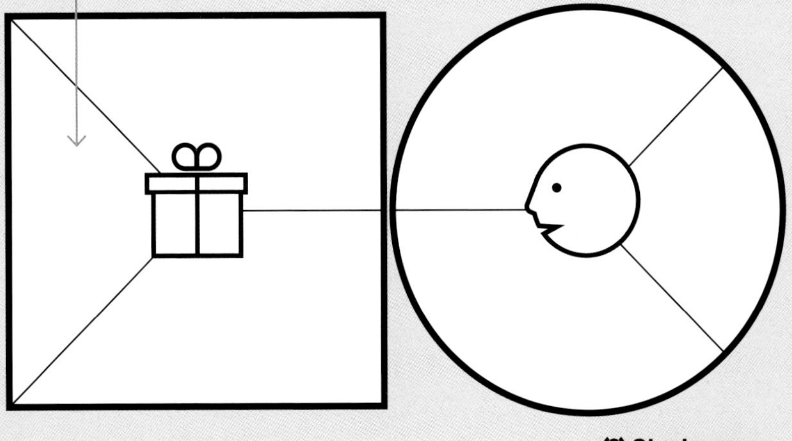

Strategyzer

**Tip**

고객을 조사(→ p.106)하고 증거를 도출(→ p.216)하는 등 당신의 새로운 고객 추정에 대해 후속 작업을 벌여야 한다.

# 수치를 이용한 스트레스 테스트: 첨단 의료 기술 사례





가치 제안이 아무리 훌륭해도 재정적으로 건전한 비즈니스 모델이 없으면 그 사업은 오래 지속될 수 없다. 최악의 경우, 비즈니스 모델이 창출해내는 수익보다 그로 인해 발생하는 비용이 더 많아지면서 결국 실패로 끝나게 된다. 그러나 효과적인 비즈니스 모델이라도 상당히 다른 결과를 도출할 수 있다.

최고의 비즈니스 모델을 찾기 위해 상이한 비즈니스 모델과 재정 상황을 가정해보도록 하자. 이번에는 첨단 의료 기술 사례를 소개하려고 한다. 옆에 있는 두 개의 모델은 저렴한 진단 장치를 제작할 수 있는 동일한 첨단 기술에서 출발하고 있다.

프로토타입 1은 550만 달러의 매출과 50만 달러의 이윤을 거둔다. 그러나 프로토타입 2는 똑같은 기술에서 출발하는데도 다른 가치 제안과 비즈니스 모델을 이용해서 3,000만 달러 이상의 매출과 2,300만 달러의 이윤을 거둔다.

두 가지 중에서 어떤 모델이 더 효과적일지는 시장만이 판단을 내릴 수 있지만 당신은 분명 어느 쪽이 최선의 선택일지 탐색하고 테스트해보고 싶을 것이다.

첨단 의료 기술 프로토타입 1

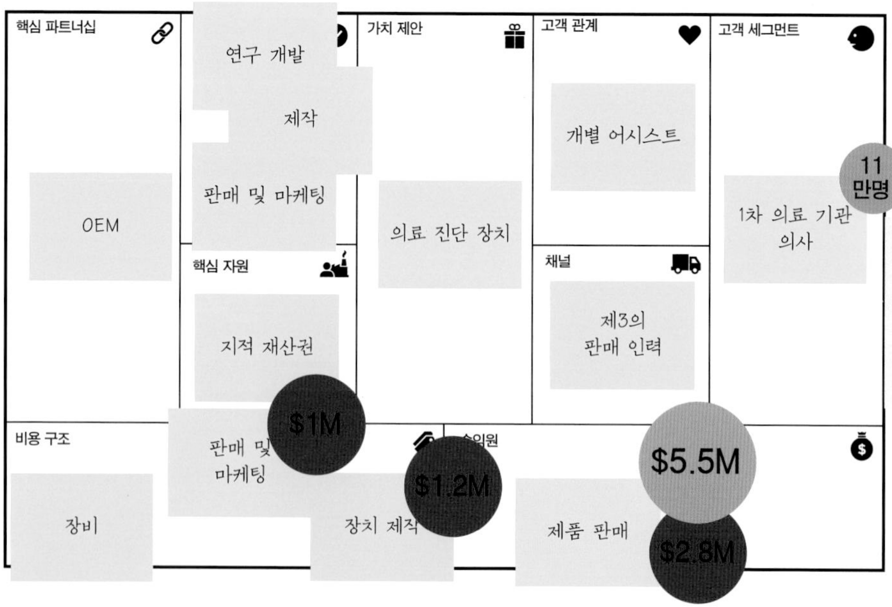


VS.

첨단 의료기술 프로토타입 2

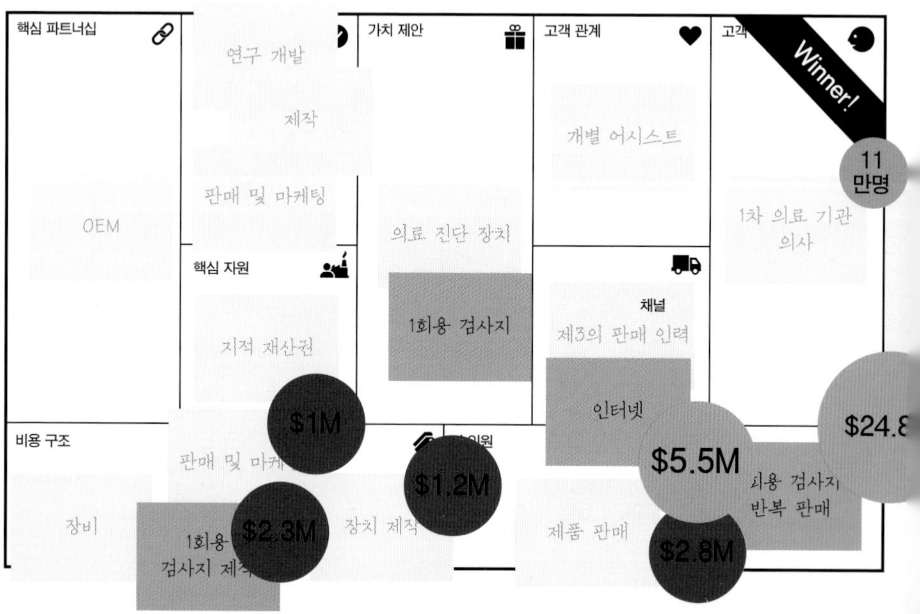

### 모델 1 : 의료 진단 장치 판매

- 미국의 1차 의료 기관 의사들에게 장치 1건당 1,000달러에 판매
- 시장 점유율 5%
- 제3의 판매 인력을 이용한 판매 -50% 수수료
- 가변 생산 비용: 장치 1건당 225달러
- 고정 마케팅 비용: 1백만 달러

| 비용 | 수입 |
|---|---|
| 장치 생산: 120만 달러 | 장치 판매: 550만 달러 |
| 판매 및 마케팅: 100만 달러 | |
| 판매 수수료: 280만 달러 | |
| **이윤 50만 달러** | |

$0.5M

**이윤**

개략적으로 작성한 수치를 통해 우리는 이것이 그다지 수익성 높은 모델이 아니라는 것을 확인할 수 있다. 그러므로 다시 뒤로 돌아가 이 비즈니스 모델에 변경할 사항이 있는지 찾아보아야 한다.

첫 번째 모델의 가치 제안

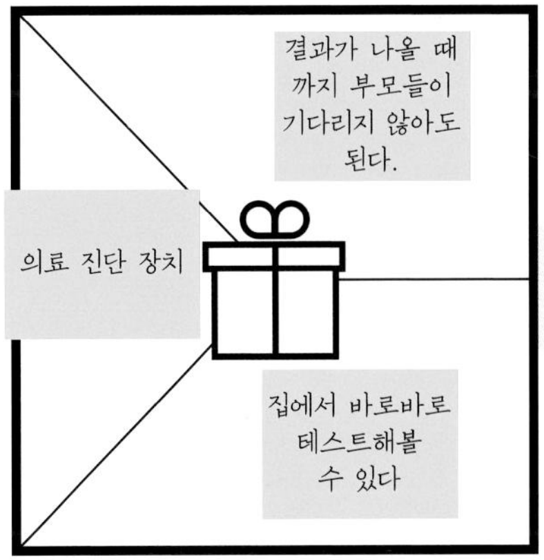


1차 의료 기관 의사

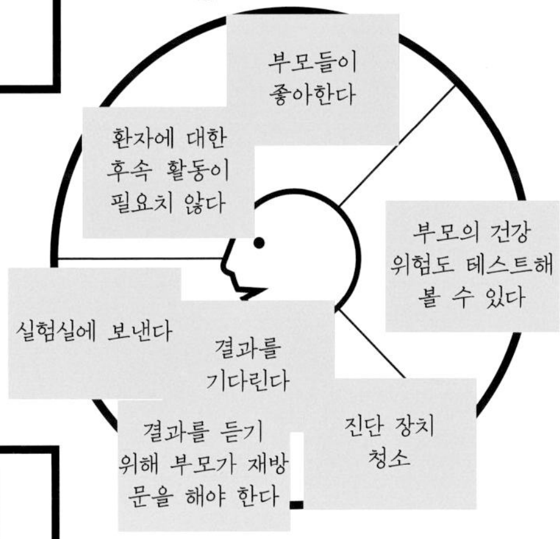


### 모델 2 : 1회용 검사지 판매를 통한 반복적 수입 발생

- 진단할 때마다 1회용 검사지 필요
- 장치별로 한 달에 평균 5개의 검사지 판매로 반복적 수입 발생
- 검사지 제작에 들어가는 가변 생산 비용: 1개당 7달러

| 비용 | 수입 |
|---|---|
| 장치 제작: 120만 달러 | 장치 판매: 550만 달러 |
| 판매 및 마케팅: 100만 달러 | 검사지 판매: 2,480만 달러 |
| 판매 수수료: 280만 달러 | |
| 검사지 제작: 230만 달러 | |
| **이윤 2,300만 달러** | |

**이윤**

동일한 기술이라도 다른 비즈니스 모델을 적용하면 훨씬 많은 잠재 수익을 거둘 수 있다. 물론 이런 수치들이 입증된 것은 아니지만 테스트 단계까지 끌고 갈 수 있는 더 흥미로운 프로토타입인 것만은 분명하다.

$23M

두 번째 모델의 가치 제안

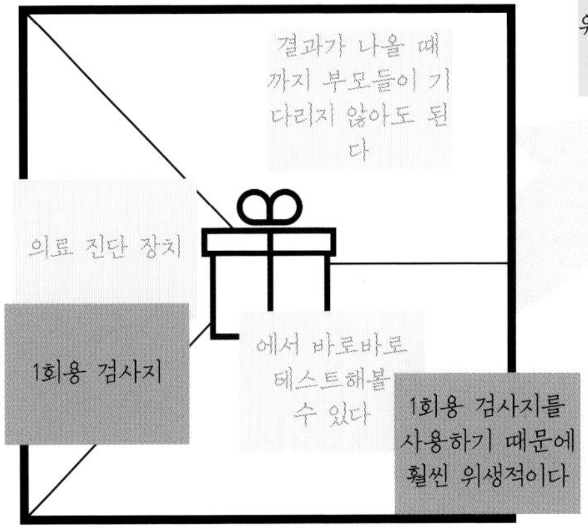

# 비즈니스 모델 설계를 평가할 수 있는 질문 7가지

활동 목적
비즈니스 모델의 개선 가능성을 찾아낸다.

활동 결과
비즈니스 모델에 대한 평가 결과.

훌륭한 가치 제안은 훌륭한 비즈니스 모델 속에 단단히 자리 잡고 있어야 한다. 설계 면에서 뛰어난 가치 제안은 재정 면에서도 더 나은 결과를 낳고 모방이 어렵고 경쟁 제품보다 더 나은 성과를 거둘 수 있게 해주기 때문이다.

아래 일곱 가지 질문들에 대답해보면서 당신의 비즈니스 모델의 설계 점수를 매겨보기 바란다.

비즈니스 모델 평가를 위한 7가지 질문 다운로드하기

### 1. 전환 비용

고객이 다른 회사 제품으로 전환하는 것이 얼마나 용이한가 또는 얼마나 어려운가?

**고객이 계속 내 제품만을 고집한다.**

10

0

**내 제품을 계속 사용하도록 고객을 붙잡을 수 있는 것이 하나도 없다.**

애플의 아이팟(iPod)은 고객이 각자 다운로드한 음악 전부를 아이튠즈(iTunes) 소프트웨어로 복사할 수 있게 해주었다. 이런 특징 때문에 애플의 고객이 타사 제품으로 전환하기가 더 어려워졌다.

### 2. 반복적으로 발생하는 수입

매번 제품을 판매할 때마다 새로운 노력을 기울여야 하는가? 아니면 후속 매출이나 구매가 보장된 것이나 다름없는가?

**내 제품은 한 번 판매하면 자동으로 반복 매출이 발생한다.**

10

0

**내 제품의 판매는 전부 1회성 거래로 끝난다.**

네스프레소는 커피 판매라는 1회성 거래 사업을 자사의 커피 머신에만 사용할 수 있는 1회용 커피 캡슐 판매를 통해 반복적으로 수입이 창출하는 사업으로 전환했다.

## 3. 수입 VS. 비용

비용이 발생하기 전에 수입을 거두는가?

상품 및 서비스 판매 비용이 발생하기 전에 수입이 발생한다.

10

0

수입이 발생하기 전에 상품과 서비스에 대한 비용이 발생한다.

델(Dell)의 등장으로 일대 격변을 겪기 전까지 개인용 컴퓨터 제조업체들은 대부분 판매되기 훨씬 이전에 완제품을 생산하는 방식이었다. 그렇기 때문에 재고자산 감가상각 위험을 감수하지 않을 수 없었다. 그러나 소비자에게 제품을 직접 판매하는 방식을 채택한 델의 경우, 제품을 생산하기도 전에 수입이 발생했다.

## 4. 판도를 뒤집을 비용 구조

당신의 비용 구조는 경쟁 업체들의 비용 구조와 상당히 차이가 나고 좀 더 바람직한가?

내 제품의 비용 구조는 경쟁 업체들과 비교했을 때 최소한 30% 이상 낮다.

10

0

내 제품의 비용 구조는 경쟁 업체들보다 최소한 30% 이상 높다.

무료 인프라 시설인 인터넷을 이용해 무료 통화와 문자 메시지 서비스를 선보인 스카이프(Skype)와 왓츠앱(WhatsApp)은 통신업계의 판도를 뒤집어놓았다. 반면 기존 통신업체들은 막대한 자본 지출이 발생했다.

## 5. 기타 협력자들

당신의 비즈니스 모델은 무료로 가치를 창출해주는 고객이나 제3자들을 얼마나 많이 확보하고 있는가?

내 비즈니스 모델에서 창출되는 가치는 모두 외부 인물들이 무료로 창출해주고 있다

10

0

내 비즈니스 모델에서 창출되는 가치는 모두 비용이 발생한다.

페이스북의 비즈니스 모델에서 창출되는 가치는 대부분 10억 명이 넘는 사용자들이 무료로 생산하는 콘텐츠에서 나오는 것이다. 신용카드 회사들 역시, 상인과 구매자들이 무료로 가치를 창출해주고 있다.

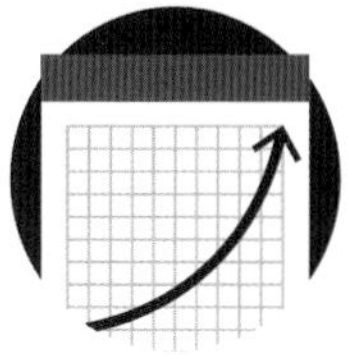

## 6. 확장성

난관(예: 인프라, 고객 지원, 고용)에 직면하지 않으면서 얼마나 용이하게 성장할 수 있는가?

내 비즈니스 모델은 성장하는 데 거의 제약이 없다.

10

0

내 비즈니스 모델은 성장하는 데 상당한 자원과 노력이 필요하다.

적은 수의 직원으로 수억 명의 사용자들에게 서비스를 제공하는 페이스북, 왓츠앱 같은 플랫폼 기반 사업들과 마찬가지로 라이선스와 프랜차이즈 사업 역시 확장성이 아주 높다. 신용카드 회사들도 확장성 면에서 흥미로운 사례로 꼽힌다.

## 7. 경쟁 업체들로부터 보호해주는 보호막

당신의 비즈니스 모델은 당신의 사업을 경쟁 업체들로부터 얼마나 잘 보호해주는가?

내 비즈니스 모델은 뚫기 어려운 방어막을 제공한다.

10

0

내 비즈니스 모델은 전혀 보호막을 제공하지 않기 때문에 경쟁에 취약하다.

강력한 비즈니스 모델을 갖춘 회사와는 경쟁을 벌이기가 힘들다. 이케아(Ikea)를 모방할 수 있는 업체가 거의 없다는 것만 보더라도 이런 사실을 금방 알 수 있다. 마찬가지로 앱 스토어를 거느린 애플 같은 플랫폼 모델 역시 강력한 방어막을 제공한다.

# 2.6

# 기존 조직 내에서의 설계 활동

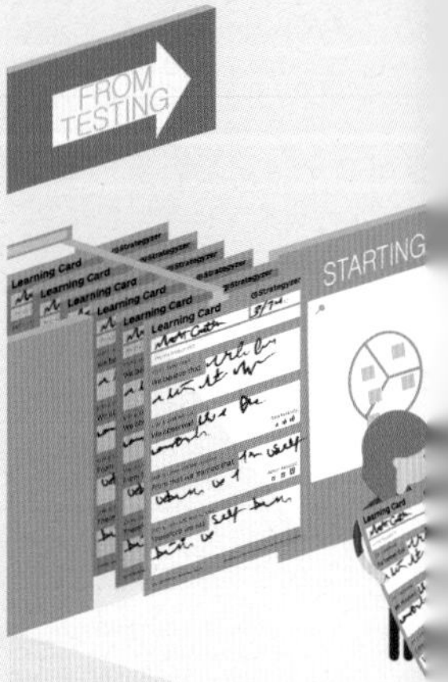

Acme
OBSERVATION
ASSESSMENT
TO TESTING
PROTOTYPING
BUSINESS MODEL
FINANCE
7 QUESTIONS
FAILED

# 고안이나 개선 활동에 알맞은 태도를 취하라





기존 조직들은 기존의 가치 제안을 개선하고 새로운 가치 제안을 창조하는 활동에 미리 미리 착수해야 한다. 그리고 현재 추진하고 있는 프로젝트가 개선에서 고안까지 이어진 스펙트럼 중 어디에서 출발하고 있는지도 명확히 파악하고 있어야 한다. 왜냐하면 출발점이 어디냐에 따라 상이한 태도와 프로세스가 요구되기 때문이다. 훌륭한 기업들은 개선 프로젝트에서부터 고안 프로젝트에 이르기까지 스펙트럼 전체를 아우르는 균형 잡힌 포트폴리오를 갖출 것이다.

## 고안 활동

| | |
|---|---|
| **목적** | 기존의 가치 제안과 비즈니스 모델에서 파생될 수 있는 잠재적 제약(경영진은 다른 것들을 제약으로 간주할 수도 있다)과 무관하게 새로운 가치 제안을 설계한다. |
| **도움 제공** | • 미래에 대한 선제적 투자<br>• 위험 감수<br>• 판도를 바꿔놓을 첨단 기술, 규제 등의 출현<br>• 경쟁 업체의 파격적 가치 제안에 대한 대응 |
| **재정 목표** | 최소 50% 이상의 연간 매출 성장(주의: 회사에 국한됨) |
| **위험 부담 및 불확실성** | 높다 |
| **고객 지식** | 낮다, 부재할 수도 있다 |
| **비즈니스 모델** | 근본적인 조정 및 변화가 필요하다 |
| **실패에 대한 태도** | 학습 및 반복 프로세스의 일부 |
| **사고방식** | 새로운 가능성을 탐색하는 데 열린 사고를 유지한다 |
| **설계 접근 방법** | 가치 제안 및 비즈니스 모델에 대한 근본적/파괴적 변화 |
| **주된 활동** | 조사, 테스트, 평가 |
| **사례** | 아마존 웹 서비스<br>새로운 고객 세그먼트를 겨냥한 새로운 IT 인프라 가치 제안 설계. 기존의 핵심 자원 및 활동을 강화한 것이지만 아마존닷컴(amazon.com)의 비즈니스 모델을 상당히 확장해야 한다. |

# 개선 활동

바탕을 이루는 비즈니스 모델에 근본적인 변화를 가하거나 영향을 미치는 일 없이 기존 가치 제안을 개선한다.

- 시대에 뒤진 제품/서비스 개선
- 적합성 확인 또는 유지
- 잠재 이윤 또는 비용 구조 개선
- 지속적인 성장
- 고객 불만 해결

0~15% 또는 그 이상의 연간 매출 증대(주의: 회사에 국한됨)

낮다

높다

약간의 변화

실패란 있을 수 없다!

하나 또는 몇 가지 측면을 개선하는 데 초점을 맞춘다

점진적 변화, 기존 가치 제안에 대한 약간의 수정

개선, 계획, 실행

아마존 프라임(Amazon Prime)
아마존 닷컴을 자주 사용하는 고객을 상대로 특별 혜택을 제공하는 회원제 서비스 도입



## 고안 활동과 개선 활동의 중간 : 확장 활동

고안과 개선의 스펙트럼에서 흔히 발견할 수 있는 일반적인 상황은 기존 비즈니스 모델에 상당한 변화나 투자를 하지 않으면서 새로운 성장 엔진을 찾아야 하는 것이다. 여기에는 종종 기존 모델과 플랫폼에 대한 투자 가치를 돈으로 환산하는 작업이 요구된다.

이러한 활동의 목적은 근간을 이루는 기존 비즈니스 모델의 너무 많은 측면에 변화를 가하지 않으면서 상당한 수준으로 확장시켜줄 수 있는 새로운 가치 제안을 발견하는 것이다. 한 예로, 아마존은 킨들(Kindle) 서비스 도입으로 아마존닷컴의 고객에게 디지털 서비스 제공 범위를 확대할 수 있는 새로운 채널을 만들었다. 이 서비스는 고객에게 새롭고 효과적인 가치 제안을 제시한 것이지만 성공적으로 확립되고 훌륭히 수행되고 있는 자사의 e-커머스 비즈니스 모델을 완전히 벗어난 것은 아니었다.

### Tip

훌륭한 기업들은 고안-개선 스펙트럼 전체를 아우르는 가치 제안 및 비즈니스 모델의 포트폴리오를 잘 관리하기 때문에 시너지와 경쟁적 갈등을 명확히 파악하고 있다. 그런 기업들은 기존 사업이 계속 승승장구하는 동안에도 위기가 닥칠 때까지 기다리지 않고 미리 미리 새로운 무언가를 고안해낸다.

# 미래의 경영서

만약 당신이 경영서 출판업자라고 상상해보라. 당신이라면 현재 고객에게 제공하는 것을 어떤 식으로 개선하고 어떤 식으로 미래의 경영서를 만들겠는가? 어쩌면 미래의 경영서는 더 이상 책의 형태가 아닐 수도 있다. 그럼 지금부터 고안-개선 스펙트럼에 맞춰 세 가지 아이디어를 간단히 살펴보도록 하자.

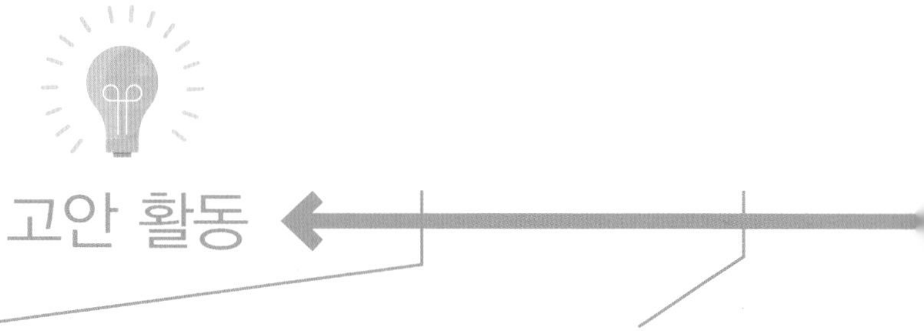


### 유튜브를 이용한 비즈니스 교육

비즈니스 전문가의 교육 동영상을 비즈니스 문제의 해답을 찾는 고객과 연결시켜주는 온라인 플랫폼. 여기에는 출판 비즈니스 모델의 상당한 확장 또는 재고안 작업이 필요할 수 있다.

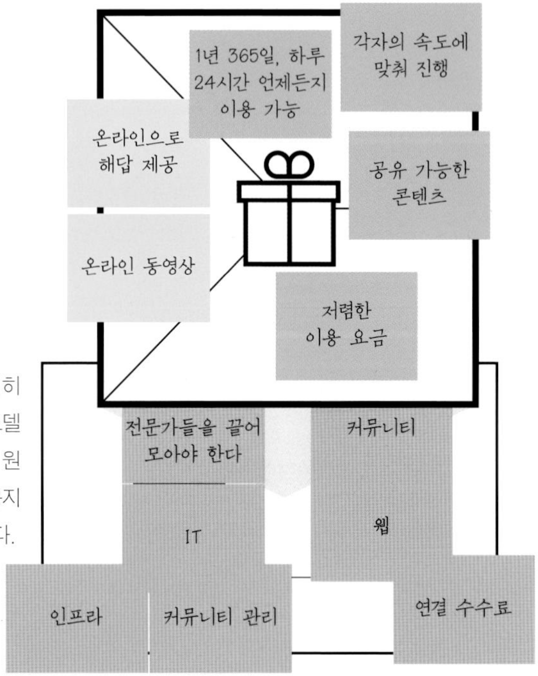


이 개념은 완전히 다른 비즈니스 모델을 필요로 하며 원래의 모델을 무용지물로 만들어버린다.

### 1-800-경영서-핫라인

핫라인 전화가 경영서로까지 확대된 경우로, 요구가 들어오면 즉시 그에 대한 답변을 제공한다. 이것은 기존 비즈니스 모델을 바탕으로 수립되지만 판매에서 서비스 모델까지 확대 작업이 필요하다.

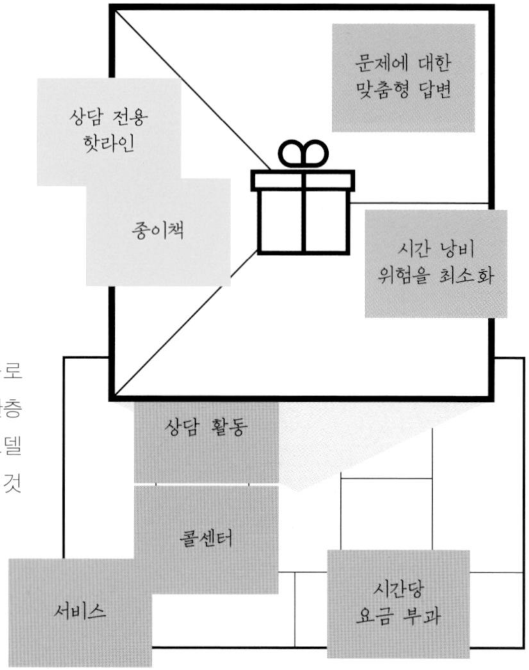


서비스 역량 추가로 비즈니스 모델이 한층 더 확대되지만 모델 자체를 변형시키는 것은 아니다.

# 개선 활동

### 실용적인 경영서

경영서의 핵심 비즈니스 모델에 커다란 변화를 가하지 않으면서 내용을 좀 더 시각적이고 적용 가능하게 만드는 개선 방법이다.

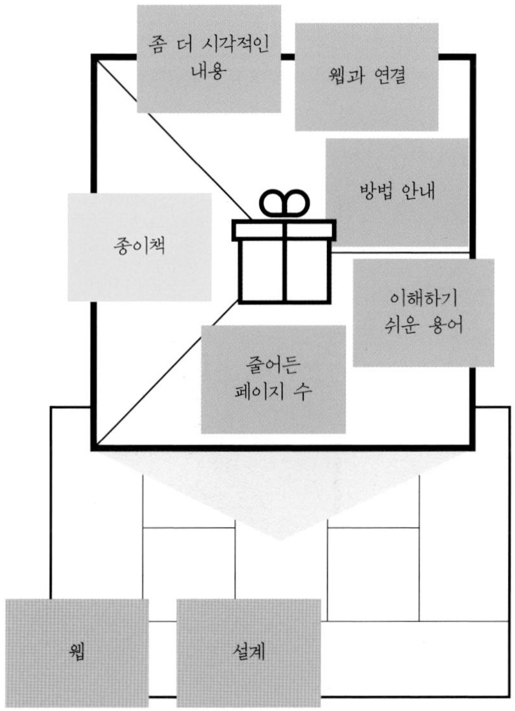


가치 제안에 개선점들을 추가하는 것이기 때문에 비즈니스 모델에 약간의 수정을 가하기만 하면 된다.

스펙트럼에서 고안 활동 쪽에 가까워질수록 당신의 새로운 가치 제안은 기존 가치 모델과는 점점 멀어지게 될 것이다. 새로운 가치 제안을 고안하는 것이 중요한 고객 활동을 좀 더 확실하게 해결할 수 있는 기회가 되기도 한다(이 경우, 비즈니스 관련 문제에 해답을 얻게 된다).

우리의 3단계 가치 제안은 종이책, 공유 가능하고 실용적인 온라인 콘텐츠, 온라인 교육 과정을 통한 심화 학습으로 이루어져 있다. 여기서 우리가 시도하고자 하는 것은 비즈니스 관련 학습과 활동의 경계를 더 확장하는 것이다. 온라인 훈련과 Strategyzer.com 자료를 결합한 이 책의 가치 제안은 고객에게 중요할 것 같은 활동들을 좀 더 확실히 해결해주는 것이다.

# 제품에서 서비스로의 전환을 통해 재고안 작업에 나서라

건설 장비 제조업체인 힐티는 제품에서 서비스로의 전환을 통해 자사의 가치 제안과 비즈니스 모델을 재고안했다. 유명 상표의 기계 공구 판매에서 그런 공구들을 제때 사용할 수 있게 해주는 서비스로의 전환은 단순히 가치 제안만이 아니라 비즈니스 모델까지 상당한 정비가 필요한 작업이었다. 그럼 지금부터 힐티가 그 작업을 어떤 식으로 수행했는지 살펴보도록 하자.

많은 기업들이 제품 제조업체에서 서비스 제공업체로의 전환을 통해 다시 경쟁력을 확보하고 싶어 한다. 하지만 여기에는 상당한 재고안 활동이 요구된다.

## 수명이 다 된 모델

힐티가 오랫동안 사용한 모델은 고품질의 기계 공구를 건설 업체에게 직접 판매하는 활동에만 초점을 맞추었다. 힐티는 파손 빈도가 낮고, 더 오래 사용하고, 시간 손실을 최소화하는 등 전반적으로 비용 발생을 줄여주는 공구 업체로 명성이 자자했다. 그리고 힐티 사의 공구는 무엇보다 안전하고 사용이 편리하다는 호평을 받고 있었다.
하지만 불행하게도 이런 오래된 사업 모델은 이윤이 점점 줄어들고 있었고 값싼 타사 제품들과 경쟁에 직면했다.

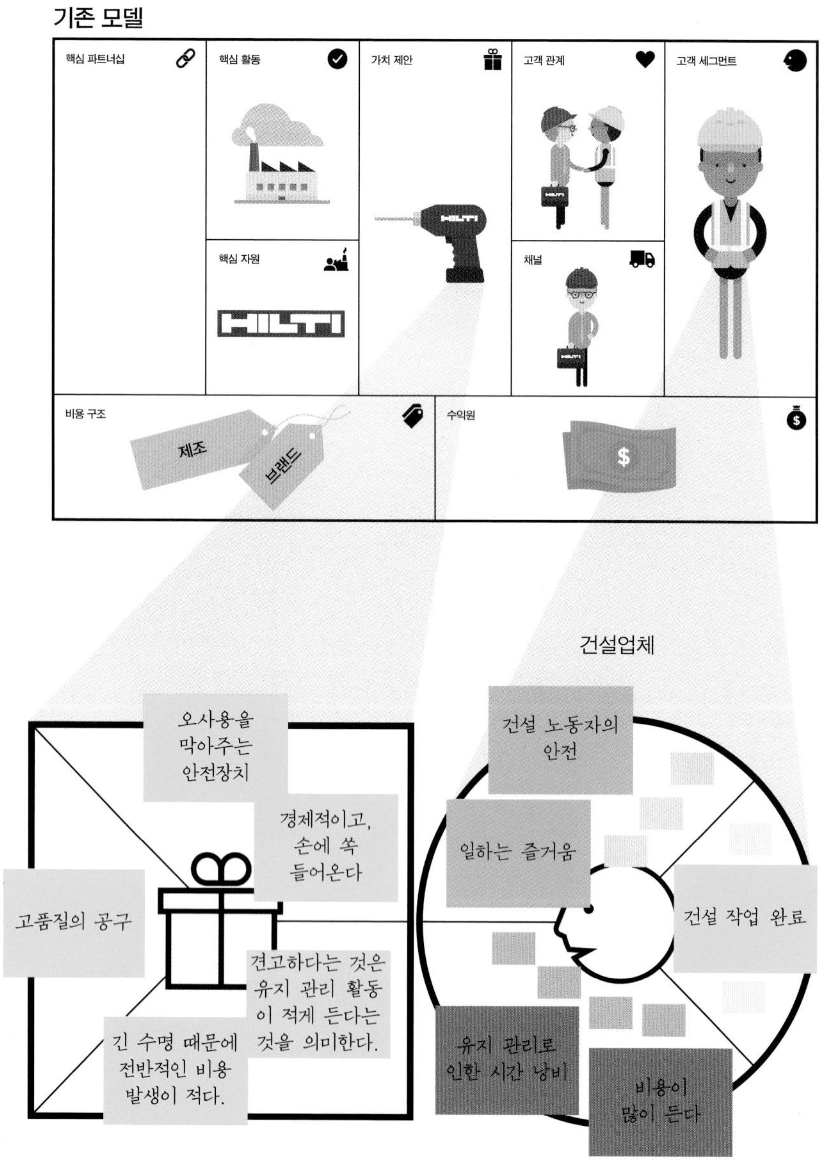


Read more about Hilti in Johnson, Seizing the Whitespace, 2010.

## 새로운 모델

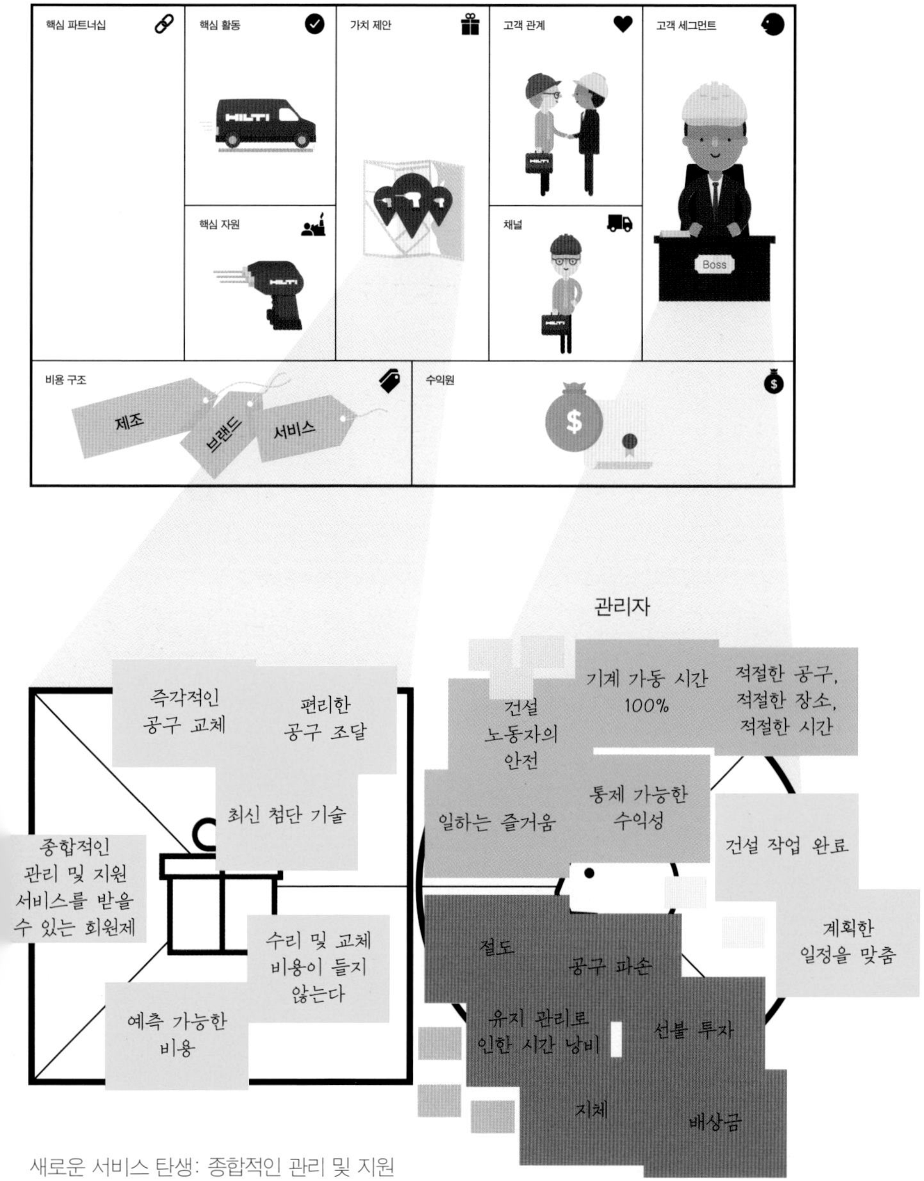


새로운 서비스 탄생: 종합적인 관리 및 지원 서비스를 받을 수 있는 월정 회원제

'새로운' 고객 세그먼트, 더 중요한 활동 파악: 정해진 일정에 맞춰 제때 작업을 수행하는 것

# 서비스

자사의 제품이 중요한 고객 활동과 밀접하게 관련이 있다는 사실을 깨달은 힐티는 그때부터 새로운 활동 수행에 초점을 맞추었다. 그것은 배상금을 물지 않도록 정해진 공사 기한을 맞추는 것이었다. 그들은 공구의 파손, 오작동, 절도가 엄청난 공사 지연과 배상금 지급으로 이어질 수 있음을 알게 되었다. 거기에 착안한 힐티는 공구를 중심으로 한 서비스 제공이라는 새로운 가치 제안을 선보였다.

### 새로운 출발

힐티는 새로운 서비스 기반 가치 제안을 제시했고 적절한 시기에, 적절한 장소에, 적절한 장비를 제공함으로써 건설 업체들이 더 많은 가치를 창출할 수 있게 해주었다. 이것은 비용 관리의 예측성을 대폭 높여주었을 뿐 아니라 사업의 수익성을 유지하는 데 큰 도움이 되었다.

### 비즈니스 모델에 미친 영향

제품에서 서비스로의 전환이 손쉽고도 확실한 가치 제안 변경처럼 들릴지 모르겠지만 이것은 비즈니스 모델을 상당 부분 재설계해야 하는 만만치 않은 작업이다. 힐티는 제조 외에도 새로운 서비스 자원과 활동도 상당 부분 추가해야 했다. 그러나 그것은 분명 그만한 가치가 있는 활동이었다. 이와 같은 새로운 가치 제안으로 힐티는 더 많은 이윤과 반복 발생하는 수입, 좀 더 확실한 차별화라는 성과를 거둘 수 있었다.

# 완벽한 워크숍 환경

워크숍은 기존 조직의 가치 제안 설계 활동에서 빼놓을 수 없는 아주 중요한 부분이다. 훌륭한 워크숍은 설계 프로세스에 엄청난 차이와 보다 나은 결과를 안겨줄 수 있다. 완벽한 워크숍 환경을 만드는 데 아래의 질문들을 활용하면 많은 도움이 될 것이다.

아이디어를 여기저기로 자유롭게 이동할 수 있도록 포스트잇 메모지를 사용하라. 몇 가지 색을 이용해서 색깔별로 분류하는 것이 가장 이상적이다.

멀리서도 잘 보일 수 있도록 두꺼운 보드 마커 펜을 사용하라.

대규모 계획안을 그려 넣을 수 있도록 벽면 크기의 대형 종이를 사용하라.

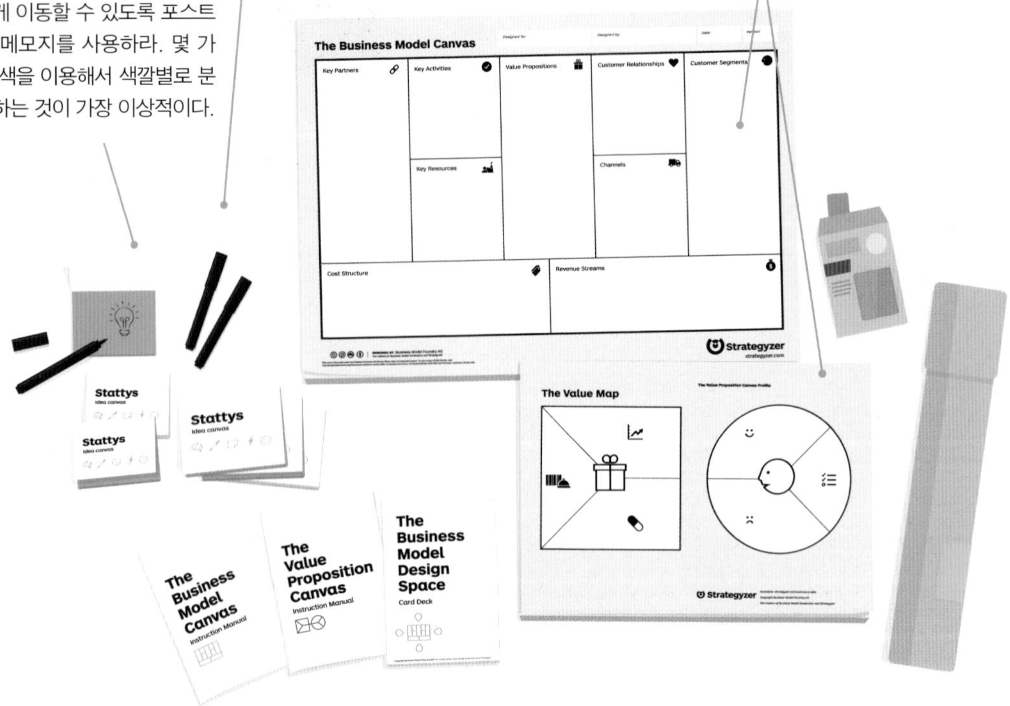


## 누가 참석해야 하는가?

해당 비즈니스 모델에 상당한 영향을 미친다는 것을 잘 알고 있을 때에는, 서로 다른 배경의 사람들을 초대하는 것이 바람직하다. 그들의 동의가 중요한 역할을 하기 때문이다. 고객을 직접 대면하는 직원들을 참석시킬 경우, 그들의 지식을 효과적으로 활용할 수 있고 고객이나 협력 파트너 역시 가치 제안을 평가하는 데 많은 도움을 줄 수 있다.

## 어떤 형태의 워크숍이어야 하는가?

우리의 경험에 따르면, 가치 제안 설계 초반에는 일반적으로 다양한 관점을 접하는 것이 바람직하다. 10명이나 그 이상이 참가할 경우, 5명씩 그룹을 지어 동시에 몇 가지 대안을 탐색해볼 수 있다. 그리고 참가자 수가 그보다 적은 경우라면 대안들을 순차적으로 살펴보게 해야 한다. 하지만 가치 제안을 발전시키고 수정하는 후반부에는 일반적으로 참가자 수가 적은 편이 더 낫다.

## 장소도 하나의 수단으로 활용할 수 있을까?

사람들이 성공적인 결과를 도출할 수 있는 훌륭한 워크숍을 준비하면서 많이 간과하는 부분이 바로 장소다. 아주 넓은 대형 벽면과 활동 공간을 갖춘 장소를 선택하고 창의성, 협업, 생산성을 뒷받침해 줄 수 있는 공간으로 꾸며야 한다. 돌파구가 될 수 있는 결과를 원한다면 참가자들을 자극할 수 있는 특이한 장소를 선택하기 바란다.

## 어떤 도구와 자료가 필요한가?

캔버스 벽보, 포스트잇 메모지, 종이, 블루택(Blue Tack, 접착식 고정 장치, 역자 주), 마커, 기타 도구들이 준비된 셀프서비스 공간을 마련해서 참가자들이 필요한 것을 자유롭게 선택할 수 있게 한다.

손쉽게 구할 수 있는 워크숍 준비물들 확인하기

### 진척 상황을 갤러리처럼 전시할 수 있는 공간/영감을 자극하는 벽

캔버스 및 여타 작업의 진척 상황을 보여줄 수 있는 공간을 마련하라. 한쪽 벽면에 참고 모델, 사례, 경쟁사의 모델 등 참가자들의 영감을 자극하고 이끌어낼 수 있는 내용을 걸어 놓는다.

### 프로젝터와 스크린

슬라이드나 고객 동영상을 보여주는 데 필요하다. 모든 사람들이 쉽게 볼 수 있는 곳에 설치해야 한다.

### 소그룹 활동 공간

여기는 활동이 이루어지는 곳이다. 그룹 당 4~5명 정도가 가장 적당하다. 특정 활동에 필요한 경우가 아니라면 의자나 테이블은 가급적 사용하지 않는 편이 좋다. 워크숍 내내 높은 수준의 활력을 유지하고 싶다면 토의실로 이동하지 말고 계속 한 장소에서 작업하라.

### 실내 제어 장치

진행자나 팀이 컴퓨터, 음향기기, 무선 인터넷, 프린터를 이용할 수 있도록 별도의 공간을 마련해야 한다.

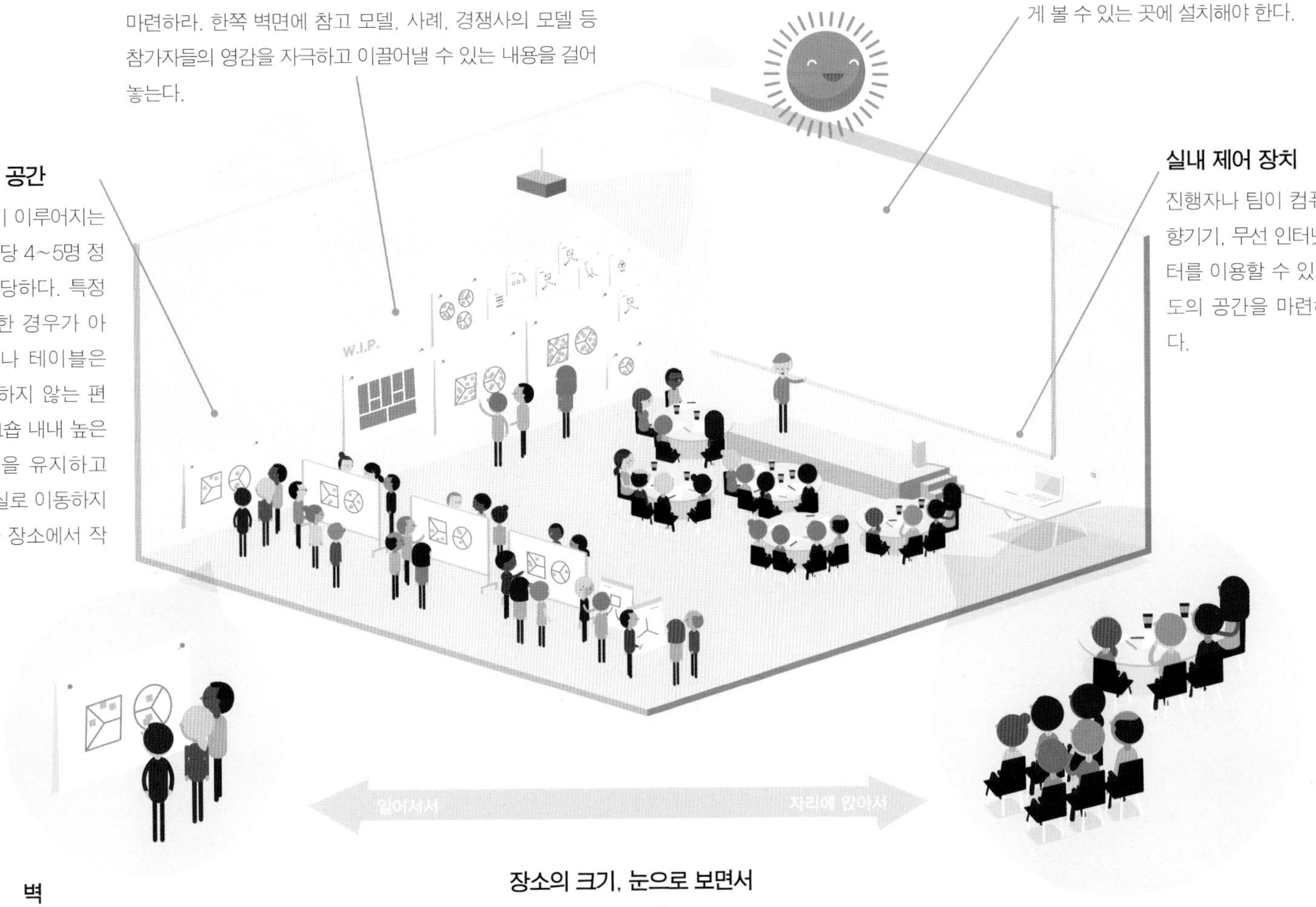


### 벽

커다란 수직 벽면이 필수적이다. 이동이 가능하거나 건물의 일부로 고정되어 있는 벽도 상관없다. 그런 벽면은 대형 벽보, 포스트잇 메모지, 플립 차트를 거는 공간으로 사용한다.

### 장소의 크기, 눈으로 보면서 느낄 수 있는 공간

우리의 경험에 따르면, 참가자 10명당 50제곱미터 정도 계산하면 된다. 따분한 호텔 회의실보다는 참가자들의 의욕을 고취시킬 수 있는 곳이 바람직하다.

### 전체 모임 공간

전체 프레젠테이션과 토론을 위해 모든 참가자들이 모이는 공간이다. 테이블은 준비해도 되고 없어도 무방하다.

# 당신만의 워크숍을 만들어보라

훌륭한 워크숍은 구체적이면서도 실행 가능한 결과들을 도출한다. 여기에 소개된 도구와 프로세스를 사용해서 성공적인 결과를 낳을 수 있는 워크숍 초안을 마련해보기 바란다.

### 훌륭한 워크숍의 설계 원칙

- 새로운 또는 개선된 가치 제안이나 비즈니스 모델의 등장 배경을 설명해줄 수 있는 분명한 맥락의 어젠다를 만들어라.
- 한 번에 한 개씩 간단한 임무(모듈)에 초점을 맞추게 함으로써 참가자들이 여러 단계를 거치게 하라.
- '비생산적인 대화'를 피하고 캔버스나 여섯 색깔 생각하는 모자 같은 방법을 사용해서 체계적인 상호작용을 유도하라.
- 프레젠테이션 및 통합 작업이 이루어지는 전체 활동과 4~6명 정도의 소그룹 활동을 번갈아 실시하라.
- 각각 모듈, 특히 프로토타이핑 활동 시간을 엄격히 제한하라. 모든 참가자들이 볼 수 있는 곳에 타이머를 설치하라.
- 동일한 가치 제안(또는 비즈니스 모델)에 대해 반복적으로 의제를 만들어라. 설계하고, 비평하고, 처음으로 돌아가서 피벗을 하는 것이다.
- 점심 식사 후 활동 속도가 느려지지 않도록 신경 써라.

## Day 1

9 AM

10 AM

11 AM

12 PM

1 PM

2 PM

3 PM

4 PM

5 PM

## Day 2

9 AM

10 AM

11 AM

12 PM

1 PM

2 PM

3 PM

4 PM

5 PM

아래 모듈을 워크숍 어젠다 초안을 작성하는 선택 메뉴로 활용하기 바란다.

**워크숍 전**

과제를 수행한 다음 고객 통찰을 수집하라. → p.106

**워크숍 후**

당신의 가치 제안과 비즈니스 모델을 현실 세계에서 테스트해보라. → p.172

**온라인에서 얻을 수 있는 것들**

- 샘플 어젠다
- 템플릿 및 지시 사항
- 종합 자료 패키지

### 가능성 프로토타입

트리거 질문 → p.15, 17, 31, 33

고객의 입장 매핑 → p.22

가치 제안 매핑 → p.36

냅킨 스케치 → p.80

애드리브 → p.82

가치 제안 캔버스를 이용해서 아이디어 살 붙이기 → p.84

제약 → p.90

책을 이용해서 새로운 아이디어 마련하기 → p.92

푸시/풀 훈련 → p.94

6가지 혁신 방법 → p.102

### 선택하기

활동, 불만, 혜택 순위 매기기 → p.20

적합성 확인하기 → p.94

'활동' 선택 → p.100

10가지 질문 → p.122

고객 의견 → p.124

환경 평가 → p.126

경쟁 제품과의 차별화 → p.128

보노의 생각하는 모자 → p.136

스티커 투표 → p.138

프로토타입 선택 → p.140

### 비즈니스 모델 반복 활동

앞뒤로 왔다 갔다 반복하기 → p.152

수치 예측 → p.154

비즈니스 모델 평가 질문 7가지 → p.156

### 테스트 준비

가설 추출하기 → p.200

가설 우선순위 정하기 → p.202

테스트 설계하기 → p.204

실험 믹스 선택하기 → p.216

테스트 로드맵 → p.242~245

### 휴식

점심 식사

커피와 간식

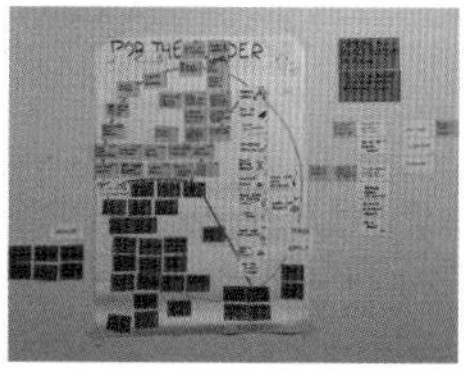

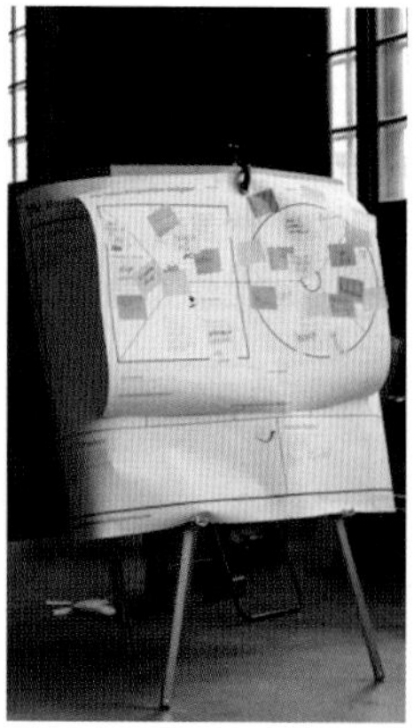

# 교훈

## 가능성 프로토타이핑하기

대안이 될 수 있는 다른 가치 제안과 비즈니스 모델을 재빨리 프로토타이핑하라. 첫 번째 아이디어에 너무 집착해서는 안 된다. 미련 없이 폐기하려면 초기 모델들을 대략적인 상태로 유지해야 한다. 그래야만 발전과 개선이 가능하다.

## 고객 이해하기

고객을 상상하고 관찰하고 이해하라. 그리고 그들의 입장에서 생각하라. 그들이 업무나 생활 속에서 수행하려고 애쓰는 것은 무엇이고 그런 활동을 수행하는 데 방해가 되는 것은 무엇인지 알아내라. 고객이 추구하는 결과가 무엇인지도 파악해야 한다.

## 적합한 비즈니스 모델 발견하기

적합한 비즈니스 모델 속에 단단히 자리 잡고 있는 적합한 가치 제안을 찾아내야 한다. 모든 제품, 서비스, 첨단 기술 속에는 서로 다른 수많은 모델들이 내재되어 있다. 아무리 훌륭한 가치 제안도 견실한 비즈니스 모델이 없으면 실패할 수밖에 있다. 적합한 비즈니스 모델의 존재 여부가 성공과 실패를 가르는 열쇠인 것이다.

Revenue Streams

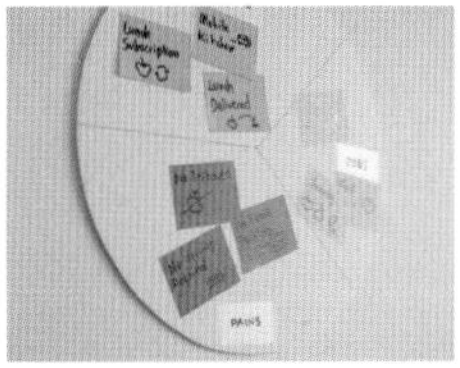

The Value Proposition Designer
IAN

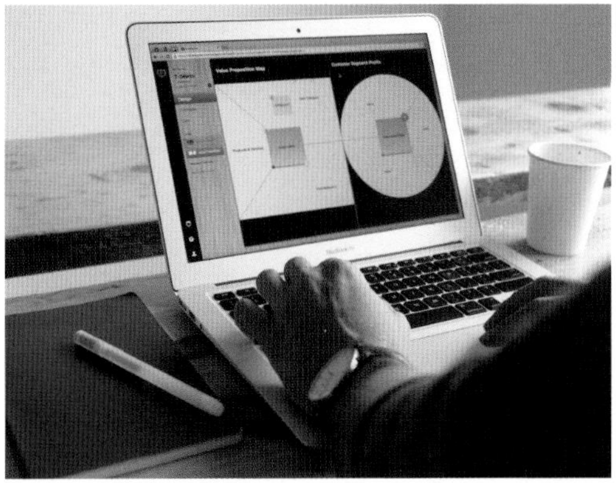

te

st

# 3

무엇을 테스트할 것인지[p.188] 결정해서 새로운 또는 개선된 가치 제안에 필요한 아이디어의 위험 부담과 불확실성을 줄여나가야 한다. 가장 먼저 단계별 테스트 활동[p.196]과 실험 도서관[p.214]에서 추출 활동을 실시한 다음 모든 것을 한데 종합[p.238]해서 진척 상황을 평가하기 바란다.

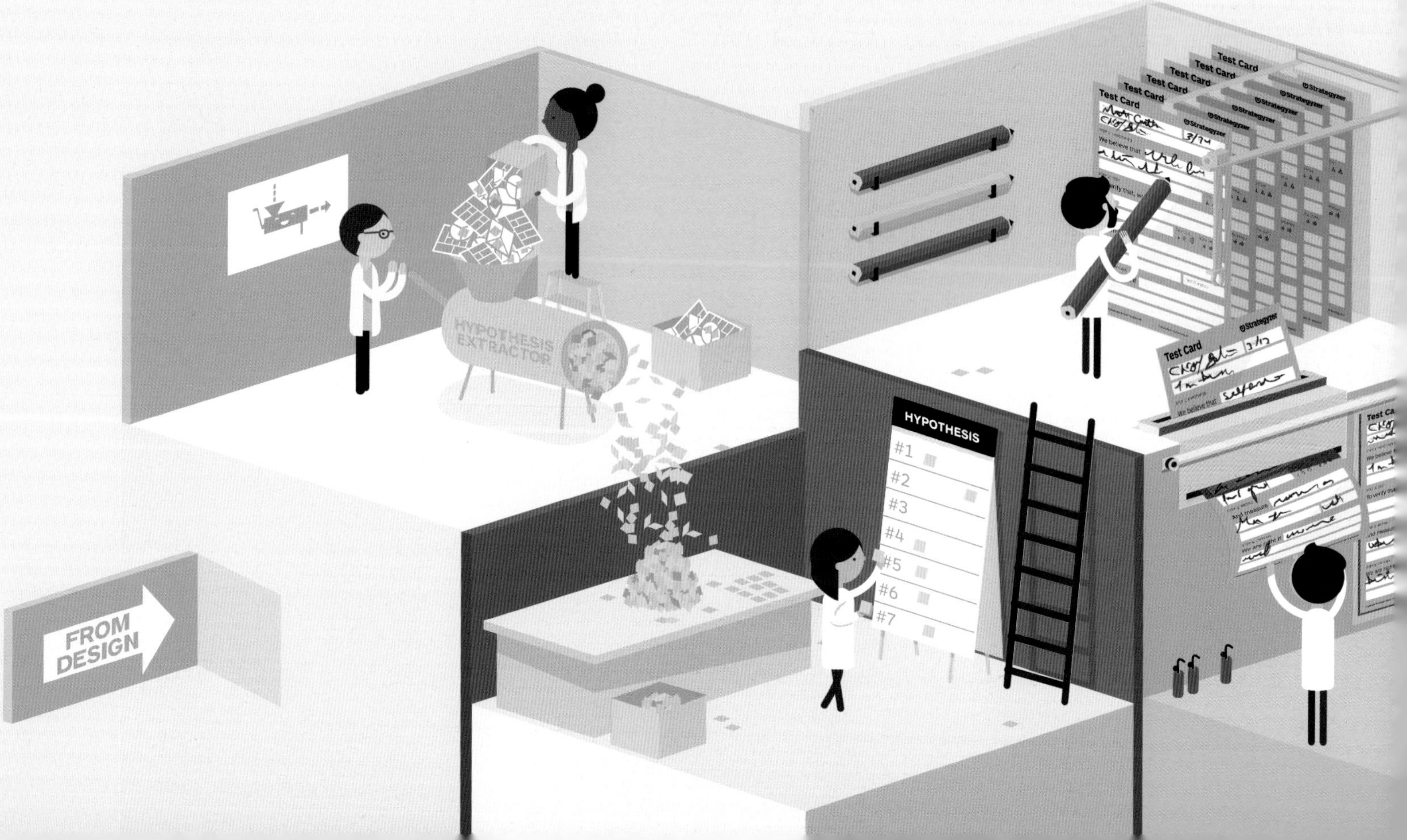
HYPOTHESIS
EXTRACTOR
Test Card
Strategyzer
HYPOTHESIS
#1
#2
#3
#4
#5
#6
#7
FROM
DESIGN

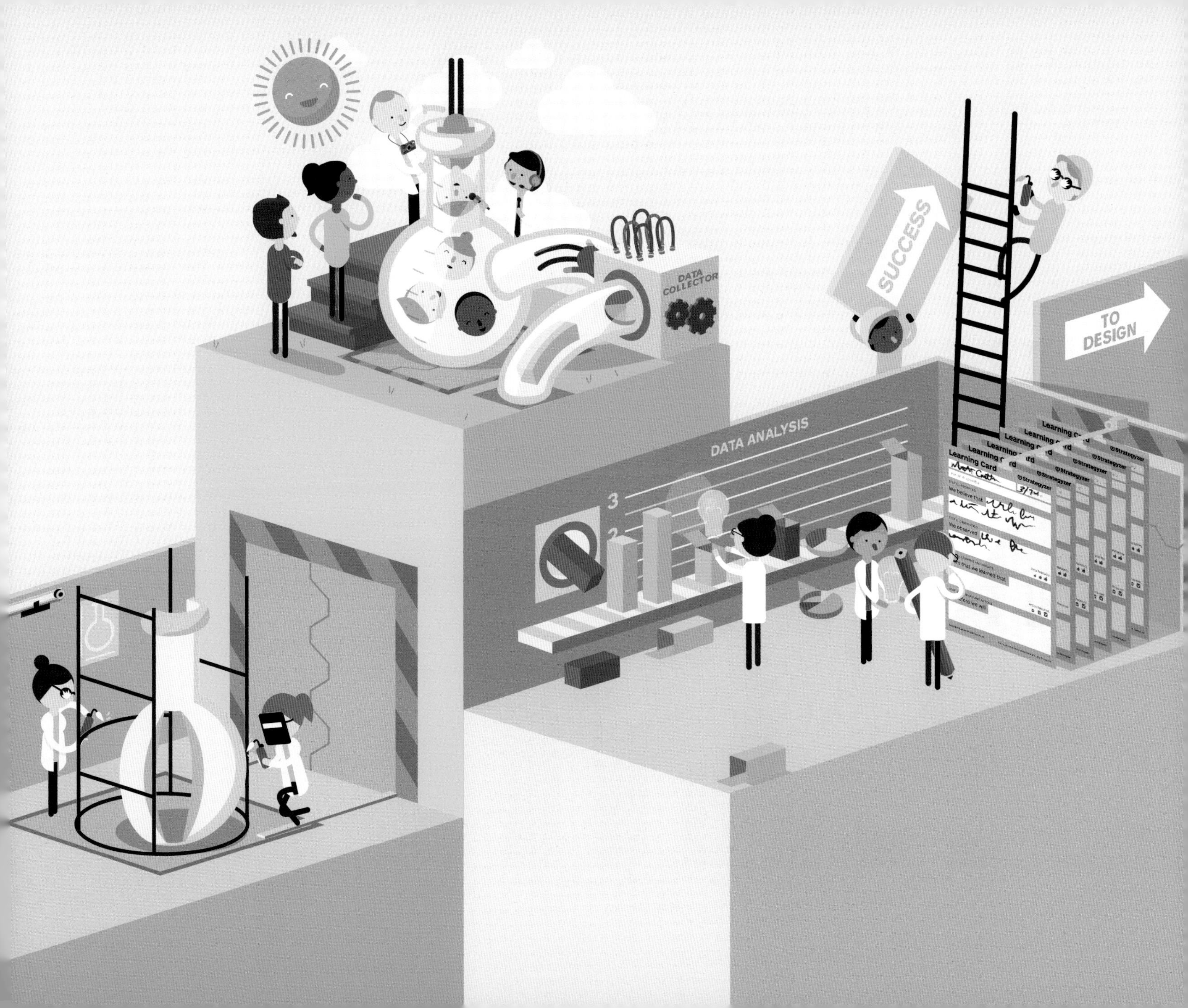
DATA COLLECTOR
SUCCESS
TO DESIGN
DATA ANALYSIS
3
2
Learning Card
Strategyzer
We believe that
We observed
Therefore we will

# 실험에 착수해서 위험 부담을 줄여나가라

일반적으로 새로운 아이디어 탐색에 나설 때가 불확실성이 가장 높은 상태다. 당신의 아이디어가 효과적일지 당신도 알 수가 없기 때문이다. 사업 계획을 세우고 그런 아이디어를 다듬고 개선하는 활동으로는 절대 성공 가능성을 높일 수 없다. 그보다는 저렴한 실험을 통해 아이디어를 테스트하는 편이 훨씬 바람직하다. 그런 테스트 활동을 통해 무언가를 학습하면서 체계적으로 불확실성을 줄여나갈 수 있기 때문이다. 그런 다음 확신이 점점 높아지면 실험, 프로토타입, 시험 제품에 대한 비용 지출을 늘리는 것이다. 고객에서부터 파트너(예: 채널 파트너)에 이르기까지 가치 제안과 비즈니스 모델 캔버스를 구성하고 있는 모든 요소들을 테스트해보기 바란다.

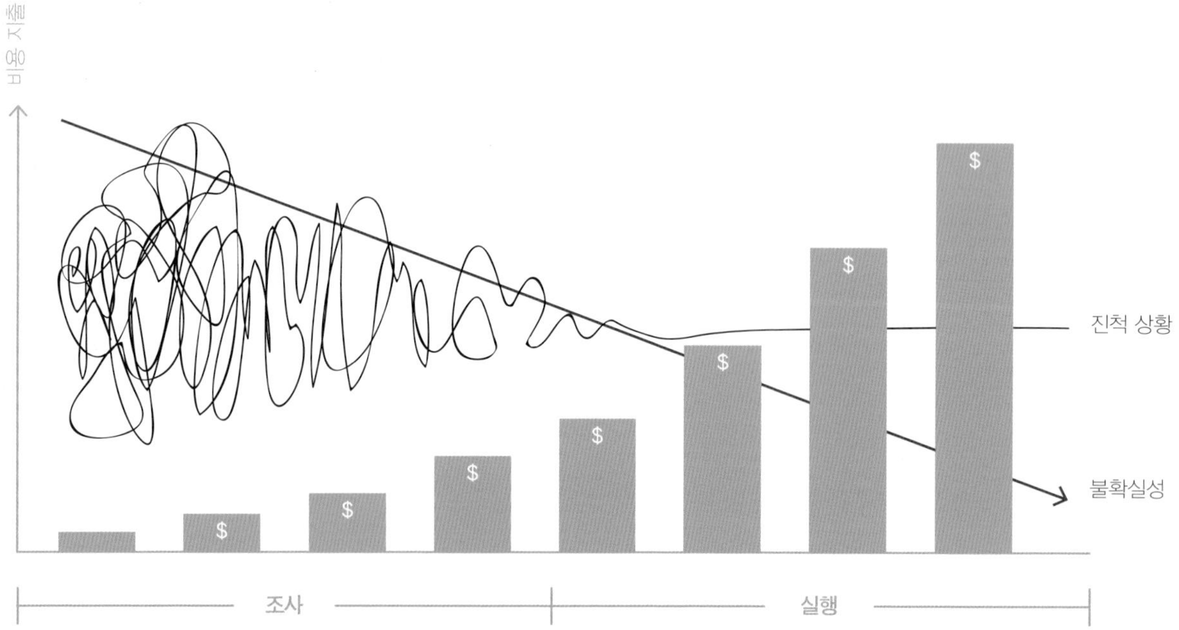

# 사업 계획 VS. 실험 프로세스

모든 벤처 사업에서 사업 계획서를 작성할 때 사용되는 첫 번째 단계다. 이제 이 정도는 구분할 수 있을 만큼 지식을 갖추었을 것이다. 어떤 환경에 익숙하고 확실한 무언가가 존재할 경우, 사업 계획은 훌륭한 실행 문서가 된다. 하지만 불행하게도 새로운 벤처 사업은 높은 불확실성 속에서 시작할 때가 많다. 그렇기 때문에 효과적인 것과 그렇지 않은 것을 파악하기 위해 아이디어를 체계적으로 테스트하는 것이 사업 계획서를 작성하는 것보다 훨씬 더 바람직한 접근법이다. 심지어 사업 계획서는 위험을 극대화한다고 주장하는 사람까지 있을 정도다. 무언가를 반짝반짝 광내고 다듬는 계획의 속성상 실행만 잘 하면 잘못될 것이 거의 없다는 환상을 심어줄 수 있기 때문이다. 그러나 아이디어는 착수에서부터 출시 준비를 거치는 동안 극적인 변화를 겪고 그 과정에서 많이 사장되기도 한다. 이런 변화를 잘 관리하고 위험 부담과 불확실성을 점차 줄여나가기 위해서는 실험, 학습, 조정 활동이 필수적이다. 우리가 지금부터 몇 페이지에 걸쳐 살펴보게 될 이런 실험 프로세스는 고객 개발, 린 스타트-업(Lean Start-up)으로도 잘 알려져 있는 것들이다.

**사업 계획** ⟷ **실험 활동**

새로운 벤처 사업에 적용

| 사업 계획 | | 실험 활동 |
|---|---|---|
| 우리가 잘 안다 | **태도** | 우리의 고객 및 파트너가 잘 안다 |
| 사업 계획 | **도구** | 사업 모델과 가치 제안 캔버스 |
| 계획 수립 | **프로세스** | 고객 개발 및 린 스타트-업 |
| 회사 내부 | **장소** | 현장 |
| 계획의 실행 | **초점** | 실험과 학습 |
| 과거의 성공에서 얻은 역사적 사실 | **결정 근거** | 실험에서 얻은 통찰과 사실 |
| 충분히 해소하지 못한다 | **위험 부담** | 학습을 통해 최소화한다 |
| 회피한다 | **실패** | 학습 및 개선 수단으로 여긴다 |
| 세세한 계획으로 덮는다 | **불확실성** | 인정하고 실험을 통해 줄여나간다 |
| 세분화 서류, 스프레드시트 | **세부 사항** | 실험에서 얻은 증거 수준에 따라 달라진다 |
| 추정한다 | **수치** | 증거에 기초한다 |

# 테스트 활동의 10가지 원칙

일련의 실험을 통해 가치 제안 아이디어를 테스트하는 활동에 착수할 때 다음과 같은 10가지 원칙을 적용해보라. 훌륭한 실험 프로세스는 효과적인 것과 그렇지 않은 것에 대한 증거를 도출해준다. 그리고 당신의 가치 제안과 사업 모델을 조정, 변경해주고 위험 부담과 불확실성을 체계적으로 줄여나갈 수 있게 해줄 것이다.

'테스트 활동의 10가지 원칙' 포스터 받기

## 1

### 증거가 의견보다 더 우위에 있다는 것을 분명히 인식하라

당신, 당신의 상사, 당신의 투자자 또는 다른 누군가의 생각이 어떻든 간에 시장 증거를 압도할 수는 없다.

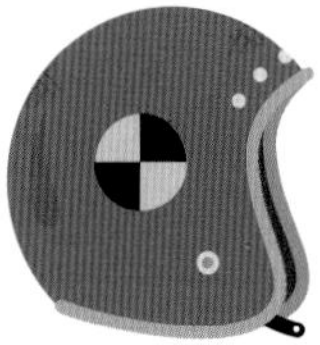

## 2

### 실패를 적극적으로 수용해서 더 빨리 학습하고 위험 부담을 줄여나가라

아이디어 테스트에는 항상 실패가 따르기 마련이다. 그러나 비용이 많이 들지 않고 시간을 오래 끌지 않는 실패는 학습 증가와 위험 부담 감소로 이어진다.

## 3

### 테스트 먼저, 개선은 나중에

아이디어에 대한 충분한 사고나 세부적 설명은 나중에도 얼마든지 할 수 있다. 초기에는 저렴한 비용으로 실험을 실시해서 더 많은 통찰을 모아야 한다.

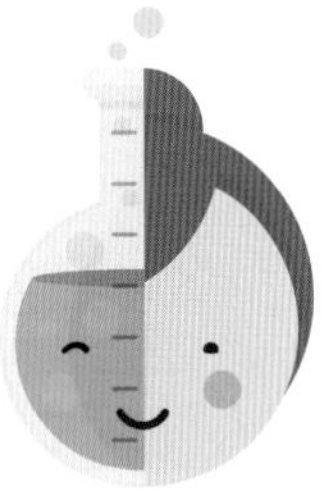

## 4

### 실험과 현실은 다르다

실험이라는 것은 현실을 이해하기 위해 들여다보는 하나의 렌즈에 불과하다는 것을 명심해야 한다. 훌륭한 지표인 것은 사실이지만 현실과는 분명 차이가 있다.

## 5

### 학습과 비전 사이에서 균형을 유지하라

테스트 결과를 통합하되 당신의 비전을 외면해서는 안 된다.

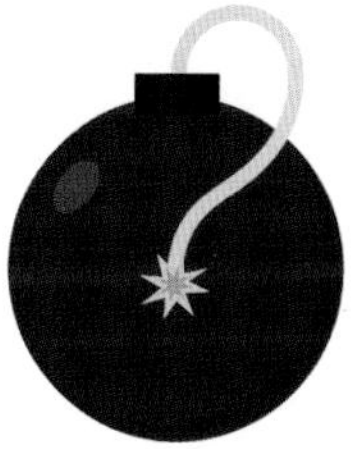

6

**아이디어를 사장시킬 수 있는 것이 무엇인지 파악하라**

테스트를 할 때는 가장 중요한 가정부터 시작해야 한다. 그러므로 당신의 아이디어를 망칠 수 있는 가정부터 테스트를 실시하라.

7

**먼저 고객을 이해하라**

당신의 제안에 앞서 고객 활동, 불만, 혜택과 관련된 테스트를 먼저 실시해야 한다.

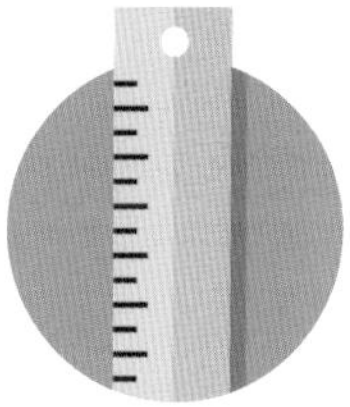

8

**측정할 수 있게 하라**

훌륭한 테스트는 측정 가능한 학습으로 이어진다. 그리고 이런 학습은 실행 가능한 통찰을 제공한다.

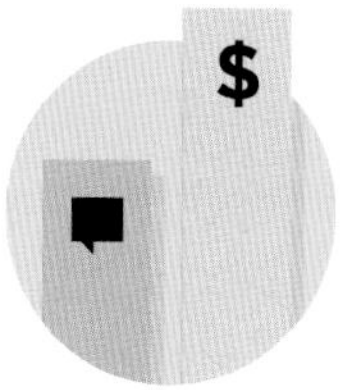


9

**모든 사실을 동일하게 처리할 수 없다는 것을 인정하라**

인터뷰 응답자들 중에는 말과 행동이 다른 사람들도 있다. 당신이 확보한 증거가 얼마나 신뢰할 수 있는 것인지 잘 따져보아야 한다.

10

**돌이킬 수 없는 결정은 두 배는 더 신중을 기하라**

돌이킬 수 없을 정도로 막대한 영향력을 갖는 결정은 특별히 더 신경을 기울여야 한다.

# 고객 개발 프로세스 도입하기

4단계 프로세스로 이루어진 고객 개발은 창업가에서 저술가, 교육가로 변신한 스티브 블랭크(Steve Blank)가 고안했다. 이 활동의 기본 전제는 회사 안에서는 어떠한 사실도 발견할 수 없으므로 어떤 아이디어를 실행하려면 그 전에 고객과 이해관계자들(예: 채널 파트너 또는 여타 핵심 파트너)을 상대로 아이디어를 테스트해야 한다는 것이다.

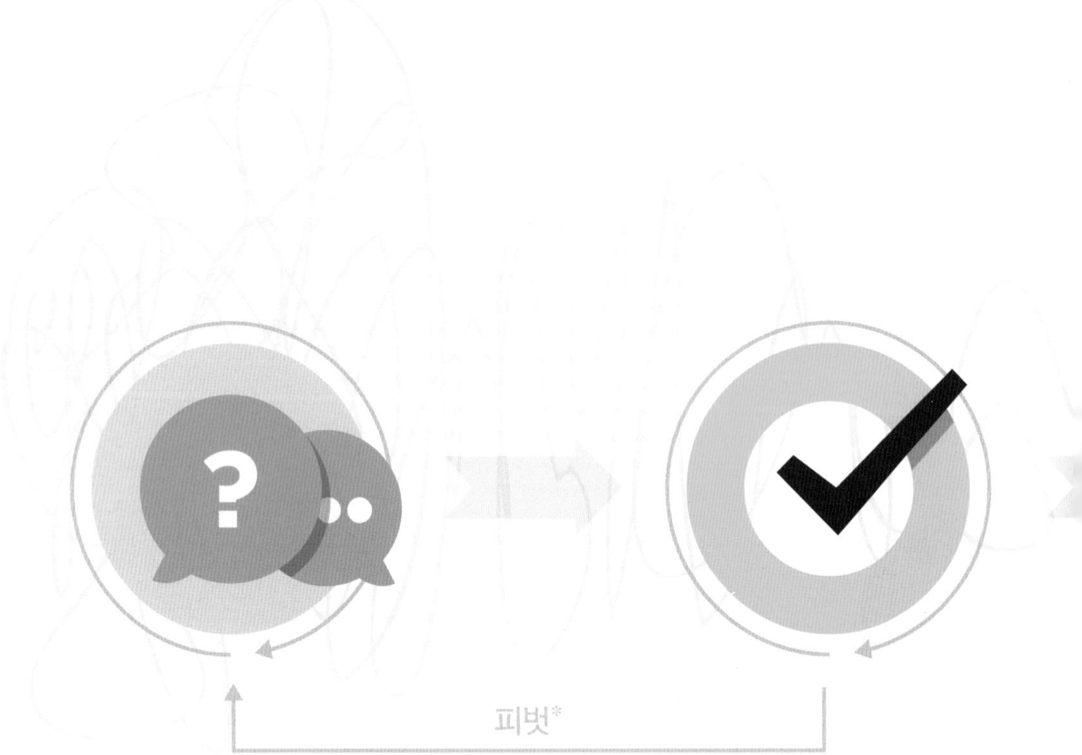


**고객 발굴**

고객의 활동, 불만, 혜택에 관해 알고 싶다면 회사 바깥으로 눈을 돌려야 한다. 그리고 고객의 불만을 제거하고 혜택을 창출하기 위해 당신이 그들에게 무엇을 제공할 수 있는지 조사해야 한다.

**고객 검증**

당신의 제품/서비스의 불만 해소 및 혜택 창출 방안에 대해 고객은 어떻게 생각하는지 실험을 통해 확인해야 한다.

조사

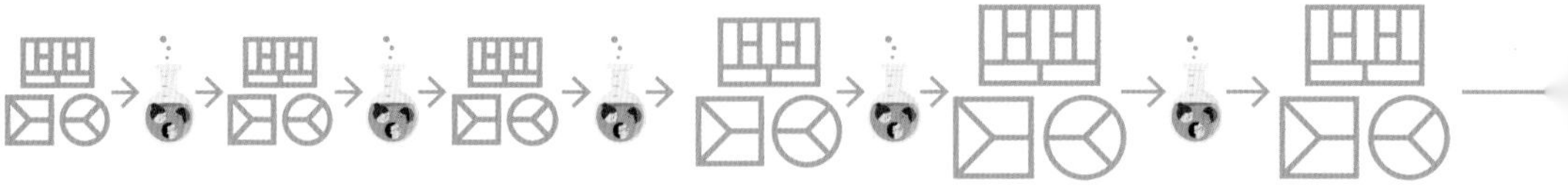

*피벗(Pivot): 상품, 전략, 성장 엔진에 대한 기본 가설을 검증하기 위해 고안한 경로를 구조적으로 재구성하는 것. 역자 주

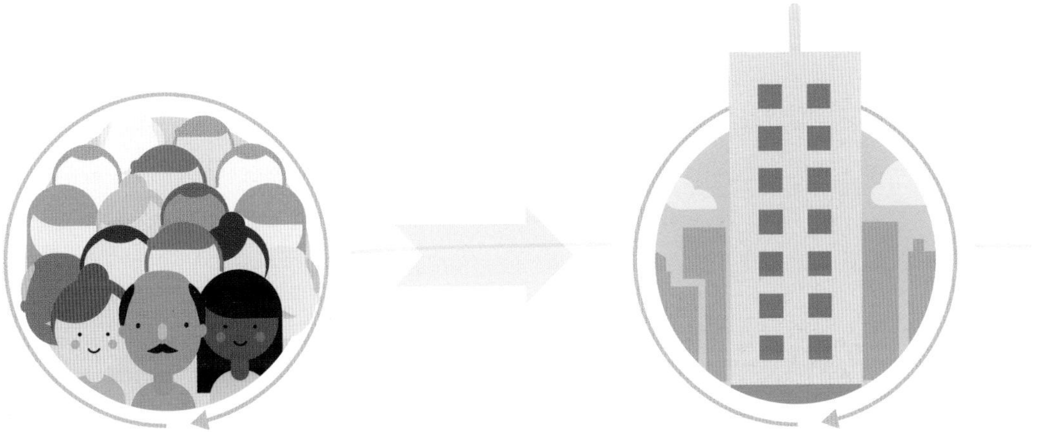

### 고객 창출

최종 사용자의 수요를 개발하는 활동에 착수한다. 고객을 당신의 판매 채널로 유도하면서 사업을 조정해야 한다.

### 회사 설립

조사와 실험을 실시하기 위한 임시 조직에서 검증된 모델의 실행에 초점을 맞춘 체계적인 회사로 전환해야 한다.

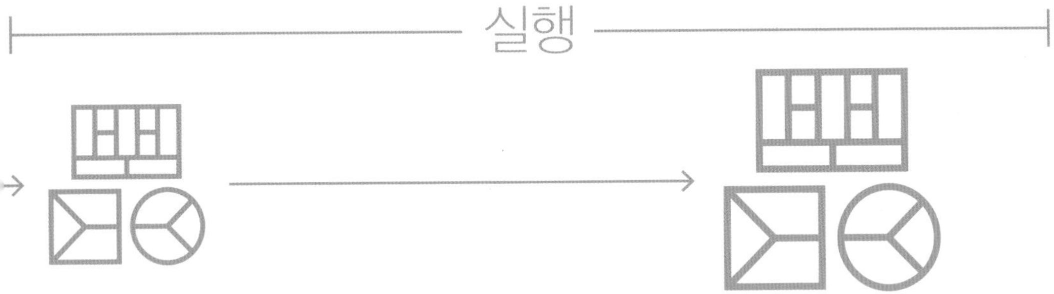


### 조사 VS. 실행

조사 단계에서의 목표는 어떤 가치 제안이 설득력이 있고 어떤 비즈니스 모델이 효과를 거둘지 실험하고 확인하는 것이다. 중요한 모든 가정들을 테스트하는 동안 당신의 캔버스는 이 단계에서 근본적인 변화와 지속적인 발전을 거치게 된다. 그리고 당신의 아이디어가 효과적인 것으로 입증되었을 때에만 실행 모드와 조정 작업에 돌입할 수 있다. 프로세스 초반에는 당신의 캔버스가 근본적인 변화를 겪게 되지만 실험을 통해 관련 지식이 증가하면서 점차 안정을 찾게 될 것이다.

### Tip

모든 가설, 당신이 테스트한 모든 것, 당신의 학습한 모든 것들을 잘 기록하고 정리해야 한다. 가치 제안과 비즈니스 모델 캔버스를 사용해서 초기 아이디어와 출발점에서부터 실행 가능한 가치 제안과 비즈니스 모델에 이르기까지 진척 상황을 계속 추적하라. 진척 상황을 추적하고 그 과정에서 도출된 증거들을 잘 정리해 두면 필요할 때 다시 참고할 수 있게 된다.

Blank & Dorf ,The Startup Owner's Manual, 2012.

# 린 스타트-업 원칙들 통합하기

에릭 리즈(Eric Ries)는 스티브 블랭크의 고객 개발 프로세스를 바탕으로 린 스타트-업 운동을 발족시켰다. 이 운동의 주된 목표는 수립, 테스트, 학습을 끊임없이 반복해서 제품 개발 활동의 태만과 불확실성을 제거하는 것이다. 여기에서 우리는 아이디어, 가설, 최소 기능 제품을 테스트하는 데 캔버스, 고객 개발과 결합된 3단계 프로세스를 적용하려고 한다.

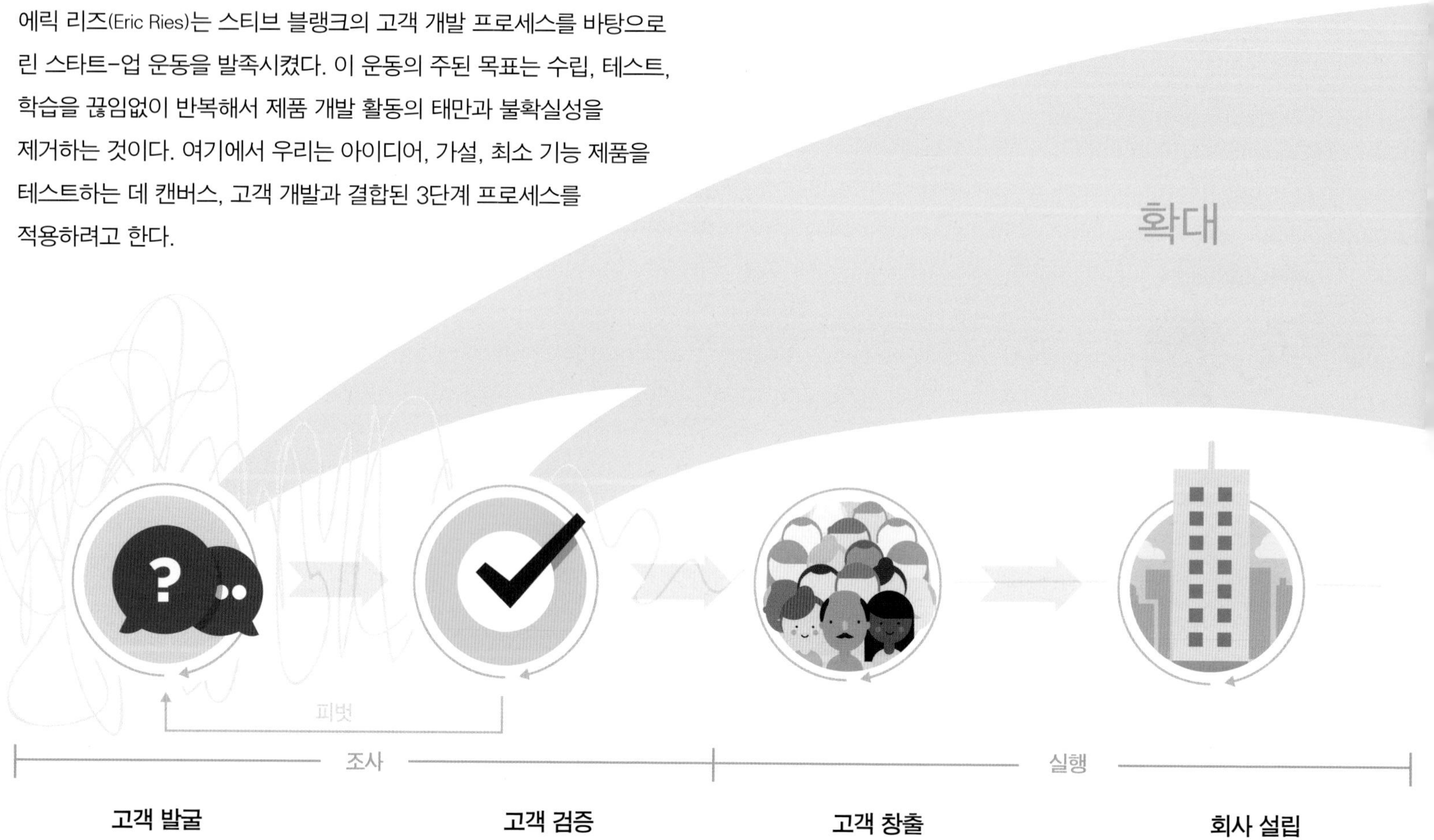

## 0. 가설 만들기

가장 먼저 가치 제안과 비즈니스 모델을 이용해서 아이디어의 근간을 이루는 핵심 가설을 정해야 한다. 그래야만 실험을 제대로 설계할 수 있다.

## 1. 설계/수립

가설을 테스트하고, 통찰을 얻고, 학습이 이루어질 수 있도록 가상의 결과물을 구체적으로 설계/수립하라. 개념적 프로토타입이나 실험, 또는 당신이 제공하려고 하는 제품/서비스의 기본 프로토타입 모두 이런 가상의 결과물이 될 수 있다.

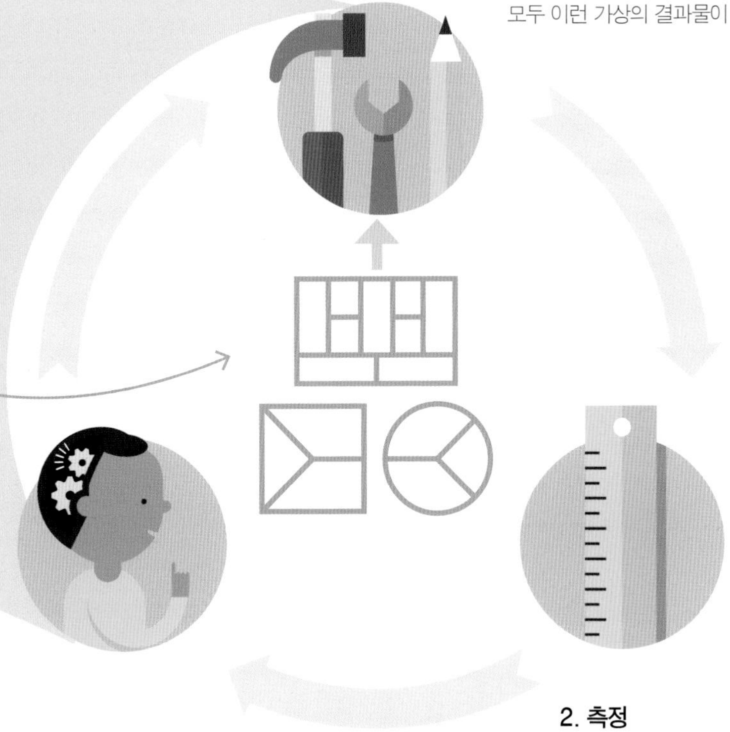

## 2. 측정

당신이 설계/수립한 가상의 결과물의 성과를 측정하라.

## 3. 학습

가상 결과물의 성과를 분석하고, 당신의 처음 가설과 비교한 후 통찰을 이끌어내라. 어떤 결과를 예상했는지 스스로에게 물어보고 실제로는 어떤 결과가 나왔는지 기술하라. 그런 다음 무엇을 변경하고, 그것을 어떤 식으로 추진할 것인지 간단히 서술하라.

Ries, The Lean Startup, 2011.

# 수립, 측정, 학습 활동을 적용하라

린 스타트-업 순환 활동은 단순히 제품/서비스에만 적용 가능한 것이 아니다. 설계/수립, 테스트/측정, 학습의 3단계 활동은 가치 제안 설계에서 당신이 창조하는 모든 가상의 결과물에도 똑같이 적용할 수 있다.

## 개념적 프로토타입

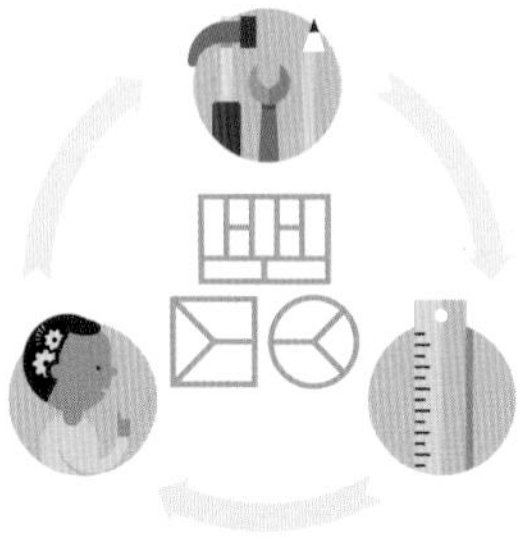

아이디어를 구상하고, 효과를 거둘 가능성이 있는 것을 알아내고, 성공을 거두기 위해 사실로 입증되어야 하는 가설을 파악하기 위해서는 재빨리 개념적 프로토타입을 설계해야 한다. 이런 프로토타입은 당신의 아이디어와 가설들을 명확히 매핑하고, 추적하고, 반복하고, 공유하는 데 아주 효과적이다.

## 가설

아이디어가 성공을 거두기 위해 사실로 입증되어야 하는 가설들을 테스트할 실험을 설계하고 개발해야 한다. 당신의 아이디어를 사장시킬 수 있는 가장 중요한 가설부터 테스트를 시작하라.

## 제품/서비스

당신의 가치 제안을 테스트할 수 있는 최소 기능 제품을 만들어라. 이것은 최소한의 기능만 갖춘 프로토타입으로, 판매보다는 학습 목적으로 특별히 설계 제작되는 제품을 말한다.

| 설계/수립 | 측정 | 학습 |
|---|---|---|
| 프로세스 전반에 걸쳐 당신의 아이디어의 형태를 잡아줄 수 있는 비즈니스 모델 및/또는 가치 제안 캔버스 | 개념적 프로토타입의 성과: 7가지 비즈니스 모델 질문을 이용한 설계 평가, 고객 프로필과 가치 맵 간의 적합성, 개략적인 수치 | 개념적 프로토타입의 조정 여부와 그 이유. 해당 비즈니스 모델의 재정 성과 및 적합성 추정. 어떤 가설을 테스트해야 하는가? |
| 초기 가치 제안, 개념적 프로토타입에서 파생된 비즈니스 모델 관련 추정들을 테스트할 수 있는 인터뷰, 관찰, 실험 | 예상했던 것(예: 당신의 가설)과 실험에서 실제로 일어난 결과를 비교 | 비즈니스 모델이나 가치 제안 캔버스를 구성하는 요소 중 어느 하나라도 변경해야 하는지 여부와 그 이유 |
| 당신이 테스트하고 싶은 이점과 특성들을 갖춘 최소 기능 제품 | 당신의 제품/서비스가 실제로 고객 불만을 경감시키고 고객 혜택을 창출하는지 여부 | 당신의 가치 제안에 들어있는 제품/서비스를 변경해야 하는지 여부와 그 이유. 불만 해결과 혜택 창출 방안 중에서 효과적인 것과 그렇지 않은 것은 무엇인가? |

사람들을 긴장하게 만든다는 의미의 이디시(Yiddish) 표현인 슈렉(Shrek) 모델을 제시한다.

– 프랭크 개리(Frank Gehry), 건축가

회사 내부에서는 어떠한 사실도 발견할 수 없다. 그러므로 현장으로 나가 고객과 대화를 나눠야 한다.

– 스티브 블랭크(Steve Blank), 기업가/교육가

빨리 실패할수록 성공 확률은 그만큼 더 높아진다.

– 데이비드 켈리(David Kelley), 디자이너

# 3.1

# 무엇을 테스트할 것인가

# 원형 그래프(고객 프로필) 테스트하기

초기 고객 조사를 뛰어넘는 증거를 도출해줄 실험을 실시해서 고객이 가장 중요시하는 활동, 불만, 혜택을 입증해야 한다. 이러한 입증 활동이 이루어진 다음에만 가치 제안 작업에 착수할 수 있기 때문이다. 그리고 고객이 관심을 갖지 않는 제품과 서비스에 시간을 낭비하는 것도 막을 수 있다.

## 고객을 도와줄 방법(정사각형 그래프)에 초점을 맞추기에 앞서 고객이 중요시하는 것(원형 그래프)을 보여주는 증거를 제시하라.

### 활동, 불만, 혜택에서부터 시작하라

설계 부분에서 우리는 고객을 좀 더 자세히 이해할 수 있는 방법들에 대해 살펴보았다. 이번 장에서는 거기에서 한 발 더 나아가려고 한다. '원형 그래프 테스트'의 목적은 우리가 작성한 프로필, 우리의 초기 조사, 우리가 관찰한 것, 인터뷰에서 얻은 우리의 통찰이 정확한 것인지 증거를 통해 확인하는 것이다. 그래서 고객이 정말 관심을 갖는 활동, 불만, 혜택은 어떤 것인지 좀 더 확실히 파악하자는 것이다.

가치 제안에 초점을 맞추기 전에 고객 활동, 불만, 혜택에 관한 증거를 확보하면 아주 강력한 힘을 발휘할 수 있다. 가치 제안을 테스트하는 활동부터 시작할 경우, 고객이 당신의 가치 제안을 거부하지는 않는지, 중요하지도 않은 활동이나 불만, 혜택에 초점을 맞추고 있지는 않은지 확인할 길이 없다. 하지만 고객이 중요시하는 활동, 불만, 혜택에 관한 증거를 확보하면 그런 상황이 벌어질 가능성은 줄어들게 된다.

물론 이것은 최소 기능 제품의 사용에 너무 처음부터 의지하지 않고 고객의 선호도를 테스트할 수 있는 독창적인 방법들을 찾아내야 한다는 뜻이기도 하다. 이를 위해 테스트 도서관(→ p.214)의 도구들을 어떻게 활용하면 좋을지 지금부터 설명하도록 하겠다.

# 당신은 다음과 같은 것들을 보여주는 증거를 갖고 있는가?

- 당신의 고객이 중요시하는 혜택은 무엇인가?
- 가장 필수적인 혜택은 무엇인가?

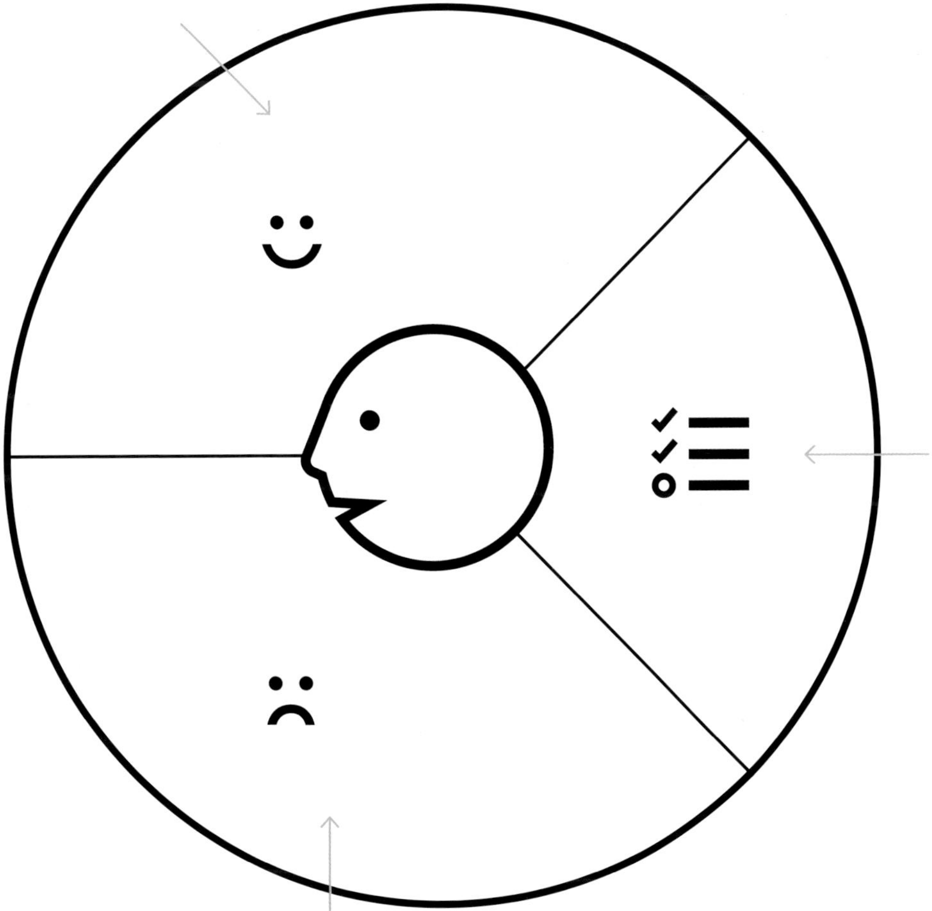

- 당신의 고객이 중요시하는 활동은 무엇인가?
- 가장 중요한 활동은 무엇인가?

- 당신의 고객이 중요시하는 불만은 무엇인가?
- 가장 극심한 불만은 무엇인가?

# 정사각형 그래프(가치 제안) 테스트하기





고객을 도와줄 당신의 방안에 대해 고객이 관심을 갖고 있는지, 만약 갖고 있다면 어느 정도인지 테스트해보라. 당신의 제품과 서비스가 고객이 중요시하는 불만을 해결하고 혜택을 창출한다는 것을 입증할 수 있는 실험을 설계하라.

## 당신은 다음과 같은 것들을 보여주는 증거를 갖고 있는가?

- 당신의 혜택 창출 방안 중에서 고객이 정말 필요로 하거나 바라는 것은 어떤 것인가?
- 그들이 가장 열망하는 것은 어떤 것인가?

- 당신의 제품과 서비스 중에서 고객이 정말 원하는 것은 어떤 것인가?
- 그들이 가장 원하는 것은 어떤 것인가?

- 당신의 불만 해결 방안 중에서 고객의 골칫거리를 해결해주는 것은 어떤 것인가?
- 그들이 가장 갈망하는 것은 어떤 것인가?

# 당신의 제품과 서비스의 불만 해결 및 혜택 창출 방안에 고객이 관심을 갖는다는 것을 보여주는 증거를 제시하라

## 가치 제안을 테스트하는 방법

당신의 가치 제안에 고객이 얼마나 관심을 갖는지 테스트하는 데도 기술이 필요하다. 왜냐하면 당신의 가치 제안을 전부 실행에 옮기지 않으면서도 최대한 저렴하고 신속하게 테스트를 해야 하기 때문이다.

당신의 제품과 서비스에 대한 고객의 입맛을 정확히 테스트해야 한다. 측정이 가능하고 통찰을 제공하고 그 과정에서 학습 및 개선 활동이 이루어질 수 있는 실험을 설계해서 불만 해결 방안과 혜택 창출 방안을 하나씩 테스트하는 것이다(→ p.214).

실험을 통해 당신의 제품과 서비스의 어떤 측면을 고객이 높이 평가하는지 파악해야 한다. 그래야만 불필요한 것을 제공하는 실수를 피할 수 있다. 바꿔 말하면 당신이 파악하려고 하는 것과 직접적으로 관련이 없는 특성이나 활동은 모두 제거해야 한다는 뜻이다.

제품/서비스의 프로토타입을 제작하기에 앞서 당신의 불만 해결 방안이나 혜택 창출 방안을 가장 간단하고, 빠르고, 저렴하게 테스트할 수 있는 방법을 찾아내야 한다. 항상 명심하기 바란다.

# 직사각형 그래프 테스트하기

당신의 가치 제안 속에 내재된 비즈니스 모델의 근간을 이루는 가장 중요한 가설부터 테스트하라. 가치 제안이 아무리 훌륭해도 견실한 비즈니스 모델이 없으면 실패할 수 있다는 것을 명심하기 바란다. 당신의 비즈니스 모델이 효과적이고 비용보다 수익을 더 많이 발생시키고 당신의 고객과 사업에 맞는 가치를 창출할 것이라는 증거를 제시해야 한다.

## 당신이 생각하는 가치의 창출, 전달, 포착 방법이 효과를 거둘 것임을 보여주는 증거를 제시하라

**비즈니스 모델에 대한 테스트를 등한시해서는 안 된다**

가치 제안이 아무리 성공적이어도 비즈니스 모델이 수익보다 더 많은 비용을 발생시킨다면 그것은 실패할 수밖에 없다. 비즈니스 모델 캔버스의 구성 요소에서 기인하는 이 명백한 등식(이윤 = 수익 - 비용)을 무시한 채 제품/서비스의 설계와 테스트에만 집중하는 사람들이 의외로 많다.

고객이 원하는 가치 제안도 고객이 원하는 공급 채널이 제대로 마련되지 않으면 아무 소용이 없다. 마찬가지로 고객 확보에 지출되는 비용이 해당 고객으로부터 거둬들이는 수익보다 많이 발생하는 비즈니스 모델이라면 장기적으로 살아남기 힘들다. 기업 역시 가치 창출에 소요되는 자원과 비용이 그로 인해 창출되는 가치를 초과하면 머지않아 파산을 맞게 될 것이다. 그리고 어떤 시장에서는 당신과 함께 일하는 것에 별로 관심이 없는 핵심 파트너에게 접근해야 하는 상황이 벌어질 수도 있다.

당신의 비즈니스 모델이 효과적으로 작동하기 위해 반드시 사실이어야만 하는, 그런 가장 중요한 부분을 해결해주는 실험을 설계해야 한다. 그런 핵심 가설을 테스트하면 고객이 정말로 원하는 훌륭한 가치 제안을 갖고도 실패하는 불상사를 면할 수 있게 된다.

# 당신은 다음과 같은 것들을 보여주는 증거를 확보하고 있는가?

- 당신의 모델이 효과적으로 작동하는 데 필요한 파트너들에게 접근할 수 있다.
- 가치를 창출하는 데 필요한 활동을 수행할 수 있다.
- 당신의 방법은 성공적으로 고객을 확보하고 유지할 것이다.
- 가치를 창출하는 데 필요한 자원에 접근할 수 있다.
- 고객에게 도달할 수 있는 채널을 갖고 있다.

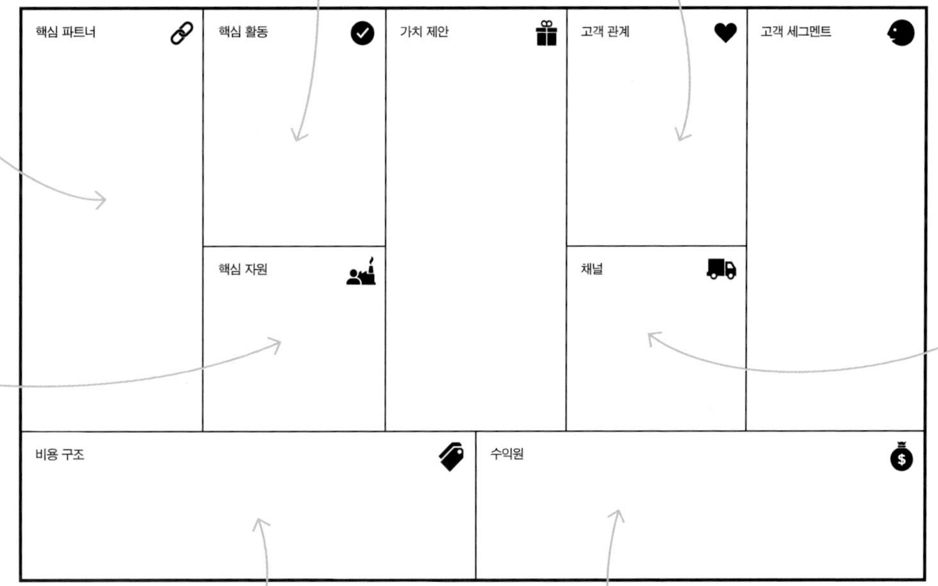


- 발생하는 비용보다 더 많은 수익을 창출할 수 있다.
- 당신의 방법은 고객으로부터 수익을 창출할 것이다.

# 3.2

# 단계별 테스트하기

HYPOTHESIS EXTRACTOR
Test Card
Strategyzer
We believe that
HYPOTHESIS
#1
#2
#3
#4
#5
#6
#7

# 테스트 프로세스 개요

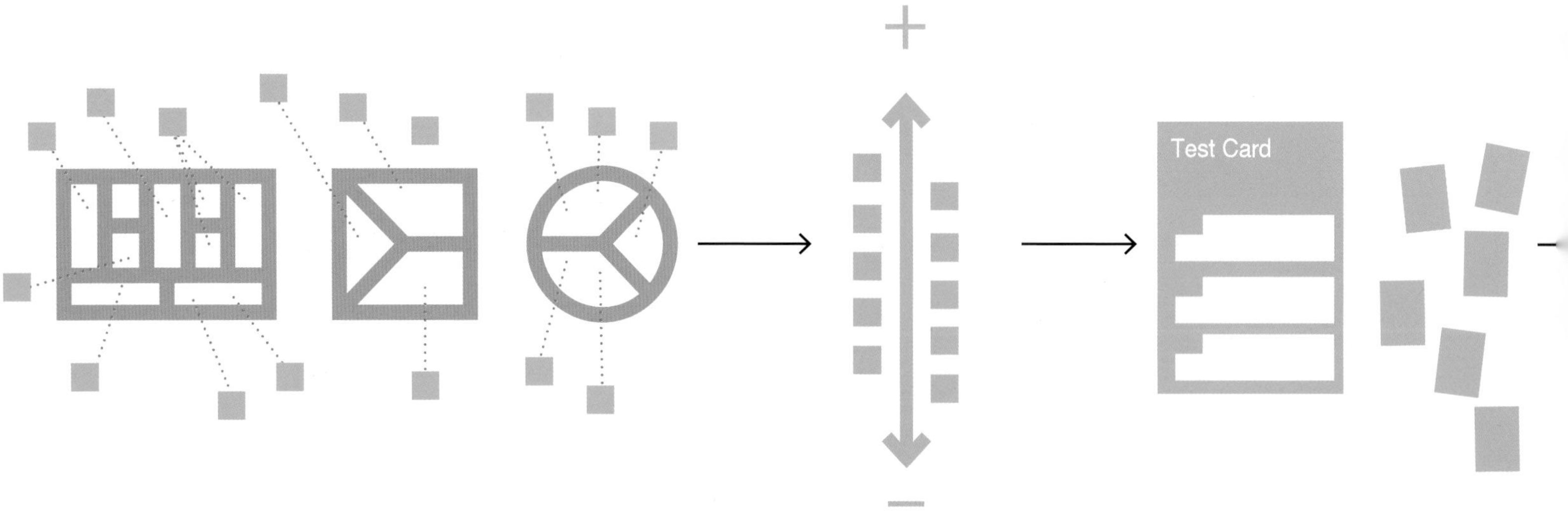


**가설 추출하기**
(→ P.200)

**가설 우선순위 정하기**
(→ P.202)

**테스트 설계하기**
(→ P.204)

■ 설계활동 ■ 테스트 활동

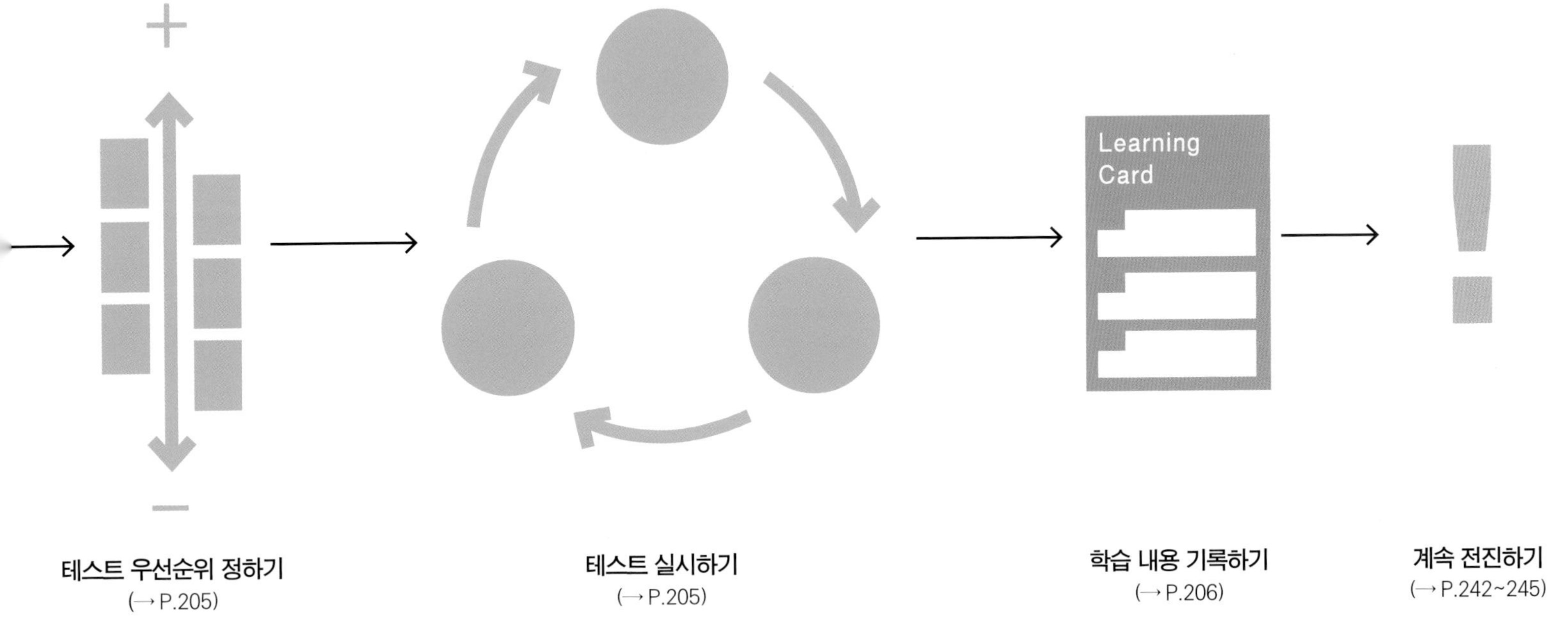


Get “테스트ing Process Overview” poster

# 가설을 추출하라 :
## 당신의 아이디어가 효과적으로 작동하기 위해 사실로 입증되어야 하는 가설은 무엇인가?

'현장으로 나가기'전에 해야 할 일이 있다. 가치 제안과 비즈니스 모델을 사용해서 무엇을 테스트할 것인지를 파악하는 것이다. 당신의 아이디어가 효과를 거두기 위해 반드시 사실이어야 하는 가설 중에서 가장 중요한 것을 정하라.

온라인으로 훈련 실시하기

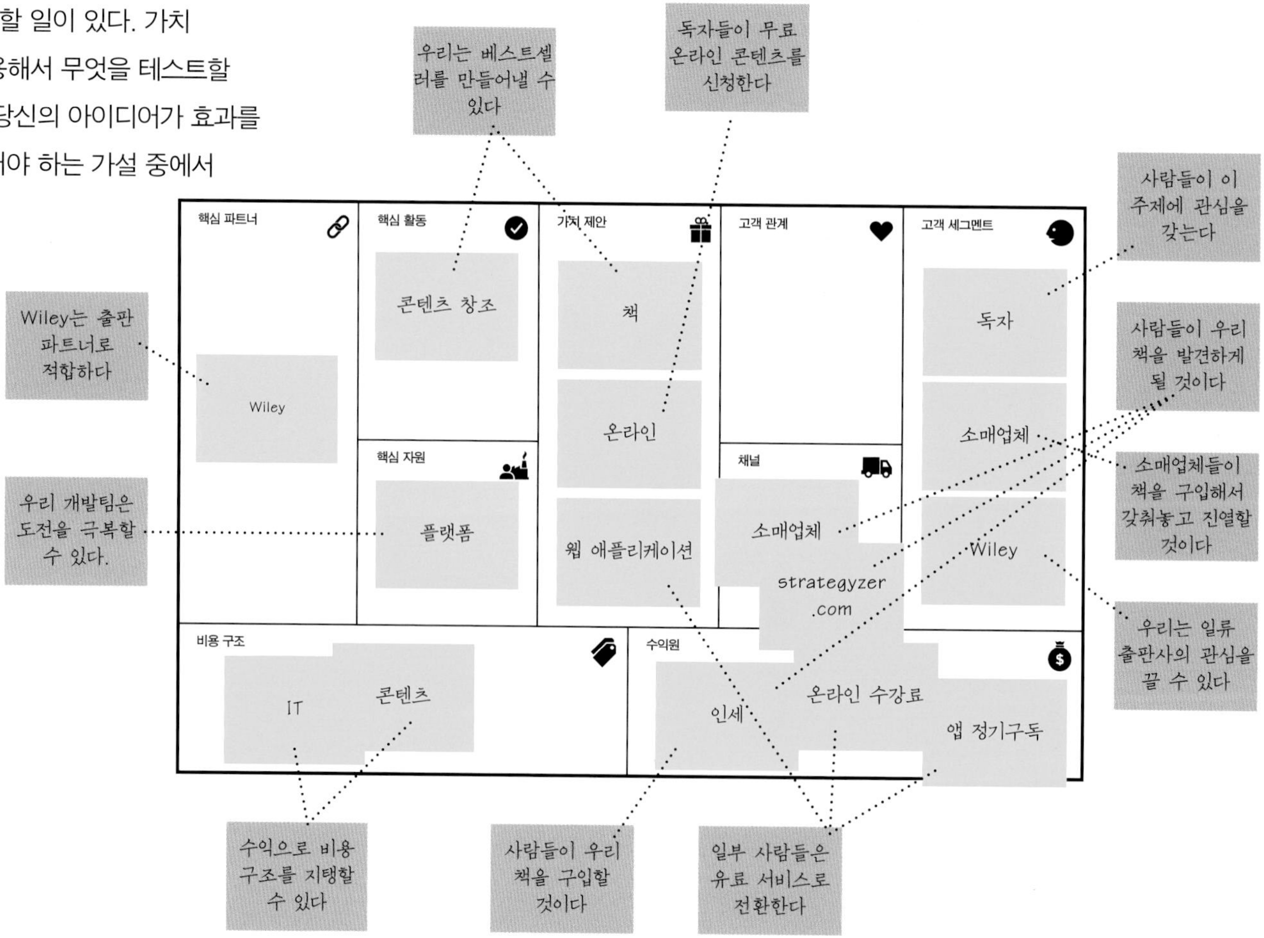


**성공을 거두기 위해 반드시 사실이어야 하는 것이 무엇인지 스스로에게 물어보라** → **당신의 비즈니스 모델과 관련해서 사실이어야 하는 것은 무엇인가?**

개념 정의

## 비즈니스 가설

*당신의 아이디어가 부분적으로 또는*
*전체적으로 효과를 거두기 위해*
*사실이어야 하지만 아직 검증되지 않은 가설*





가설

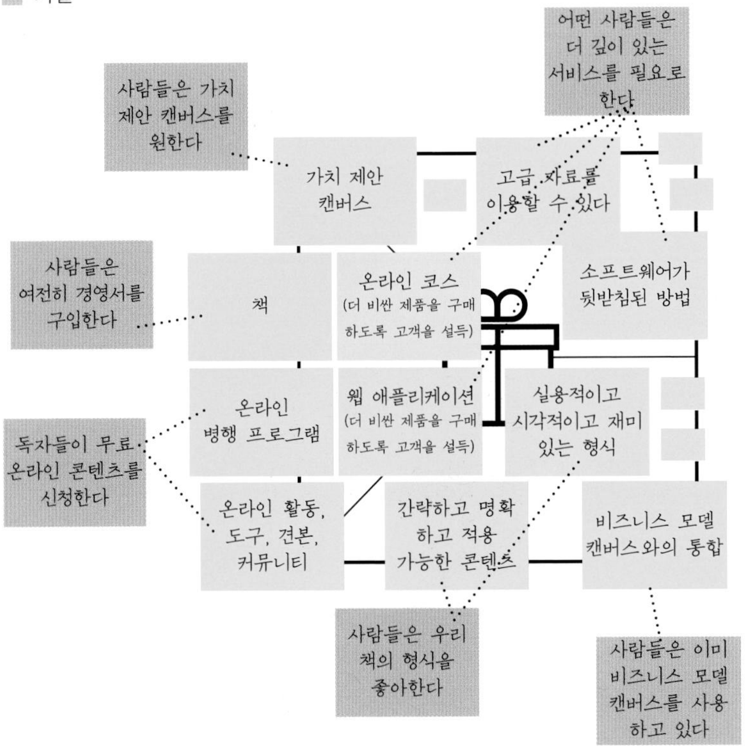


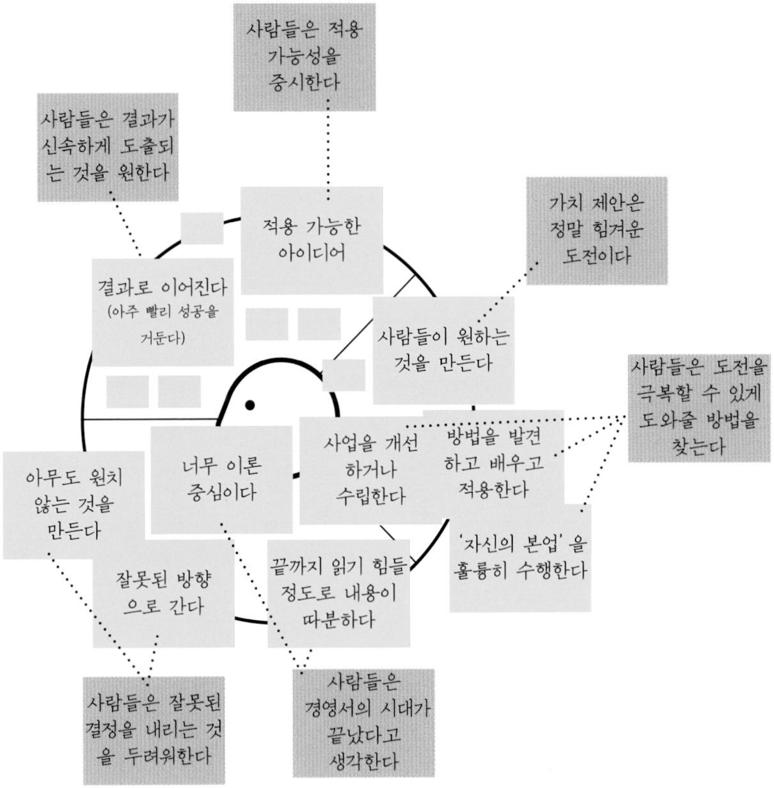


**당신의 가치 제안과 관련해서 사실이어야 하는 것은 무엇인가?**

**당신의 고객과 관련해서 사실이어야 하는 것은 무엇인가?**

# 가설의 우선순위를 정하라 : 당신의 사업을 망칠 수 있는 것은 무엇인가?





모든 가설이 똑같이 중요한 것은 아니다. 당신의 사업을 망가뜨릴 수 있는 아주 중요한 가설이 있는가 하면 당신이 가장 중요한 가설을 제대로 파악했을 때에만 비로소 의미를 갖는 가설도 있다. 그럼 지금부터 아이디어의 생존에 중요한 의미를 갖는 가설의 우선순위를 정해보도록 하자.

**사업을 망칠 수 있는 것이 무엇인지 파악하라. 이런 것들은 당신의 아이디어가 살아남는 데 필수적인 가설이므로 이런 것들부터 테스트해야 한다.**

당신의 아이디어의 생존과 발전에 미치는
중요도에 따라 가설들의 순위를 매겨보라

+

아이디어의 생존에 필수적이다

사람들이 잘못된 사업 결정(특히 제품/서비스와 관련해서)을 내리지 않거나, 잘못된 사업 결정을 내리는 것을 두려워하지 않는다면, 혹은 그런 문제들을 해결할 수 있는 방법들을 찾지 않는다면 우리의 아이디어가 존재해야 할 이유가 없다.

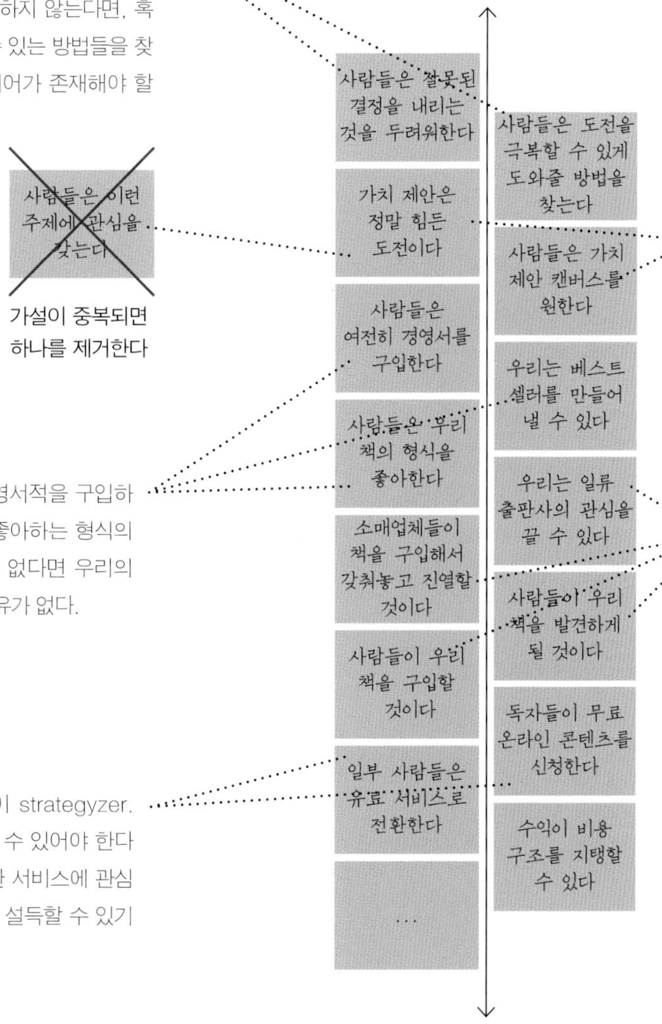


가설이 중복되면
하나를 제거한다

만약 사람들이 가치 제안을 고민하지도 않고 가치 제안 캔버스를 유용한 도구로 여기지 않는다면 우리의 아이디어를 사용할 기회 자체가 없어진다.

만약 사람들이 더 이상 경영서적을 구입하지 않고 우리가 독자들이 좋아하는 형식의 베스트셀러를 만들어낼 수 없다면 우리의 아이디어가 존재해야 할 이유가 없다.

사람들이 우리 책에 호감이나 애정을 느끼는 것이 아주 중요하다. 그러나 그것은 시작에 불과하다. 우리 책을 좋아하게 될 가능성이 아무리 높아도 우리 책을 발견하지 못하거나 우리 책에 대해 알지 못한다면 구입 자체가 불가능하기 때문이다.

가장 중요한 것은 사람들이 strategyzer.com을 사용하도록 유도할 수 있어야 한다는 것이다. 그래야만 다양한 서비스에 관심을 갖는 사람들에게 구매를 설득할 수 있기 때문이다.

아이디어의 생존에 별로 중요하지 않다

-

## 가장 중요한 우선순위는 무엇인가?

# 테스트 카드를 이용해서 실험을 설계하라

이렇게 간단한 테스트 카드를 이용하면 당신이 실시하는 모든 실험을 체계화할 수 있다.

테스트 카드를 다운로드한 후 온라인으로 훈련하기

## 테스트 카드

Strategyzer

| | |
|---|---|
| 애드워즈(AdWords)* 캠페인 | 2014년 5월 1일 |
| 나타샤 핸쇼 | 2주 |

STEP 1: 가설

우리가 믿고 있는 것 비즈니스맨들은 좀 더 나은 가치 제안을 설계하는 데 도움이 될 방법을 찾는다.

중요도:

STEP 2: 테스트

가설을 입증하기 위해 우리가 해야 할 일 '가치 제안'이라는 검색 용어를 중심으로 구글 애드워즈 캠페인을 시작한다.

테스트 비용: 데이터 신뢰도:

STEP 3: 측정

우리가 측정하는 것 클릭 횟수 면에서 해당 광고 캠페인의 성과가 얼마나 높은지 측정한다.

Time Required:

STEP 4: 기준

가설 입증 기준 최소한 2%(클릭 수를 광고의 전체 노출 횟수로 나눈 값)의 클릭율을 달성할 수 있다.

Copyright Business Model Foundry AG

The makers of Business Model Generation and Strategyzer

### 1
**실험 설계하기**

당신이 테스트하고 싶은 가설들을 적는다.

해당 가설이 옳은지, 또는 거부하고 수정해야 하는지 입증하기 위해 어떤 식으로 실험을 설계할 것인지 간단히 요약한다.

당신이 측정할 데이터를 정한다.

테스트할 가설이 옳은지, 틀린지를 입증해줄 목표 임계값(Target Threshold)을 정한다.

테스트 명칭, 테스트 기한, 책임자 이름을 적는다.

해당 아이디어 전체가 효과를 거두기 위해서 이 가설이 얼마나 필수적인지 표시한다.

테스트를 실시하는 데 비용이 얼마나 소요될 것인지 표시한다.

측정된 데이터가 얼마나 신뢰할 수 있는 것인지 표시한다.

테스트 결과가 도출되는 데 걸리는 시간을 표시한다.

*구글에서 제작한 셀프서비스 광고 프로그램, 역자 주

나는 어떤 식으로 학습할 것인가?

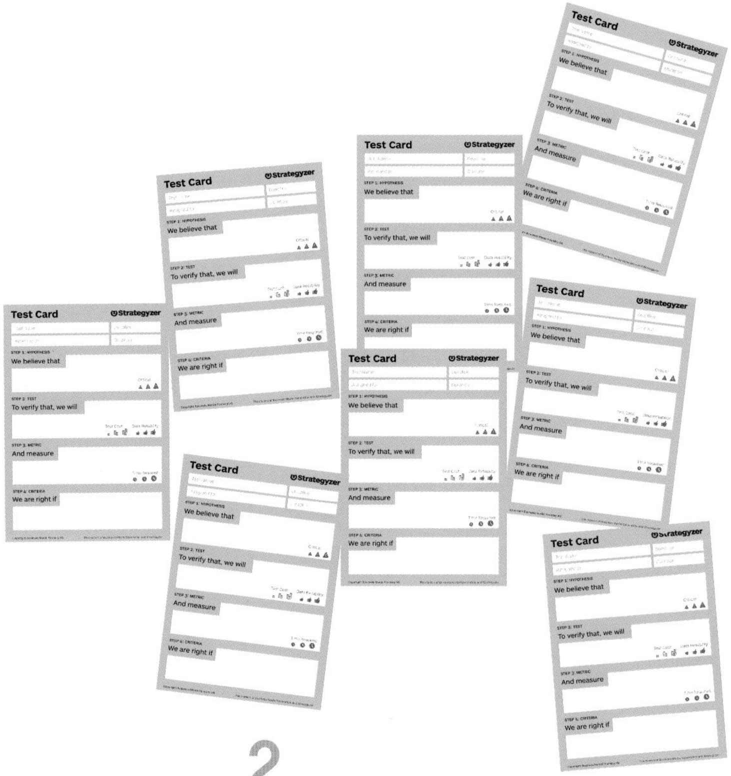


# 2
## 가장 중요한 가설에 대한 실험 설계하기

**Tip**

몇 가지 실험을 실시해서 가장 중요한 가설을 테스트해야 한다. 처음에는 저렴하고 신속하게 실시할 수 있는 테스트에서 시작한다. 그런 다음, 필요하다면 좀 더 정교하고 신뢰할 수 있는 테스트로 넘어가는 것이다. 그러면 동일한 가설에 대해 몇 개의 테스트 카드를 작성할 수 있게 된다.

# 3
## 테스트 카드 순위 매기기

테스트 카드의 우선순위를 정해야 한다. 중요한 가설일수록 순위가 올라간다. 하지만 불확실성이 가장 높은 프로세스 초기에는 저렴하고 신속하게 실시할 수 있는 테스트들을 우선적으로 처리한다. 확실성이 높아지면 좀 더 신뢰도 높은 증거와 통찰을 도출할 수 있는 실험들에 비용을 더 많이 투입한다.

# 4
## 실험 진행하기

목록의 상단을 차지하는 실험부터 실시한다. 주의 : 첫 번째 실험을 실시한 결과, 당신의 처음 가설이 틀린 것으로 입증되면 다시 뒤로 돌아가 아이디어를 재고해야 할지도 모른다. 그렇지 않을 경우, 나머지 테스트 카드들까지 무의미해질 수 있기 때문이다.

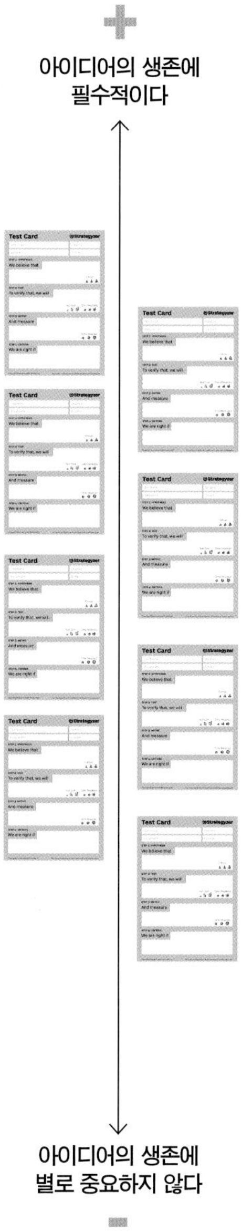


**반복**

**가장 많은 내용을 가장 신속하게 학습할 수 있는 곳은 어디인가?**

# 학습 카드를 이용해서 통찰한 내용을 기록, 정리하라

이렇게 간단한 학습 카드를 이용하면 당신이 얻은 모든 통찰을 체계적으로 정리할 수 있다.

학습 카드 다운로드하기

**학습 카드** Strategyzer

가치 제안 방법에 대한 수요 | 2014년 5월 1일

나타샤 핸쇼

STEP 1: 가설

우리가 믿었던 것 비즈니스맨들은 더 나은 가치 제안을 설계하는데 도움이 될 방법을 찾는다.

STEP 2: 관찰

우리가 관찰한 것 워크숍에 참가한 사람들의 강력한 요구, 구글 애드워즈 캠페인 클릭율 2.5%

데이터 신뢰도:

STEP 3: 학습과 통찰

실험에서 우리가 배운 것 해당 주제에 대한 관심이 충분하다.

행동 요구 정도:

STEP 4: 의사결정과 행동

우리가 앞으로 할 것 세그먼트(예: 제품 관리자)의 관심도를 알아보기 위해 링크드인(LinkedIn) 캠페인에 착수한다.





통찰 제목, 학습 날짜, 책임자 이름을 기입한다.

당신이 테스트한 가설을 적는다.

당신이 실시한 실험에서 도출된 데이터와 결과를 간략히 적는다. 몇 개의 테스트 카드에서 관찰한 내용들을 학습 카드에 통합할 수도 있다.

측정된 데이터가 얼마나 신뢰할 수 있는 것인지 표시한다.

테스트 결과에서 얻은 결론과 통찰을 적는다.

당신이 학습한 내용에 대해 얼마나 적극적 행동이 요구되는지 표시한다.

당신이 얻은 통찰을 바탕으로 앞으로 취할 행동을 적는다.

## 가설이 틀린 것으로 입증됨

### 다시 처음으로 돌아가서 피벗한다

테스트 결과, 당신의 첫 번째 시도가 틀린 것으로 나왔다면 아이디어가 효과를 거둘 수 있는 다른 새로운 세그먼트나 가치 제안, 비즈니스 모델을 찾아야 한다.

예: 새로운 첨단 기술을 이용한 당신의 가치 제안에 고객이 관심이 없는 것으로 입증되면 새로운 잠재 고객, 가치 제안, 비즈니스 모델을 찾아야 한다.

## 추가 학습

### 계속 확인한다

적은 양의 데이터를 바탕으로 초기에 재빨리 실험을 실시한 결과, 과감한 조치가 필요한 것으로 나왔다면 추가 테스트를 설계한 후 실시해야 한다.

예: 잠재 고객을 대상으로 인터뷰를 실시한 결과, 개시하는데 엄청난 투자 비용이 요구되는 서비스에 고객이 강한 관심을 갖는 것으로 드러났다면 추가 조사와 실험을 실시해서 그런 고객 관심을 입증해줄 수 있는, 보다 신뢰도 높은 데이터를 도출해야 한다.

### 당신의 이해도를 더 심화시킨다

어떤 유행을 발견했다면 그 이유를 알아보기 위해 추가 테스트를 설계, 실시해야 한다.

예: 어떤 실험에서 나온 양적 데이터를 통해 잠재 고객이 관심을 갖지 않는다는 사실을 알게 되었다면 그들이 무관심한 이유를 알아내기 위해 후속 조치로 질적 면접을 실시할 수 있다.

## 가설이 옳은 것으로 입증됨

### 그 다음 구성 요소로 테스트를 확대한다

당신의 통찰과 데이터의 신뢰도에 만족한다면 그 다음으로 중요한 가설들에 대한 테스트로 넘어가야 한다.

예: 특정 제품에 대해 고객이 관심을 갖는 것으로 입증되었다면 그 다음에는 채널 파트너가 당신의 제품을 갖춰놓고 홍보하는 데 얼마나 열의가 있는지 입증해줄 실험을 실시한다.

### 실행에 나선다

당신의 통찰한 내용과 데이터의 신뢰도에 만족한다면 당신의 발견한 것들을 바탕으로 곧장 실행에 착수할 수도 있다.

예: 채널 파트너들이 당신의 가치 제안 전매에 관심을 갖게 하려면 무엇이 필요한지 파악하고 그것을 입증했다면 판매원을 채용하거나 전용 마케팅 상품을 설계하는 식으로 판매 활동 확대에 착수한다.

**실험 및 학습 활동을 마친 다음에는 이제 무엇을 해야 하는가?**

# 당신의 학습은 얼마나 신속하게 이루어지고 있는가?

**고객과 파트너가 정말 원하는 것을 알아내는 데 유일한 장애물이 있다면 그것은 바로 일관성과 속도다. 이런 일관성과 속도를 갖추고 있으면 당신과 당신 팀은 설계/수립, 평가, 학습의 순환 활동을 거쳐 계속 앞으로 나아갈 수 있다.**

학습 활동의 속도는, 가치 제안을 설계하는 초기 단계에 특히 중요한 의미를 갖는다. 불확실성은 가치 제안 설계에 착수했을 때가 가장 높다. 당신의 가치 제안에 고객이 관심을 갖고 있는지, 당신이 해결하려고 하는 활동, 불만, 혜택이 고객이 중요시하는 것인지 전혀 알 수가 없기 때문이다. 그러므로 초기에 재빨리 실험을 실시해서 학습을 최대치로 끌어올리는 것이 아주 중요하다. 그래야만 신속하게 적용을 할 수 있다. 그런 이유 때문에 처음부터 사업 계획을 작성하거나 제3자를 통해 대규모 시장 조사를 실시하는 것은 좋은 출발점이 될 수 없다. 이런 활동은 프로세스 후반부에는 타당할 수 있다.

## 학습 도구

아이디어를 신속하게 구상해서 공유하고, 도전하고, 반복하고 테스트할 가설을 만든다.

재빨리 시장에 관한 통찰을 얻어야 한다. 회사 내부에서 그런 노력이 지속적으로 이루어져야만 학습 활동이 계속 신선함과 의미를 가질 수 있다. 그 결과, 당신이 신속하게 움직이고 통찰을 바탕으로 행동에 나설 수 있게 된다.

실험 도서관(→P.214)에 소개된 다양한 실험들을 활용한다. 불확실성이 높을 때는 재빨리 실시할 수 있는 실험부터 시작하는 것이 좋다. 올바른 방향이라는 증거가 도출되면 그 다음부터는 신뢰도가 더 높고, 진행 속도가 더딘 실험을 실시한다.

사업 계획은 많이 다듬게 되므로 일반적으로 고착화 경향이 강하다. 그렇기 때문에 분명한 증거를 확보하고 있고 실행 단계에 가까워질 때 작성하는 것이 바람직하다.

시장 조사는 대부분 비용이 많이 들고 속도도 느리다. 그 결과, 상황에 신속하게 적응하기가 어렵기 때문에 최적의 조사 도구가 될 수 없다. 따라서 이것은 특정 가치 제안의 점진적 변화라는 맥락 속에서 사용하는 것이 가장 바람직하다.

예비 조사는 많은 기업들이 아이디어를 테스트할 때 기본적으로 사용하는 방법이다. 하지만 이런 활동에 앞서 좀 더 저렴하고 신속한 학습 도구들의 활용이 선행되어야 한다. 왜냐하면 대부분의 예비 조사들은 비교적 잘 다듬어진 가치 제안을 바탕으로 이루어지는데 여기에는 상당한 시간과 비용이 수반되기 때문이다.

# 더 빨리 반복할수록 더 많이 배우고 더 빨리 성공을 거둘 수 있다





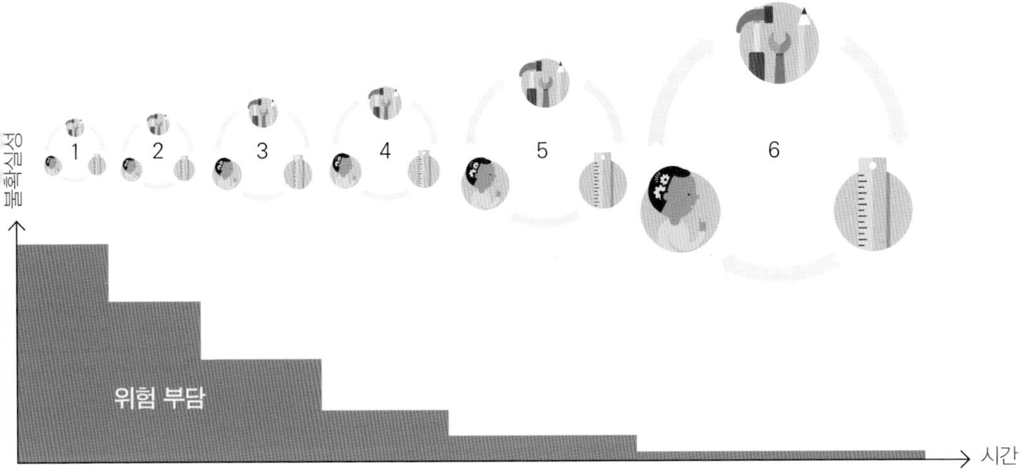


신속한 실험을 통해 순환 활동을 재빨리 6번 반복하는 것이 더딘 실험으로 오랜 시간에 걸쳐 3번 반복하는 것보다 더 많은 학습 내용을 도출할 수 있다. 보다 신속한 접근 방법이 관련 지식을 더 빨리 생성해내고 그 결과, 위험부담과 불확실성도 더 많이 줄여줄 수 있다.

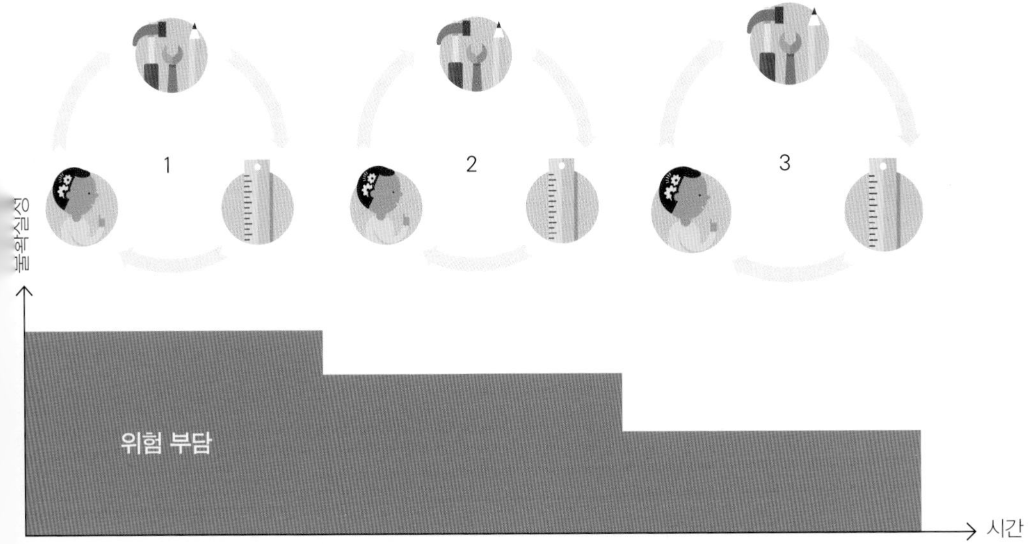


**당신의 시간을 낭비하지 마라!**

당신의 아이디어를 완벽하게 다듬는 데 한 주, 한 달, 혹은 그 이상의 시간을 쏟아붓는다고 생각해보라.
눈부신 성장을 달성하기 위해 무엇을, 어떻게 하면 좋을지 그렇게 많은 시간동안 치열하게 고민했는데 정작 당신의 고객과 파트너는 그런 것에 전혀 관심이 없다는 사실을 알게 된다면 얼마나 허무하겠는가? 그것이야말로 완전히 시간 낭비인 것이다.

# 피해야 할 데이터의 함정 다섯 가지





데이터에 대해 비판적 사고를 할 수 있어야 실수를 면할 수 있다. 실험은 위험 부담과 불확실성을 줄여줄 귀중한 증거를 도출한다. 그러나 그런 실험만으로 미래의 성공을 100% 예측할 수는 없다. 뿐만 아니라 당신이 확보한 데이터에서 잘못된 결론을 이끌어낼 수도 있다. 그러므로 아이디어를 성공적으로 테스트하기 위해서는 아래에 소개한 5가지 함정을 잘 피해야 한다.

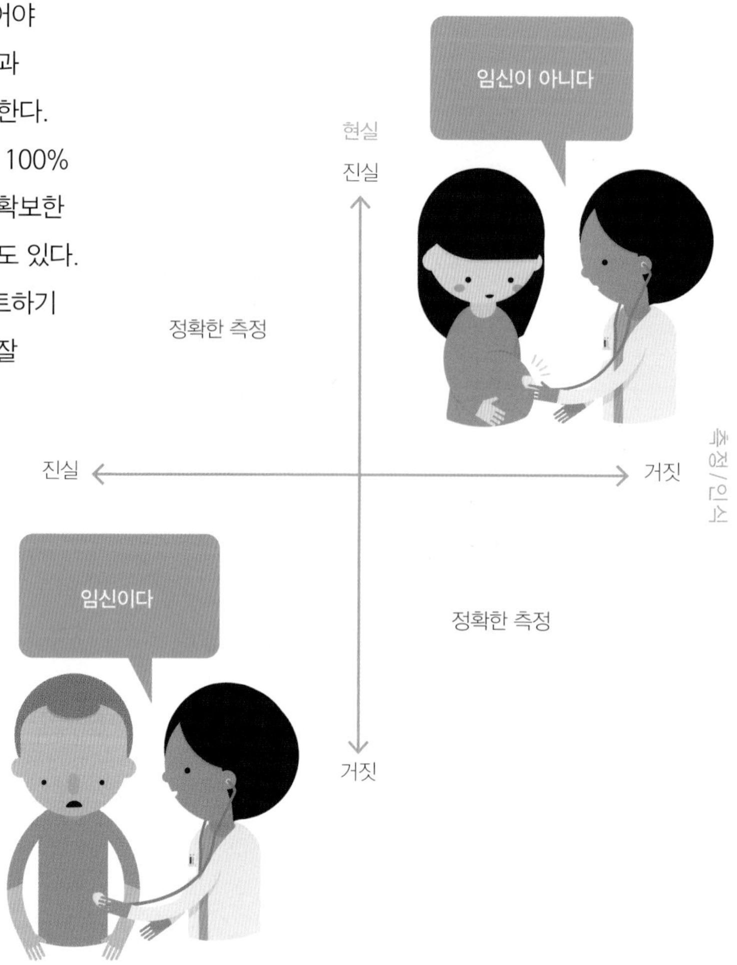


## 긍정 오류 함정 (False–Positive Trap)

**위험**: 존재하지 않는 것을 존재하다고 여김.

**발생**: 예를 들면, 테스트에서 나온 데이터가 실제로는 진실이 아닌데도 고객에게 어떤 불만이 있다는 결론을 내리도록 잘못 유도할 때.

**Tips**

- 가치 맵을 테스트하기 전에 고객 프로필부터 테스트해야 한다. 무관한 가치 제안의 긍정적 신호 때문에 잘못된 방향으로 가는 것을 막으려면 고객에게 정말 중요한 것이 무엇인지를 이해하고 있어야 한다.
- 중요한 결정을 내리기 전에 동일한 가설에 대해 또 다른 실험을 설계하라.

## 부정 오류 함정 (False–Negative Trap)

**위험**: 존재하는 것을 발견하지 못함.

**발생**: 예를 들면, 고객 활동을 발견하기 위해 고안된 실험이 고객 활동을 찾아내지 못할 때.

**Tip**

적절한 테스트를 실시해야 한다. 파일 호스팅 서비스인 드롭박스(Dropbox)는 처음에 구글 애드워즈를 이용해서 고객 관심을 테스트했다. 해당 광고가 성과를 거두지 못하자 그들은 자신들의 가설을 무효화해버렸다. 그러나 당시 대중들이 검색을 하지 않았던 이유는 관심이 없어서가 아니라 그것이 새로운 시장이었기 때문이다.

# '극댓값'의 함정
## (The 'Local Maximum' Trap)

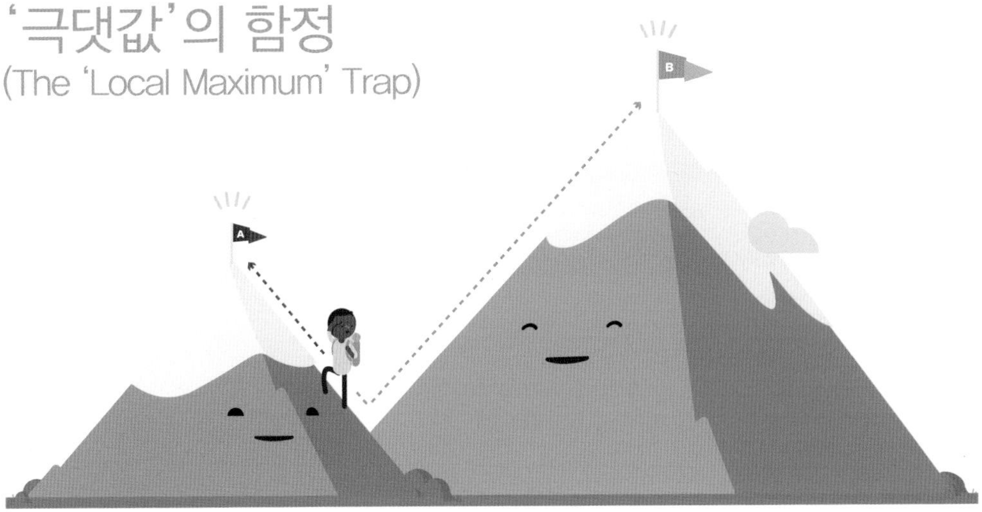


**위험:** 진짜 잠재 가능성을 놓칠 수 있음.

**발생:** 더 큰 기회는 무시한 채 극댓값에 맞춰 최적화한 실험을 실시할 때. 예를 들면, 긍정적인 테스트 피드백은 더 수익성 높은 모델이 존재하는데도 수익성이 훨씬 낮은 모델을 계속 고수하게 만들 수 있다.

**Tip**

최적화보다 학습에 초점을 맞춰야 한다. 테스트 데이터가 긍정적으로 나왔지만 더 긍정적(예: 더 큰 시장, 더 높은 수익, 더 높은 이윤)인 수치가 나와야 할 것 같은 느낌이 든다면 주저하지 말고 다시 처음으로 돌아가 더 나은 대안을 설계해야 한다.

# '고갈된 최고값'의 함정
## (The 'Exhausted Maximum' Trap)

**위험:** 한계를 간과함(예: 시장의 한계).

**발생:** 실제로 존재하는 것보다 더 큰 기회가 존재한다고 생각할 때. 예를 들면, 다수의 표본 집단을 대상으로 테스트를 실시한다고 생각하지만 실제로는 해당 표본 집단이 잠재 고객 전체일 때.

**Tip**

실제로 참여한 피실험자들 외에도 잠재 고객이 더 존재한다는 것을 입증하는 테스트를 설계해야 한다.

# 오류 데이터의 함정
## (The Wrong Data Trap)

**위험:** 잘못된 곳에서 찾음.

**발생:** 잘못된 데이터를 살피는 바람에 어떤 기회를 단념하는 경우. 예를 들면, 당신이 테스트를 실시하고 있는 고객은 관심이 없지만 다른 어딘가에 관심을 갖는 사람들이 존재한다는 것을 깨닫지 못해서 어떤 아이디어를 단념하게 될 때.

**Tip**

곧바로 포기하지 말고 다시 처음으로 돌아가 다른 대안을 설계해야 한다.

# 테스트 카드

Strategyzer

테스트 명칭 | 마감 기한

책임자 | 지속 기간

STEP 1: 가설

## 우리가 믿고 있는 것

중요도:

STEP 2: 테스트

## 가설을 입증하기 위해 우리가 해야 할 일

테스트 비용: 데이터 신뢰도:

STEP 3: 측정

## 우리가 측정하는 것

필요 시간:

STEP 4: 기준

## 가설 입증 요건



The makers of Business Model Generation and Strategyzer

테스트 카드 다운로드하기

# 학습 카드

Strategyzer

통찰 명칭

학습일

책임자

STEP 1: 가설

## 우리가 믿고 있는 것

STEP 2: 관찰

## 우리가 관찰한 것

데이터 신뢰도:

STEP 3: 학습과 통찰

## 실험에서 우리가 배운 것

행동 요구 정도

STEP 4: 의사결정과 행동

## 그 결과, 앞으로 우리가 해야 할 일



학습 카드 다운로드하기

# 3.3 실험 도서관

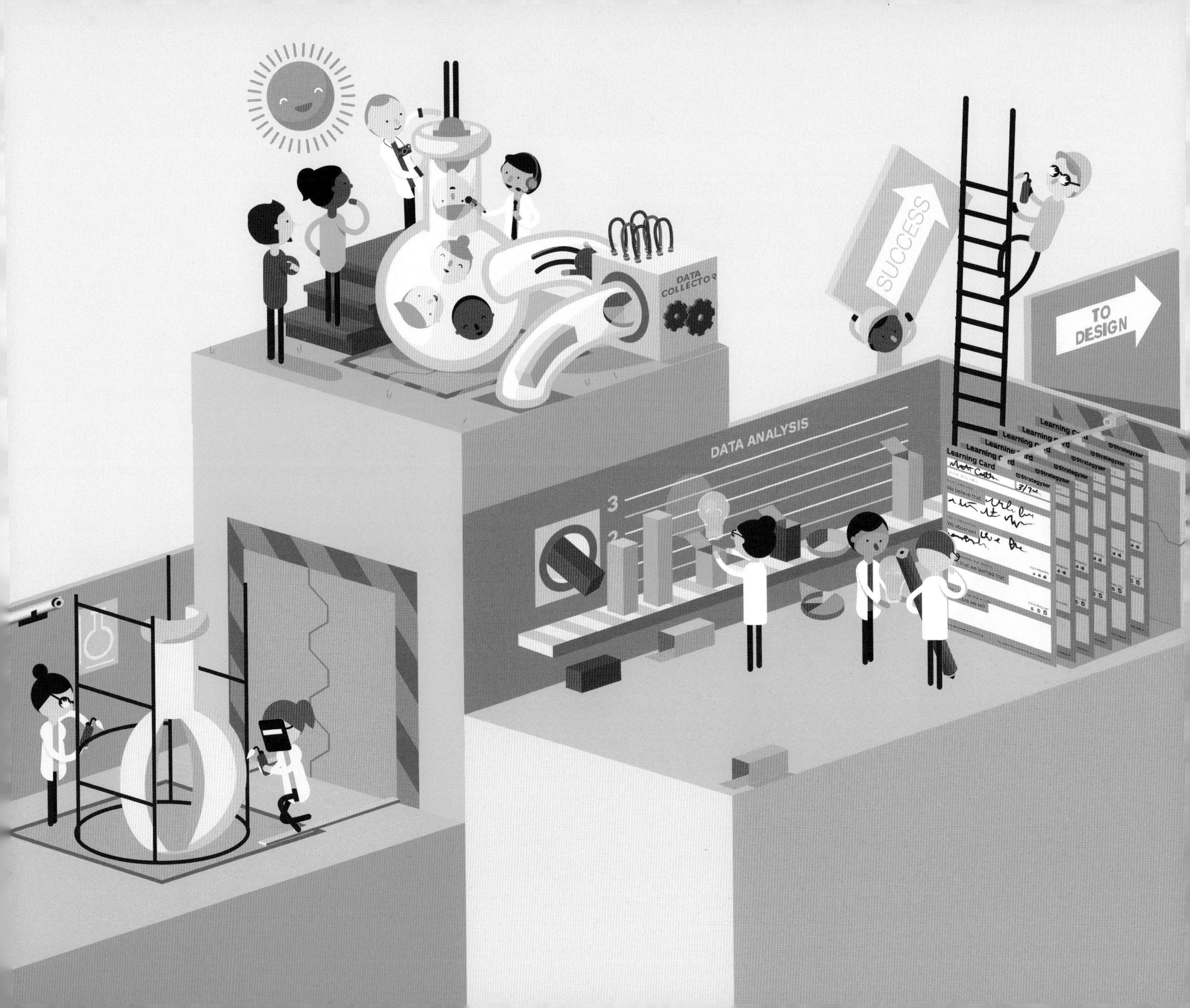
DATA COLLECTOR
SUCCESS
TO DESIGN
DATA ANALYSIS
3
2
Learning Card
Strategyzer
We believe that
We observed
that we learned that
Learning Card

# 실험 믹스 선택하기





모든 실험에는 장점과 단점이 존재한다. 어떤 것은 빠르고 저렴하지만 신뢰도 낮은 증거를 내놓는다. 하지만 어떤 실험은 신뢰도 높은 증거를 도출하지만 실험을 실시하는 데 시간과 비용이 많이 든다.

실험 믹스를 설계할 때는 비용, 데이터 신뢰도, 필요 시간 등을 잘 따져보아야 한다. 가장 바람직한 것은 불확실성이 높을 때는 비용이 저렴한 실험으로 시작하고, 확실성이 높아지면 실험 비용을 점점 더 많이 투입하는 것이다.

개념 정의

**실험**

***결과를 도출해서 가치 제안이나 비즈니스 모델의 가설이 사실인지 거짓인지를 입증해나가는 일련의 과정***

우리의 실험 도서관에 있는 것 중에서 선택하거나 당신의 상상력을 발휘해서 새로운 실험을 고안하라. 실험 믹스를 선택하고 구성할 때는 항상 다음 두 가지 사실을 유념하기 바란다.

**고객이 하는 말과 행동은 서로 일치하지 않는다**

일단 고객이 구두 증거를 제공하는 실험에서 출발한다. 그런 다음 고객의 행동과 참여를 유도(예: 프로토타입과의 상호작용)해서 말이 아닌 행동에 입각해서 좀 더 강력한 증거를 도출한다.

**고객은 당신이 있을 때와 없을 때 다르게 행동한다**

고객과 직접적으로 대면하는 동안에는 그들이 어떤 행동이나 말을 하는 이유를 이해할 수 있고 당신의 가치 제안에 대한 개선 방법에 관해 그들의 의견을 구할 수 있다. 하지만 당신이 그 자리에 있을 때와 없을 때, 고객의 행동이 달라질 수 있다.
오히려 고객을 간접적으로 관찰(예: 웹상에서 관찰)할 때 그들의 실제 모습에 더 가까이 접근할 수 있다. 고객과 상호작용을 하는 당신에 대해 어떠한 선입견도 작용하지 않기 때문이다. 그런 식으로 수치화된 데이터를 수집하고 당신이 유도한 특정 행동을 수행하는 고객이 얼마나 되는지 추적할 수 있다.

**Tip**

이런 방법들은 고객이 하는 말이 진심인지 여부를 입증하는 데 사용할 수 있다. 그들이 언급한 활동, 불만, 혜택이 사실인지, 그리고 그들이 당신의 제품과 서비스에 정말로 관심을 갖는지 보여주는 증거를 도출해내기 바란다.

**Tip**

이런 방법들은 고객이 당신의 프로토타입과 어떤 식으로 상호작용을 하는지 이해하는 데 효과적이다. 일반적으로 투자 비용이 많이 들어간다는 단점이 있지만 구체적이고 실행 가능한 피드백을 도출할 수 있다.

**Tip**

이런 방법들은 설계 프로세스의 초기 단계에 사용하는 것이 바람직하다. 왜냐하면 투자 비용이 적게 들고 통찰을 재빨리 끌어낼 수 있기 때문이다.

## 고객과 직접적으로 접촉

이유와 개선점 파악

## 고객과 간접적으로 접촉

필요 수량 파악

### 고객이 하는 행동
고객의 행동을 관찰하라

**실험실 연구**
- 프로토타입/MVP 학습(→ p.222)
- 실물 크기 프로토타입((→ p.226)
- 오즈의 마법사((→ p.223)

**인류학자형(→ p.114)**
현장 조사

**판매 행동**
- 모의 판매(→ p.236)
- 예약 판매(→ p.237)
- 크라우드펀딩(→ p.237)

**행동 추적하기**
- 광고 및 링크 추적(→ p.220)
- 랜딩 페이지(→ p.228)
- 분할 테스트(→ p.230)

### 고객이 하는 말
그들의 태도를 관찰하라

**참여형 설계 및 평가**
- 일러스트레이션, 스토리보드, 시나리오((→ p.224)
- 쾌속정(→ p.233)
- 제품 상자(→ p.234)
- 기능 구입(→ p.235)

**기자형 → p.110**
인터뷰

**탐정형 → p.108**
데이터 분석

Inspired by the work in user experience by Christian Rohner (NN).

# 콜투액션(Call to Action)을 이용해서 증거를 도출하라





실험을 통해 고객이 관심을 갖는지, 고객이 무엇을 선호하는지, 그리고 당신이 제공하는 것에 기꺼이 비용을 지불할 의사가 있는지 테스트해보라. 고객의 참여를 통해 효과적인 것과 그렇지 않은 것의 증거를 도출하려면 고객을 최대한 많이 콜투액션으로 유도해야 한다.

콜투액션을 수행하는 데 고객(피실험자)이 투자해야 하는 것이 많을수록 해당 고객이 관심을 많이 갖고 있다는 강력한 증거를 얻을 수 있다. 버튼 클릭, 설문 응답, 개인 이메일 제공, 예약 구매 등은 투자 수준이 제각각 다른 활동들이다. 그러므로 당신의 상황에 맞춰 적당한 실험을 선택하기 바란다.
낮은 수준의 투자 활동을 요구하는 콜투액션은 가치 제안 설계의 시작 단계에 알맞은 반면 높은 수준의 투자를 필요로 하는 콜투액션은 가치 제안 설계 활동의 후반부에 더 적합하다.

개념 정의

**콜투액션(CTA, Call to Action)**

*어떤 대상이 행동을 하도록 유도하는 것. 한 가지 또는 그 이상의 가설을 테스트하는 실험에 사용된다*

# 실험을 통해 다음과 같은 것들을 테스트하라

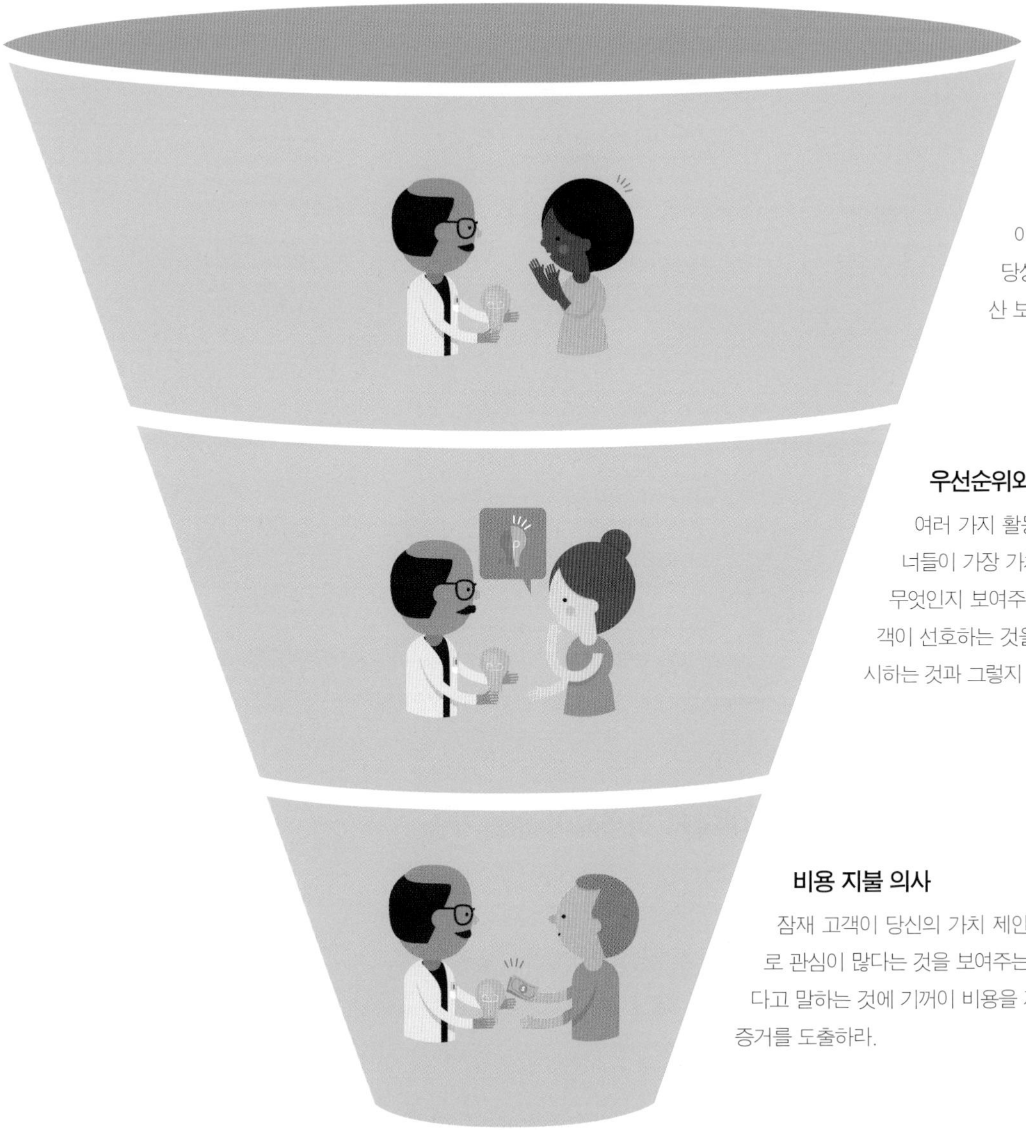

### 흥미와 타당성

잠재 고객과 파트너들이 실제로는 관심을 가지고 있지만 말로 표현하지 않는다는 것을 입증하라. 말로만 칭찬하는 것이 아니라 그들이 행동에 나서게 할 정도로 당신의 아이디어가 타당성이 있다는 것을 입증하라(예: 이메일 신청, 의사 결정자와 예산 보유자와의 회의, 동의서 등등).

### 우선순위와 선호도

여러 가지 활동, 불만, 혜택 중에서 당신의 잠재 고객과 파트너들이 가장 가치 높게 평가하는 것과 가장 낮게 평가하는 것이 무엇인지 보여주어야 한다. 당신의 가치 제안의 특징 가운데 고객이 선호하는 것을 보여주는 증거를 제시하라. 그들이 정말 중요시하는 것과 그렇지 않은 것을 입증하라.

### 비용 지불 의사

잠재 고객이 당신의 가치 제안의 특징에 비용을 지불할 정도로 관심이 많다는 것을 보여주는 증거를 제시하라. 자신들이 좋다고 말하는 것에 기꺼이 비용을 지불할 의사가 있음을 보여주는 증거를 도출하라.

# 광고 트래킹(Ad Tracking)

광고 트래킹을 이용해서도 잠재 고객의 활동, 불만, 혜택은 물론 새로운 가치 제안에 대한 관심 여부를 탐색할 수 있다. 이것은 광고 회사 사이에서 광고비 지출의 효율성을 측정할 수 있는 확실한 방법으로 통한다. 가치 제안이 아직 만들어지기 전이라 하더라도 이 방법을 사용하면 고객의 관심을 탐색해볼 수 있다.



## 구글 애드워즈로 고객의 관심을 테스트해보라

이 방법을 설명하면서 우리가 구글 애드워즈를 사용하는 이유는 무엇보다도 광고를 위해 검색 용어를 활용하는 테스트에 아주 적합하기 때문이다(링크드인(LinkedIn)과 페이스북 같은 다른 서비스들 역시 아주 효과적이다).

1. **검색 용어 선택하기**
   당신이 테스트하고자 하는 것을 잘 대변해주는 검색 용어를 선택하라(예: 당신의 가치 제안에 부합하는 고객 활동, 불만, 혜택의 존재 또는 그에 대한 고객의 관심).

2. **광고/테스트 설계하기**
   헤드라인이 있는 테스트 광고를 설계하고 랜딩 페이지에 연결해서 광고를 한다. 당신이 테스트하고자 하는 것이 분명히 드러나야 한다.

3. **광고 캠페인 개시하기**
   광고/테스트 예산을 정한 후 활동을 개시한다. 당신의 광고를 클릭했을 때에만 돈을 지불한다. 사람들의 클릭은 곧 관심을 의미한다.

4. **클릭 수 측정하기**
   얼마나 많은 사람들이 당신의 광고를 클릭했는지 확인한다. 전혀 클릭을 하지 않았다는 것은 관심이 없다는 뜻이다.

## 어디에 적용해야 하는가?

특정 가치 제안에 대한 관심, 고객 활동, 불만, 혜택의 존재 여부를 알고 싶다면 프로세스 초기에 관심도를 테스트하라.

# 특별 링크 트래킹

잠재 고객 또는 파트너들이 회의, 인터뷰, 또는 전화에서 하는 이야기 뒤에 숨은 진심을 파악하기 위해서는 특별한 링크 트래킹을 만들어야 한다. 이 방법을 사용하면 그들이 정말 관심을 갖고 있는지 아주 간단하게 측정할 수 있다.

### 어디에 적용해야 하는가?

이것은 어디에나 효과적이지만 특히 공업 제품, 의료 기기 분야처럼 최소 기능 제품의 제작이 어려운 업계에 유용하다.

1

**특별 링크 '제작'하기**

구글 같은 서비스를 이용해서 추적이 가능한 특별 링크를 만들면 당신의 아이디어에 관해 좀 더 세부적인 정보를 얻을 수 있다.

2

**설명 및 추적하기**

잠재 고객이나 파트너에게 당신의 아이디어를 설명하라. 회의 중간이나 회의가 끝난 후에 이메일을 통해 상대방에게 특별 링크를 제공하고 거기에 더 자세한 내용이 소개되어 있다는 사실을 언급한다.

3

**진짜 관심도 파악하기**

해당 고객이 그 링크를 사용하는지 추적하라. 만약 그 링크를 사용하지 않는다면 관심이 없거나 당신의 아이디어가 초점을 맞추고 있는 것보다 더 중요한 활동, 불만, 혜택이 존재한다는 의미일 수 있다.

# MVP 카탈로그

MVP는 Minimum Viable Product의 약자로, 최소 기능 제품을 뜻한다. 린 스타트-업 운동을 통해 대중화된 개념으로, 특정 제품을 완벽한 상태로 제작하기에 앞서 그에 대한 관심도를 효율적으로 테스트하기 위해 만드는 것이다. 우리는 새로운 용어를 고안하기보다 이런 기존 용어를 고수하면서 가치 제안 테스트에 맞춰 조정하는 쪽을 선택했다.

## 가치 제안을 잘 대변해 주는 것을 이용해서 '진짜 존재하는 것'처럼 만들어라

잠재 고객과 파트너들을 상대로 테스트할 때 무언가를 실행에 옮기기 전에 아래의 방법들을 사용해서 당신의 가치 제안이 실제로 존재하는 것처럼 만들어보라.

### 이 책에서 말하는 최소 기능 제품이란?

가치 제안을 그대로 대변해주는 사물이나 프로토타입으로 하나 또는 그 이상의 가설들의 타당성을 테스트하기 위해 제작되는 것.

최소 기능 제품을 만드는 목적은 최대한 신속하고, 저렴하고, 효율적으로 테스트를 해보기 위해서다. 잠재 고객과 파트너의 관심을 탐색하는데 주로 사용된다.

**Tip**

예산이 풍부한 대기업도 테스트는 저렴하게 시작하는 것이 바람직하다. 예를 들면, 전문가들을 동원해 동영상을 제작하는 식으로 테스트 활동을 확대하기 전에 스마트폰을 이용해서 해당 동영상에 대한 사람들의 반응을 유도하고 테스트해보는 것이다.

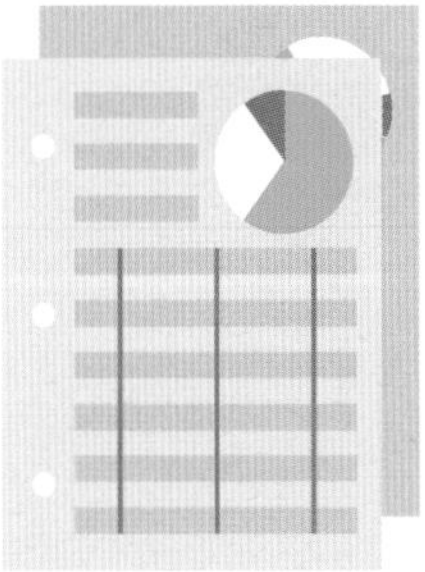

**데이터 시트**(Data Sheet)

당신이 생각하는 가치 제안에 대해 상세히 설명해준다.
필요한 것: 워드 프로세서

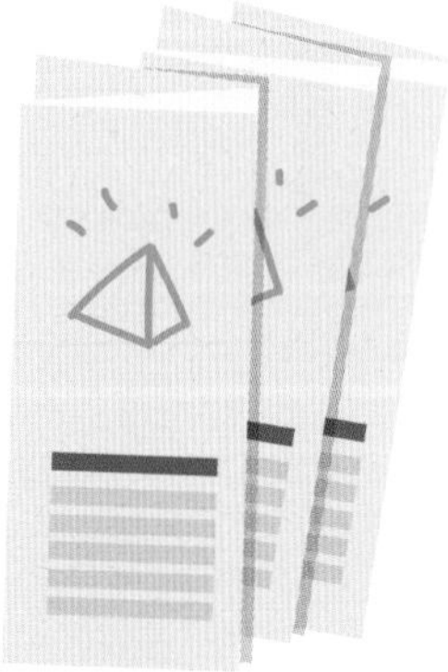

**카탈로그**

당신이 생각하는 가치 제안을 보여주는 실물 크기의 카탈로그.
필요한 것: 워드 프로세서, 디자인 기술

**스토리보드**(Storyboard)

당신이 생각하고 있는 가치 제안을 소개하는 고객 시나리오 제시.
필요한 것: 스케치 전문가

**랜딩 페이지**(Landing Page)

당신이 생각하는 가치 제안을 개략적으로 보여주는 웹 사이트. 대부분 콜투액션을 갖추고 있다.

필요한 것: 웹 디자이너

**제품 상자**

당신이 생각하는 가치 제안의 프로토타입 포장물.

필요한 것: 포장 디자이너, 프로토타입 실행

**동영상**

당신이 생각하는 가치 제안이나 작동 방식을 소개하는 영상.

필요한 것: 동영상 제작자

# 기능에 초점을 맞춘 최소 기능 제품을 이용해서 학습하라

학습 활동에 특별히 초점을 맞춰 설계된 프로토타입을 잠재 고객과 파트너들에게 실험해보라.

**학습용 프로토타입**

당신의 가치 제안의 기능적 측면을 부각시킨 프로토타입으로 학습에 필요한 가장 기본적인 특성들을 갖추고 있다.

필요한 것: 제품 개발

**오즈의 마법사**

앞면은 가치 제안이 실제로 작동하는 것처럼 꾸민다. 보통 자동으로 작동되는 제품이나 서비스의 기능을 수동으로 실행한다.

필요한 것: 육체노동

# 삽화, 스토리보드, 시나리오

당신의 가치 제안 아이디어와 관련된 삽화, 스토리보드, 시나리오를 당신의 잠재 고객에게 보여주라. 그래야만 그들에게 정말 중요한 것이 무엇인지 알아낼 수 있다. 신속하고 저렴하게 제작할 수 있는 이런 도구들을 활용하면 아주 복잡한 가치 제안도 구체적으로 표현할 수 있게 된다.

### Tips

- B2B 환경에서는 사용자, 예산 집행자, 의사 결정자 등 중요한 고객 세그먼트에 맞춰 각각의 가치 제안을 고안해야 한다.
- 기존 회사의 경우, 이 프로세스에 고객을 직접 대면하는 직원들을 반드시 포함시켜야 한다. 특히 삽화를 소개하기 위해 동의를 얻고 고객에게 접근할 때 이런 직원들이 필요하다.
- 모의 데이터 시트나 카탈로그, 동영상을 통해 삽화의 미진한 부분을 보완하면 당신의 아이디어를 훨씬 더 구체화시킬 수 있게 된다.
- 약간 다른 시나리오를 이용해서 A/B 테스트를 진행하면 어떤 변화가 가장 많은 관심을 유발하는지 쉽게 포착할 수 있다.
- 일반적으로 고객 세그먼트별로 4~5번 정도 회의를 실시해야 의미 있는 피드백을 충분히 생성할 수 있다.
- 고객 관계를 활용하고 좀 더 정교한 프로토타입을 이용해서 프로세스를 차후에 다시 반복하라.

Process adapted from Christian Doll, bicdo.de.

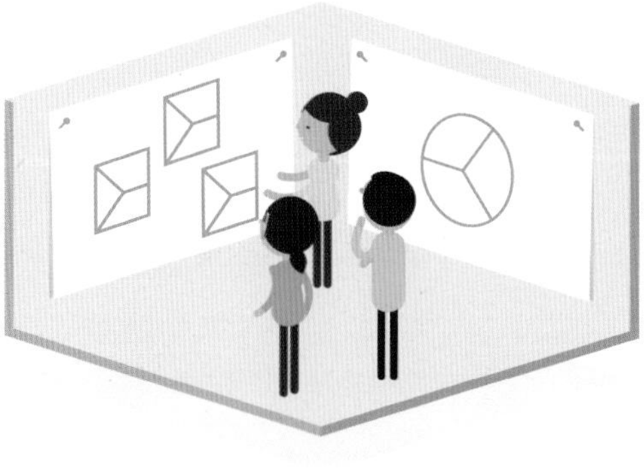

**1**

### 다른 가치 제안을 프로토타입하라

동일한 고객 세그먼트에 대해 몇 가지 대안 프로토타입을 제시하라. 다양성(예: 8~12가지 정도의 근본적으로 상이한 가치 제안)과 변형(예: 약간씩 차이가 나는 대안)을 시도하라.

**2**

### 시나리오를 정하라

실제 상황에서 고객이 각각의 가치 제안을 어떤 식으로 경험하게 될지 설명해주는 시나리오와 스토리보드를 대략적으로 만들어라.

**3**

### 설득력 있게 시각화하라

일러스트레이터를 투입해서 당신이 작성한 것들을 설득력 있는 그림으로 만들어라. 이런 그림은 고객 경험을 명확하고 구체적으로 표현해준다. 가치 제안별로 삽화를 하나씩 만들어도 되고 전체 스토리보드를 만들어도 무방하다.

# 고객에게 물어볼 질문:

당신에게 맞는 가치를 창출해주는 가치 제안은 어떤 것인가?

우리가 계속 추진해야 할 가치 제안은 무엇이고, 포기해야 할 가치 제안은 어떤 것인가?

각각의 가치 제안에 대해 좀 더 깊숙이 들어가자. 활동, 불만, 혜택에 주목하면서 다음과 같은 질문을 던져보라.

- 여기에서 빠진 것은 무엇인가?
- 한쪽으로 제쳐두어야 할 것은 무엇인가?
- 추가해야 할 것은 무엇인가?
- 축소해야 할 것은 무엇인가?
- 질적 피드백을 얻고 싶다면 항상 이유를 물어보라.

## 4
### 고객을 상대로 테스트하기

고객과 직접 만나 상이한 삽화, 시나리오, 스토리보드를 보여주면서 대화를 시작하라. 그런 다음 반응을 유도하고 그들이 중요시하는 것을 알아내라. 가치가 가장 높은 것부터 가장 낮은 것까지 가치 제안의 순위를 매겨달라고 부탁하라.

## 5
### 보고 및 조정 활동

고객과의 만남에서 얻은 통찰을 바탕으로 계속 탐색해야 할 가치 제안, 폐기 처분해야 할 가치 제안, 조정해야 할 가치 제안을 결정하라.

# 실물 크기의 실험

고객에게 실물 크기의 프로토타입, 실제와 똑같이 재현한 서비스를 경험하게 해준다. 좀 더 복잡한 환경이지만 신속함과 저렴함이라는 프로토타이핑 원칙을 고수하면서 고객 통찰을 모아야 한다. 여기에 콜투액션을 추가해서 고객의 관심을 입증하라.

### 콘셉트카(Concept Cars)와 실물 크기의 프로토타입

콘셉트카는 것은 새로운 디자인과 첨단 기술을 선보이기 위해 제작된 자동차다. 이런 자동차를 제작하는 이유는 곧바로 대량 제작에 들어가기에 앞서 고객의 반응을 살펴보기 위해서다.

릿 모터스(Lit Motors)는 린 스타트-업 원칙을 적용해서 100% 전기로만 가동되고 회전도 안정적인 이륜구동 자동차 프로토타입을 고객에게 테스트했다. 이것은 완전히 새로운 개념의 자동차였기 때문에 릿 모터스는 아주 초기 단계에서부터 고객의 인식과 수용 정도를 파악할 필요가 있었다.

뿐만 아니라 릿 모터스는 그런 프로토타입에 대한 초기 상호작용 이면에 존재하는 고객의 관심을 입증하기 위해 콜투액션을 추가했다. 250~10,000달러 정도의 보증금을 걸면 고객이 이 차를 사전 예약할 수 있게 한 것이다. 보증금은 자동차가 준비될 때까지 유보자금 계정에 넣어두는데 보증금 액수가 많아질수록 예약자 명단에서 순위가 올라가게 된다.

## 프로토타입 전시장

고객과 함께 제품/서비스 경험을 창조하고 새로운 통찰을 얻기 위해서 고객 행동을 관찰하는 공간이다. 잠재 고객을 이곳으로 초대해서 각자 완벽한 경험을 창조할 수 있게 해준다. 업계 전문가들도 함께 초대하면 새로운 개념과 아이디어를 수립하고 테스트하는 데 도움이 될 수 있다.

매리어트(Marriott) 호텔은 본사 지하에 언더그라운드(Underground)라는 프로토타이핑 공간을 마련했다. 고객과 전문가들을 초대해 호텔 객실과 여타 공간들을 함께 창조하면서 미래의 호텔을 직접 경험해보게 하는 것이다. 그들은 가구, 전기 콘센트, 전자 장치 등을 새로 추가할 때마다 호텔 객실을 그대로 재현한 모형 객실로 고객을 초대한다. 이런 모형 객실은 목적에 따라 얼마든지 변경이 가능하다.





### Tips

- 콜투액션을 이용해서 실제와 똑같은 프로토타입과 서비스 경험을 입증해야 한다. 고객은 실제 현실이라면 기꺼이 지갑을 열지 않겠지만 프로토타입 환경에서는 항상 완벽한 경험을 창조하고 싶어 할 것이다.
- 실물 크기의 프로토타입과 실제와 똑같은 서비스 경험을 선보이기에 앞서 좀 더 신속하고 저렴한 입증 방법을 사용하라.
- 이런 형태의 프로토타입 제작 비용이 감당이 안 될 정도로 과도해서는 안 된다. 피실험자들에게 실제에 가까운 경험을 제공하면서도 최대한 신속하고 저렴하게 프로토타입을 제작한다는 원칙을 고수해야 한다.

# 랜딩 페이지(Landing Page)

랜딩 페이지 최소 기능 제품은 가치 제안을 설명하거나 몇 가지 측면을 소개하는 단일 웹 페이지나 웹 사이트인 경우가 대부분이다. 웹 사이트 방문객은 콜투액션을 수행하게 되는데 이를 통해 실험자는 하나 또는 그 이상의 가설들을 입증하게 된다. 랜딩 페이지 최소 기능 제품에서 중요한 학습 도구는 해당 사이트의 방문자 수에서 콜투액션(예: 이메일 신청, 모의 구매)을 수행하는 방문자 수로의 전환 비율이다.

## 랜딩 페이지 최소 기능 제품의 목적은 하나 또는 그 이상의 가설을 입증하는 것이지 이메일 주소를 수집하거나 제품을 판매하는 것이 아니다. 그런 것은 실험의 기분 좋은 부산물에 불과하다.

### 언제 하는가?

당신이 해결하려고 하는 활동, 불만, 혜택이나 당신의 가치 제안이 고객의 행동 수행에 얼마나 중요한 의미를 갖는지 알고 싶다면 초기에 테스트를 실시해야 한다.

### 변형

보다 효과적인 대안이나 선호도를 조사하고 싶다면 여기에 분할 테스트를 결합할 수 있다. 히트 맵(Heat Maps)을 이용해서 클릭 활동을 측정하면 당신의 웹 페이지에서 방문객들이 가장 많이 클릭하는 부분을 확인할 수 있다.

가치 맵을 이용해서 랜딩 페이지에 당신의 가치 제안을 소개하는 헤드라인과 본문을 작성하라.

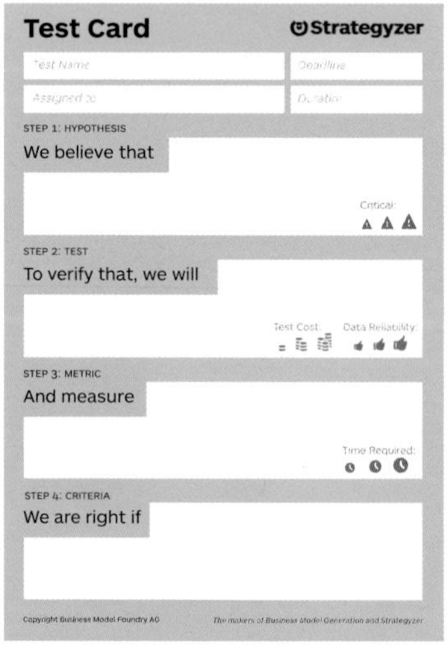
Test Card
Strategyzer
Test Name
Deadline
Assigned to
Duration
STEP 1: HYPOTHESIS
We believe that
Critical:
STEP 2: TEST
To verify that, we will
Test Cost:
Data Reliability:
STEP 3: METRIC
And measure
Time Required:
STEP 4: CRITERIA
We are right if
Copyright Business Model Foundry AG
The makers of Business Model Generation and Strategyzer

당신의 학습 목표에 입각해서 콜투액션, 랜딩 페이지, 트래픽 발생을 설계하라.

### 트래픽

광고나 소셜 미디어, 당신의 기존 채널을 활용해서 랜딩 페이지로의 트래픽을 유도하라. 그저 아무나가 아니라 당신이 파악하고자 하는 타깃 고객에게 역점을 두어야 한다.

### 헤드라인

당신의 잠재 고객에게 호소할 수 있고 당신의 가치 제안을 소개할 수 있는 헤드라인을 작성하라.

### 가치 제안

앞에서 소개한 방법을 이용해서 잠재 고객에게 당신의 가치 제안을 명확하고 구체적으로 이해시켜야 한다.

### 콜투액션

웹 사이트 방문객이 어떤 행동을 하도록 유도하라. 단, 거기에서 무언가를 알아낼 수 있는 행동이어야 한다(예: 이메일 신청, 설문조사, 모의 구매, 예약 구매). 최적화된 학습을 위해서는 콜투액션에 한계를 설정해야 한다.

### 지원 활동

콜투액션을 수행한 사람들에게 접근해서 그런 행동을 취한 이유를 물어보고 그들의 활동, 불만, 혜택도 확인한다. 이를 위해서는 콜투액션 속에서 연락 정보 수집 활동이 이루어져야 한다.

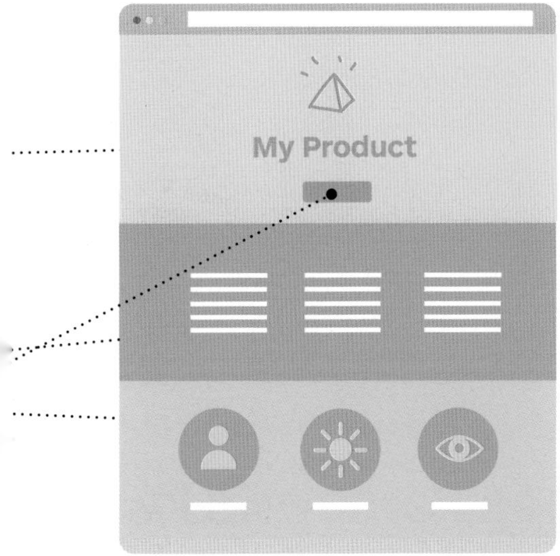


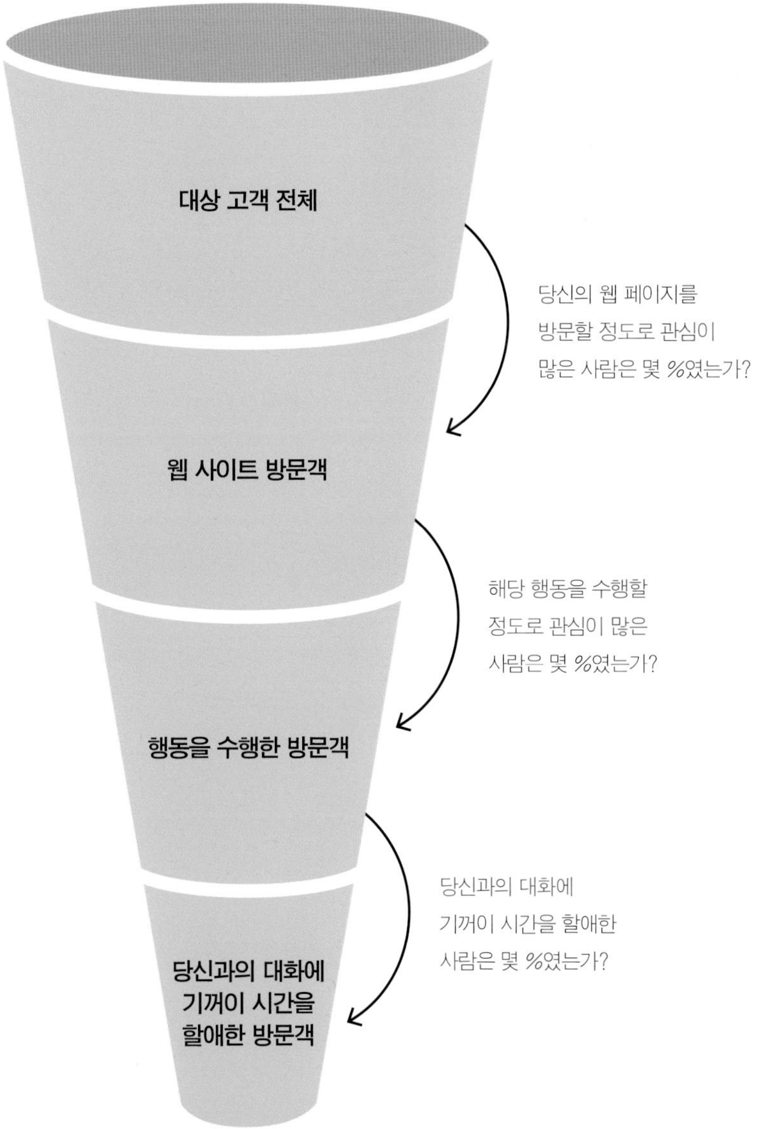


### Tips

- 아직 존재하지 않더라도 어떤 가치 제안이 실제로 존재하는 것 같은 랜딩 페이지 최소 기능 제품을 만들어야 한다. 콜투액션에서 얻은 통찰이 현실(예: 모의 판매)에 근접할수록, 계획 중인 가치 제안에 대한 이메일 신청이나 예약 구매보다 훨씬 더 실질적인 증거가 되어줄 수 있다.
- 특정 가치 제안의 존재에 대해 거짓말을 했다면 실험이 끝난 후, 피실험자들에게 솔직히 털어놓아야 한다. 실험에 참여해준 사람들에게 보상을 제공하는 것도 고려해볼 만하다.
- 랜딩 페이지 최소 기능 제품은 별도의 웹 페이지를 만들거나 아니면 기존의 웹 사이트 내에 마련할 수 있다.

# 분할 테스트 (Split Testing)

A/B 테스트라고도 부르는 분할 테스트는 2개 또는 그 이상의 옵션의 성과를 비교할 때 많이 사용되는 방법이다. 우리는 고객을 상대로 대안 가치 제안의 성과를 비교하거나 더 많은 활동, 불만, 혜택을 알아내는 데 이 방법을 사용하려고 한다.

통제

8%

동일한 수의 사람들을 당신이 테스트하려고 하는 상이한 옵션들로 보내라.

당신의 콜투액션과 관련해서 옵션별 성과를 서로 비교하라.

도전

20%

## 분할 테스트 실시하기

분할 테스트의 가장 일반적인 형태는 어떤 웹 페이지나 특정 목적으로 제작된 랜딩 페이지에 두 가지 또는 그 이상의 변형을 가해서 테스트를 하는 것이다(예: 디자인을 변경하거나 가치 제안의 윤곽을 약간 혹은 완전히 다르게 하는 것 등이 이런 변형에 해당된다). 2008년 오바마 대선 캠페인과 구글, 링크드인 같은 회사들이 사용해서 대중화시킨 이 방법은 물리적 세계에서도 얼마든지 실시할 수 있다. 주된 학습 도구는 특정 콜투액션과 관련된 전환 비율이 경쟁 관계에 있는 대안들과 얼마나 차이가 나는지 비교하는 것이다.

## 무엇을 테스트할 것인가?

A/B 테스트를 손쉽게 실시할 수 있는 몇 가지 요소들을 소개하면 다음과 같다.

- 안적 기능들
- 가격
- 할인
- 카피 문구/텍스트 복사
- 포장재
- 웹 사이트 변형
- …

## 콜투액션

아래와 같은 콜투액션을 수행하는 피실험자는 몇 명인가?

- 구매
- 이메일 신청
- 버튼 클릭
- 설문
- 기타 임무 완료

## 이 책의 제목에 대한 분할 테스트

이 책의 제목을 정하기 위해 우리는 몇 차례에 걸쳐 분할 테스트를 실시했다. businessmodelgeneration.com에서 세 가지 책 제목 테스트로 트래픽을 전송한 것이다. 5주가 넘는 기간 동안 12만 명 이상이 이 테스트에 참여했다.
우리는 여기에서 몇 가지 콜투액션을 사용했다. 첫 번째는 간단히 '보다 자세한 정보 제공'이라고 적힌 버튼을 클릭하는 것이었다. 두 번째는 사람들이 각자의 이메일을 통해 이 책의 품평 신청을 하게 하는 것이었다. 마지막 콜투액션은 고객의 활동, 불만, 혜택에 대해 좀 더 자세히 파악하기 위해 설문지에 응답해줄 것을 요청했다. 그에 대한 작은 보상으로 우리는 사람들에게 가치 제안 캔버스를 설명하는 동영상을 제공했다.

Tips

- 무엇이 좀 더 나은 성과를 도출하는지 명확히 파악하고 싶다면 도전적인 옵션에 한 가지 변형을 가해 테스트해보라.
- 어떤 식의 결합이 가장 큰 충격을 유발하는지 알고 싶다면 다변량 실험(Multivariate Testing)을 이용한 테스트를 실시하라.
- 피실험자들의 관심을 끌고 싶다면 구글 애드워즈나 기타 옵션을 사용하라.
- 95% 이상의 통계적 유의성에 도달해야 한다.
- 구글 웹사이트 옵티마이저(Google Website Optimizer)나 옵티마이즐리(Optimizely) 같은 도구를 사용하면 분할 테스트를 손쉽게 실시할 수 있다.

전환 비율: 8.51 % 6.62 % 8.21%

# 이노베이션 게임(Innovation Game)

루크 호만(Luke Hohmann)이 대중화시킨 이노베이션 게임은 잠재 고객과의 공동 플레이를 통해 더 나은 가치 제안을 설계할 수 있게 해준다. 이 게임은 온라인과 직접 플레이 모두 가능한데 우리는 여기에서 그 중 세 가지를 소개하려고 한다.

우리가 지금부터 소개하게 될 세 가지의 이노베이션 게임은 다양한 방식으로 사용이 가능하다. 가치 제안 캔버스 및 관련 가설들에 도움이 될 수 있는 세 가지 특정 과제를 간단히 설명하면 다음과 같다.

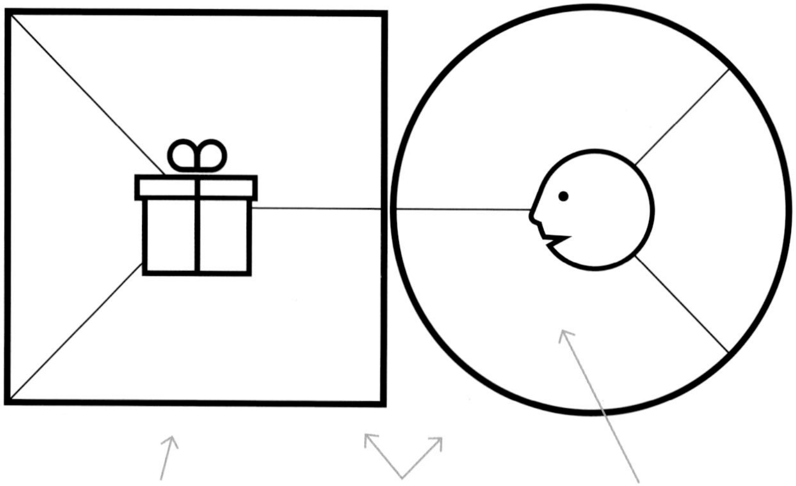

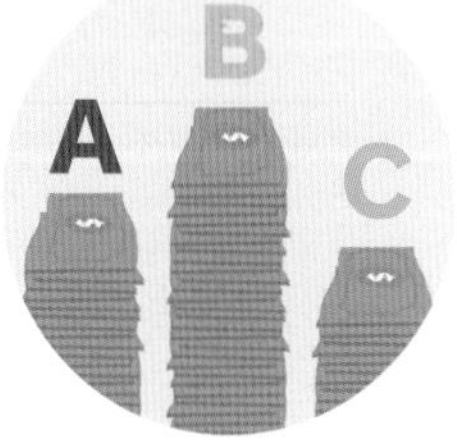


**기능 구입하기**

과제: 고객이 가장 원하는 순서대로 기능의 우선순위를 매긴다.

**제품 상자**

과제: 고객의 활동, 불만, 혜택과 고객이 좋아할 만한 가치 제안을 파악한다.

**쾌속정**(Speed Boat)

과제: 고객의 활동 수행을 가로막는 가장 극심한 불만을 찾아낸다.

Hohmann, Innovation Games, 2006.

# 쾌속정

고객 불만에 대해 당신이 얼마나 이해하고 있는지 확인할 수 있게 해주는 이 게임은 간단하면서 강력한 효과를 발휘한다. 한 마디로 활동 수행을 가로막는 문제점, 장애물, 위험 부담을 쾌속정을 묶고 있는 닻에 비유하는 것이다. 고객 각각이 느끼는 문제점, 장애물, 위험 부담을 명확하게 진술하도록 유도해야 한다.

## 1

### 준비

바다에 떠있는 쾌속정 그림의 대형 포스터를 준비하라.

## 2

### 불만 파악하기

고객을 초대해서 그들의 성공적 활동 수행을 방해하는 문제, 장애물, 위험 부담을 파악한 후 각각의 내용을 커다란 포스트잇에 적게 한다. 그런 다음 각각의 포스트잇을 쾌속정을 묶고 있는 닻 위에 붙여 달라고 요청하라. 더 낮은 곳에 위치한 닻일수록 더 극심한 불만을 나타낸다.

## 3

### 분석하기

고객의 활동 수행을 가로막는 장애물에 대해 그 전까지 알고 있던 것과 이 실험에서 얻은 결과를 서로 비교해본다.

**Tips**

- 이 방법은 고객 불만을 파악하는 설계 단계나 당신의 기존 이해를 확인하는 테스트 단계에서 사용할 수 있다.
- 불만과 혜택을 동시에 작업하고 싶다면 닻과 돛이 함께 달린 배 그림을 사용하면 된다. 닻은 사람들의 활동을 방해하는 상징물로 사용하고 돛에는 '쾌속정이 더 빨리 달릴 수 있게 해주는 것은 무엇인가?'라는 질문의 대답을 붙이게 하는 것이다.

# 제품 상자

고객에게 제품 상자를 디자인해달라고 요청한다. 단, 당신에게서 구입하고 싶은 가치 제안이 제품 상자에 잘 드러나야 한다는 조건을 명시해야 한다. 고객이 중요시하는 것, 그들을 흥분시키는 기능을 알게 될 것이다.

## 1

### 설계하기

워크숍에 초대한 고객에게 카드 보드지로 만든 상자를 한 개씩 나눠준 다음, 각자가 구입하고 싶은 제품 상자를 글자로 디자인해달라고 부탁한다. 문구에는 마케팅의 핵심 메시지는 물론 고객이 당신의 가치 제안에서 기대하는 주요 이점이 들어가야 한다.

## 2

### 홍보하기

고객에게 무역 박람회에서 당신의 물건을 판매하는 자신의 모습을 상상해보게 한다. 그런 다음, 의구심 많은 관람객 연기를 하는 당신을 상대로 제품 상자를 홍보하게 하는 것이다.

## 3

### 정리하기

제품 상자를 홍보하면서 고객이 언급하는 메시지, 기능, 이점은 무엇이고 그들이 특별히 강조하는 측면은 무엇인지 관찰하고 기록한다.

# 기능 구매하기

이것은 아직 존재하지는 않지만 사전에 정한 가치 제안 기능에 대해 고객이 우선순위를 매기게 하는 복잡한 게임이다. 각자가 선호하는 기능을 구입하기 위해 고객이 사용할 수 있는 가짜 지폐는 한정되어 있다. 그리고 당신은 현실 세계의 요인을 감안해서 이런 기능의 가격을 책정한다.

| 기능 | 가격 | $35 | $35 | $35 | 전체 예산 | 구입 의사 |
|---|---|---|---|---|---|---|
| | $35 | 20 | 0 | 10 | -5 | 아니오 |
| | $50 | 5 | 0 | 0 | -45 | 아니오 |
| | $70 | 10 | 35 | 25 | 0 | 예 |

## 1
### 기능을 선택하고 가격을 책정하라

고객 선호도를 테스트해보고 싶은 기능을 선택하라. 개발 비용, 시장 가격 등 당신에게 중요한 요인들을 바탕으로 각 기능의 가격을 책정한다.

## 2
### 예산을 정하라

기능 구입은 그룹 단위로 이루어지지만 각각의 참가자들은 개별적으로 할당할 수 있는 개인 예산을 갖게 된다. 그런 개인 예산은 참가자들이 서로의 자금을 모아야만 무언가를 구입할 수 있을 정도의 소액이어야 하고 전체 예산은 그들이 원하는 기능들을 모두 구입할 수 없고 그중에서 선택을 해야 하는 액수여야 한다.

## 3
### 참가자가 구입하게 하라

참가자에게 그들이 원하는 기능에 예산을 할당하게 하라. 더 많은 기능을 구매하기 위해서는 다른 사람들과 돈을 모아야 한다는 것을 알려주라.

## 4
### 결과를 분석하라

사람들이 가장 많은 관심을 기울이고 구입하는 기능은 무엇이고 그렇지 못한 기능은 무엇인지 분석하라.

# 모의 판매

고객의 진짜 관심도를 테스트할 수 있는 가장 좋은 방법은 가치 제안을 내놓기 전에 모의실험을 해보는 것이다. 이 활동의 목표는 고객이 진짜로 구매를 했다고 믿게 하는 것이다. 온라인과 같은 가상의 공간에서 쉽게 할 수 있는 이런 모의 판매는 현실 세계에서도 얼마든지 수행 가능하다.

## 온라인

다음과 같은 세 가지 실험을 통해 고객 몰입도의 상이한 수준들을 테스트해보라.

'지금 구입' 버튼을 클릭하는 사람들이 얼마나 되는지 측정해서 고객의 관심을 알아보는 것이다.

가격 책정이 고객의 관심도에 얼마나 영향을 미치는지 알아보라. 수요 탄력성과 최적화 가격을 좀 더 알아보고 싶다면 여기에 A/B 테스트(→P.230)를 결합하라.

고객의 신용 카드 정보로 거래 시뮬레이션을 실시해서 확실한 근거가 되어줄 데이터를 확보한다. 고객 수요에 관해 아주 강력한 증거가 되어줄 것이다(고객 인식 관리 방법은 P.237을 참조하기 바란다).

## 현실 세계

모의 판매는 온라인에만 국한된 활동이 아니다. 현실 세계의 소매업자들도 다음과 같은 활동을 실시해서 가격 책정과 고객 관심도를 테스트해볼 수 있다.

한정 제작한 우편 주문 카탈로그에 아직 존재하지 않은 제품들을 소개한다.

한정된 시간 동안 특정 소매점에서 제품을 판매한다(이것이 일반적으로 시장 전체에 선보이는 시범 판매와의 차이점이다).

# 예약 판매

이런 예약 판매를 실시하는 목적은 판매가 아니라 고객의 관심도를 탐색하는 것이다. 고객은 제품 구매 약속을 하지만 당신의 가치 제안이 아직 완벽한 상태로 존재하지 않는다는 것을 잘 알고 있다. 관심이 부족할 경우, 해당 판매는 취소되고 고객은 환불을 받게 된다.

**Tips**

모의 판매로 인해 고객이 당신의 브랜드에 등을 돌리는 등 부정적 결과가 발생할까봐 걱정하지 않아도 된다. 고객 인식을 잘 관리하면 모의 판매가 오히려 당신에게 유리한 방향으로 작용할 수도 있다. 아래와 같은 모범 사례들을 바탕으로 모의 판매 계획을 수립해보기 바란다.

- 고객이 모의 구매를 완수하고 나면 그것이 테스트였음을 고백한다.
- 당신이 계속 보유하거나 제거할 정보를 명백하게 밝힌다.
- 모의 구매에서 신용카드 정보는 항상 제거한다.
- 테스트에 참여한 사람들에게 보상을 제공한다(예: 맛있는 것, 할인).

고객 인식을 잘 관리하면 피실험자들이 당신의 브랜드를 배척하는 것이 아니라 더 지지하도록 유도할 수 있다.

**주의**

성공적인 예약 판매는 하나의 지표에 불과하다는 것을 명심해야 한다. 안드로이드 기반의 비디오 게임 콘솔인 오우야(Ouya)는 킥스타터(Kickstarter)로 수백만 달러의 예약 판매금을 확보했지만 나중에 대규모 고객 집단을 끌어 모으고 측정 가능한 비즈니스 모델을 설계하는 데는 실패하고 말았다.

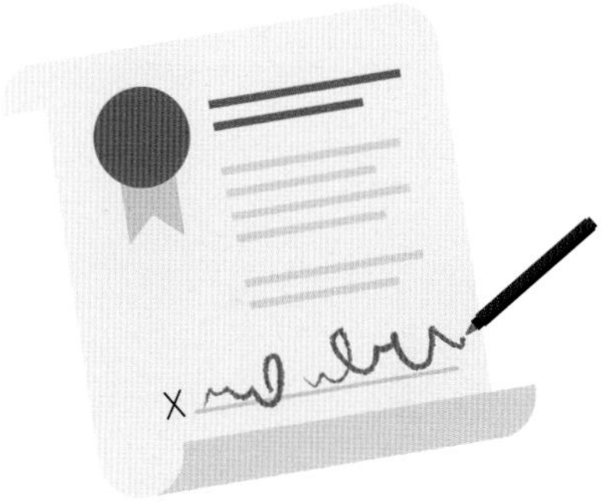

## 온라인

예약 판매를 대중화시킨 킥스타터 같은 플랫폼 덕분에 당신은 특정 프로젝트를 광고할 수 있게 되었다. 해당 프로젝트가 마음에 드는 고객은 지불 약속을 할 수 있고 프로젝트는 사전에 정한 기금 목표액을 달성했을 때에만 기금을 받을 수 있다. 필요한 인프라를 구축해야 할 때는 이런 예약 판매 프로세스를 가동할 수 있다.

## 현실 세계

법적 구속력은 없지만 약속, 동의서, 서명 역시 잠재 고객의 구매 의사를 테스트할 수 있는 효과적인 방법이다. 이것은 B2B 환경에도 얼마든지 적용 가능하다.

# 3.4 종합하기

STARTING POINTS
OBSERVATION
PROTOTYPING
ASSESSMENT
FINANCE
7 QUESTIONS
BUSINESS MODEL

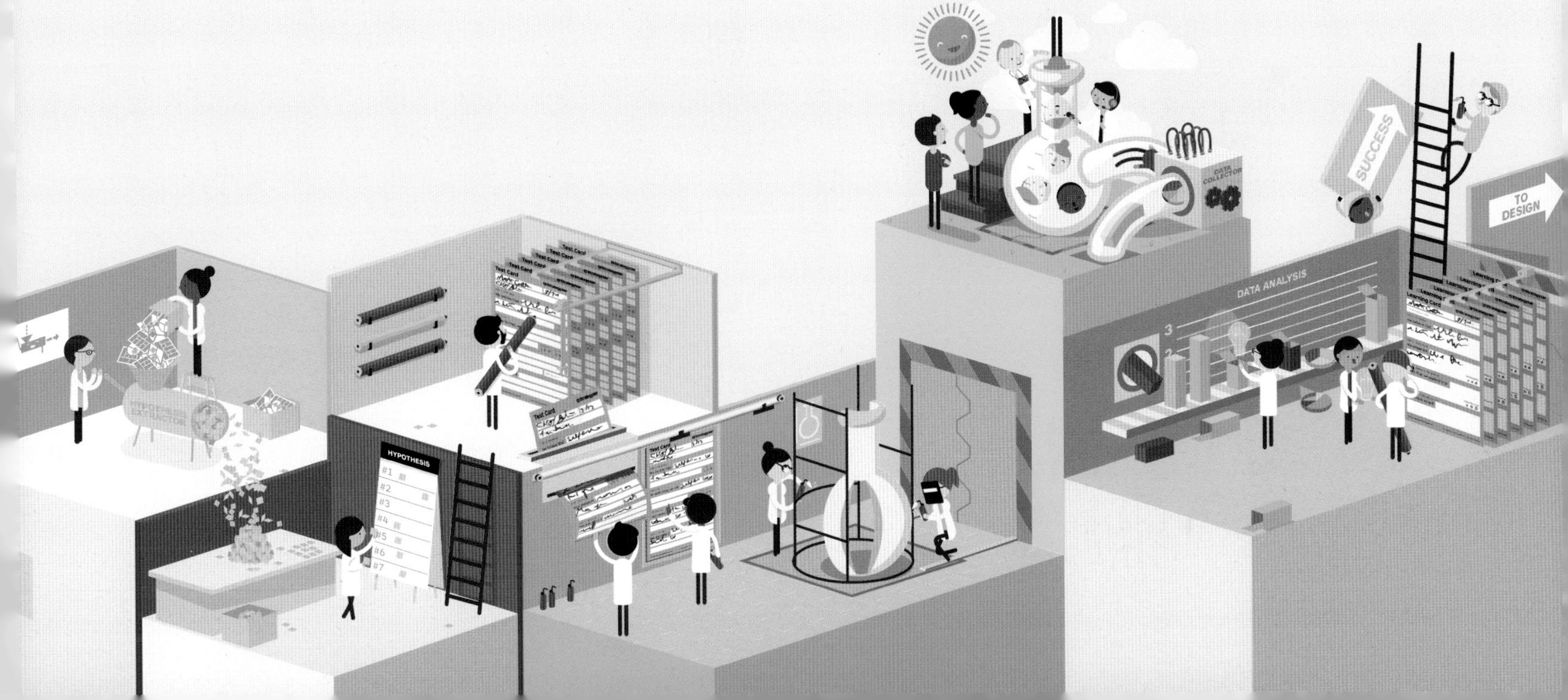
HYPOTHESIS
#1
#2
#3
#4
#5
#6
#7
Test Card
DATA COLLECTOR
SUCCESS
TO DESIGN
DATA ANALYSIS

# 테스트 프로세스

당신의 아이디어를 실현시키기 위해 무엇을, 어떤 식으로 테스트할 계획인지 지금까지 배운 도구를 모두 활용해서 설명해보라.

## 무엇을 테스트하려고 하는가

가치 제안과 비즈니스 모델 캔버스를 이용해서 당신의 아이디어가 성공을 거둘 수 있는 방법에 대한 당신의 생각을 정리한다. 이런 토대를 마련해놓으면 당신의 아이디어가 효과를 거두기 위해 사실이어야 하는 가설들을 쉽게 명료화할 수 있다. 일련의 실험을 이용해서 가장 중요한 가설부터 테스트를 시작하라.

## 어떤 식으로 테스트하려고 하는가

테스트 카드를 이용해서 가장 중요한 가설들을 정확히 어떤 식으로 확인하고, 무엇을 측정할 것인지 기술한다. 실험을 마친 다음에는 학습 카드에 당신이 통찰한 내용을 기록하고 좀 더 확인하고, 반복하고, 피벗을 할 것인지 아니면 그 다음 중요한 가설로 이동할 것인지를 표시한다.

## 그 다음에는 무엇을 하려고 하는가

당신의 거둔 성과에 주목하면서 계속 전진해야 한다. 당신의 초기 아이디어에서 많이 발전했는지, 그래서 문제-해결 적합성, 제품-시장 적합성, 비즈니스 모델 적합성을 거쳐 수익성과 측정 가능성을 갖춘 사업으로 나아가고 있는지 계속 추적해야 한다.

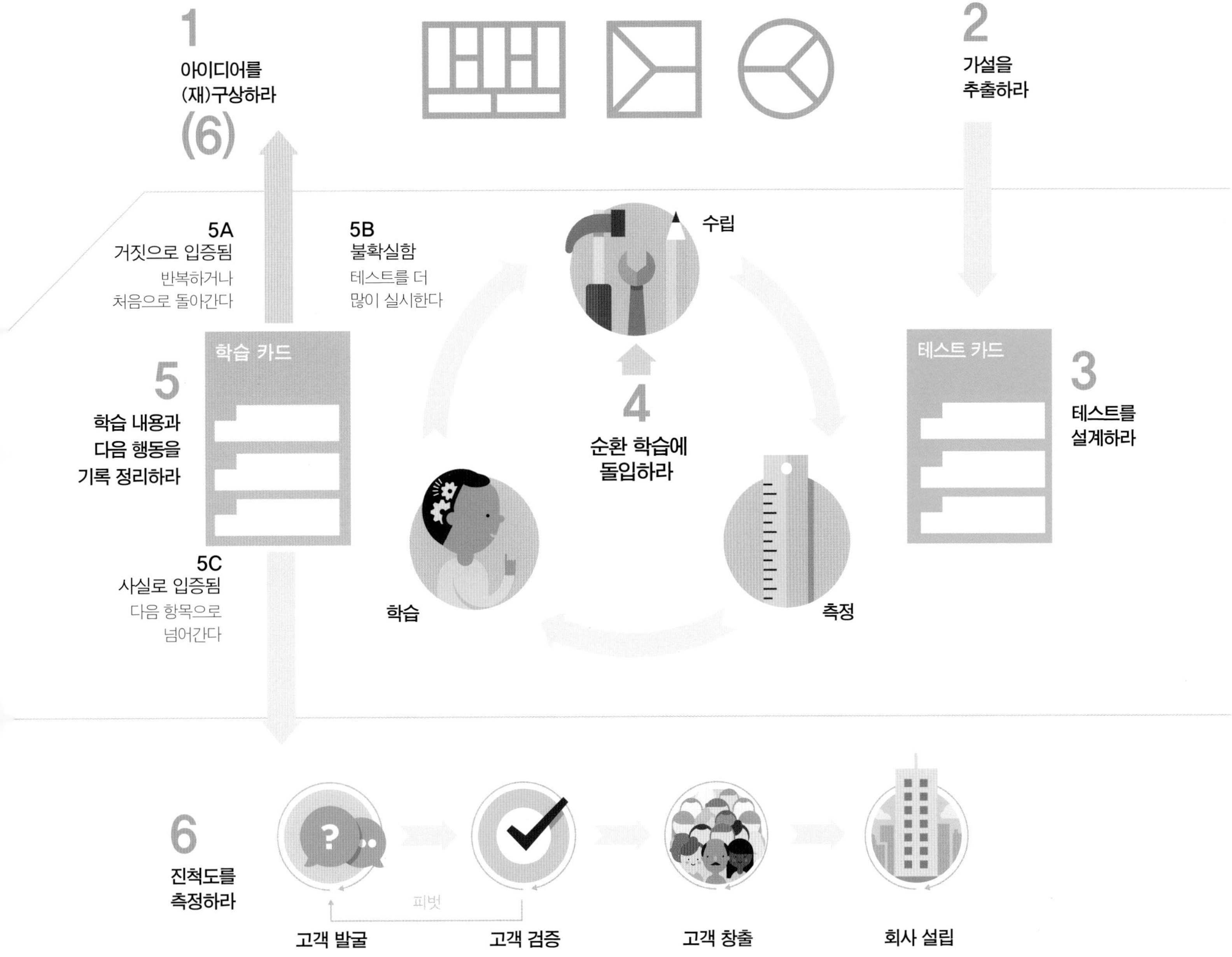
1
아이디어를
(재)구상하라
(6)
2
가설을
추출하라
5A
거짓으로 입증됨
반복하거나
처음으로 돌아간다
5B
불확실함
테스트를 더
많이 실시한다
수립
학습 카드
5
학습 내용과
다음 행동을
기록 정리하라
4
순환 학습에
돌입하라
테스트 카드
3
테스트를
설계하라
5C
사실로 입증됨
다음 항목으로
넘어간다
학습
측정
6
진척도를
측정하라
피벗
고객 발굴
고객 검증
고객 창출
회사 설립

# 진척도를 측정하라



테스트 프로세스를 이용하면 불확실성을 계속 줄여나가면서 당신의 아이디어를 실제 사업으로 전환하는 데 점점 가까이 다가갈 수 있게 된다. 당신이 수행한 활동, 당신이 달성한 결과들을 계속 추적하면서 이런 목표에 얼마만큼 다가가고 있는지 측정해야 한다. 스티브 블랭크의 투자 준비 측정 프로그램(Investment Readiness Thermometer)을 바탕으로 당신의 진척도를 확인할 수 있는 스프레드를 작성했다.

상황 지표 다운로드하기

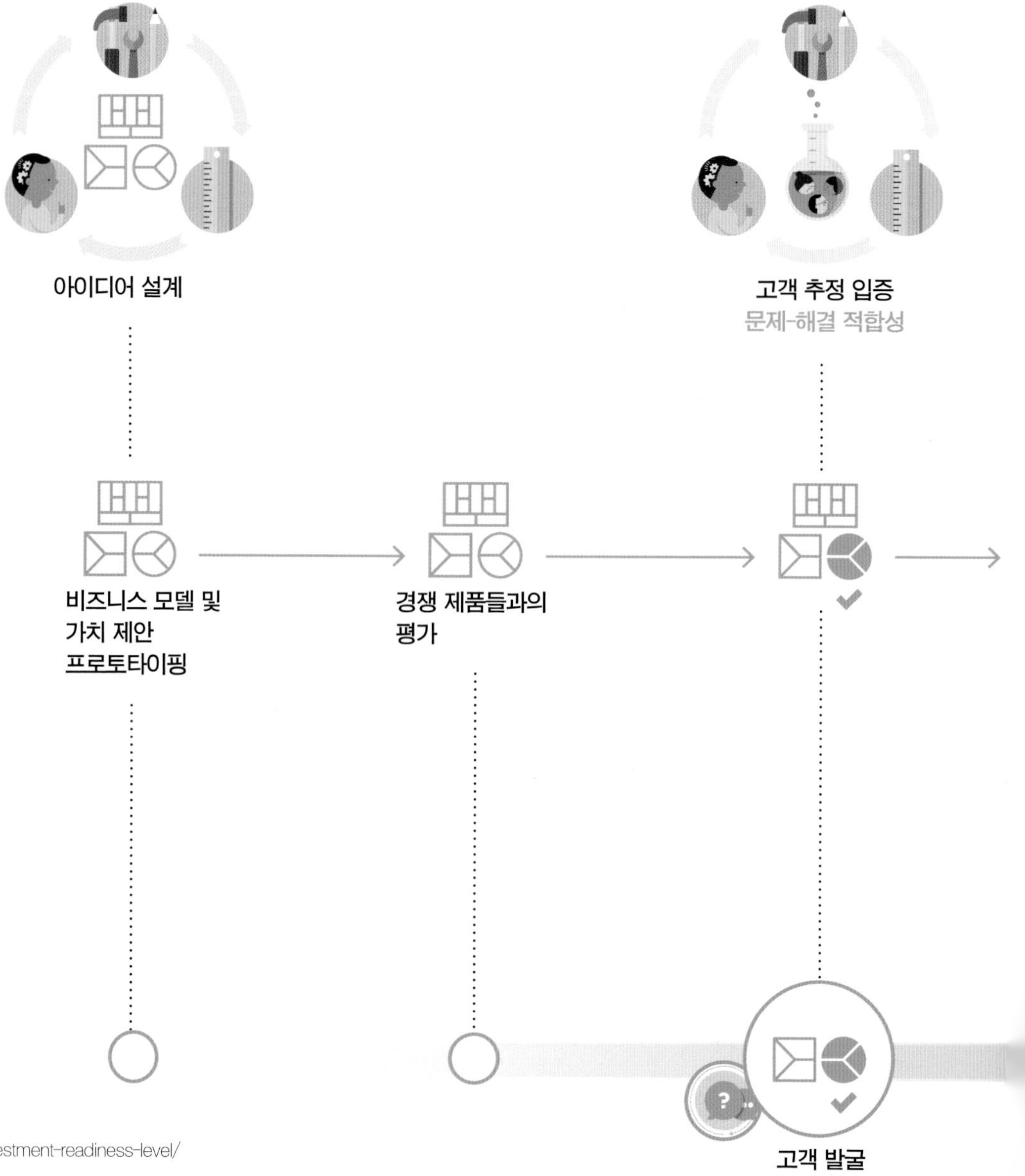


Steve Blank, Investment Readiness Thermometer, 2013
http://steveblank.com/2013/11/25/its-time-to-play-moneyball-the-investment-readiness-level/

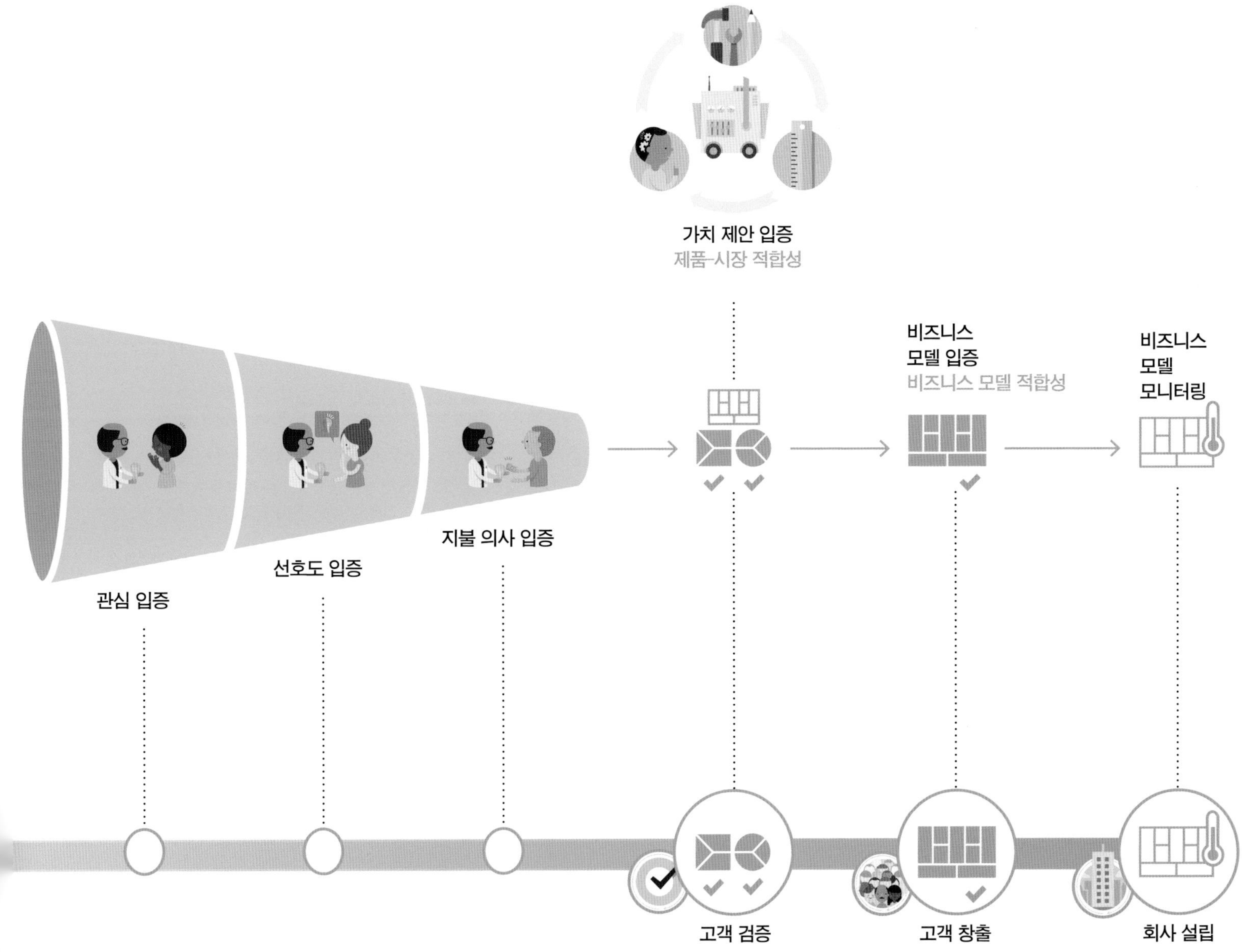
가치 제안 입증
제품-시장 적합성
비즈니스
모델 입증
비즈니스 모델 적합성
비즈니스
모델
모니터링
관심 입증
선호도 입증
지불 의사 입증
고객 검증
고객 창출
회사 설립

# 진척도 상황판

진척도 상황판을 사용하면 당신의 테스트를 모니터링하고 성공에 얼마나 다가가고 있는지 쉽게 측정할 수 있다.



진척도 상황판 포스터 받기

## 이미 실시한 테스트는 무엇인가?

가치 제안 및 비즈니스 모델 캔버스를 사용해서 당신이 이미 테스트했거나 입증을 마친 요소들을 계속 추적하라.

## 내가 지금 테스트 하고 있는 것은 무엇이고 나는 무엇을 학습했는가?

무언가를 학습하고 통찰 및 후속 활동들을 명확히 하기 위해서는 당신이 계획하고, 수립하고, 측정 중인 테스트, 완전히 이해하고 있는 테스트들을 계속 추적해야 한다.

## 얼마나 진척을 거두었는가?

당신이 거두고 있는 진척도를 계속 예의 주시한다.

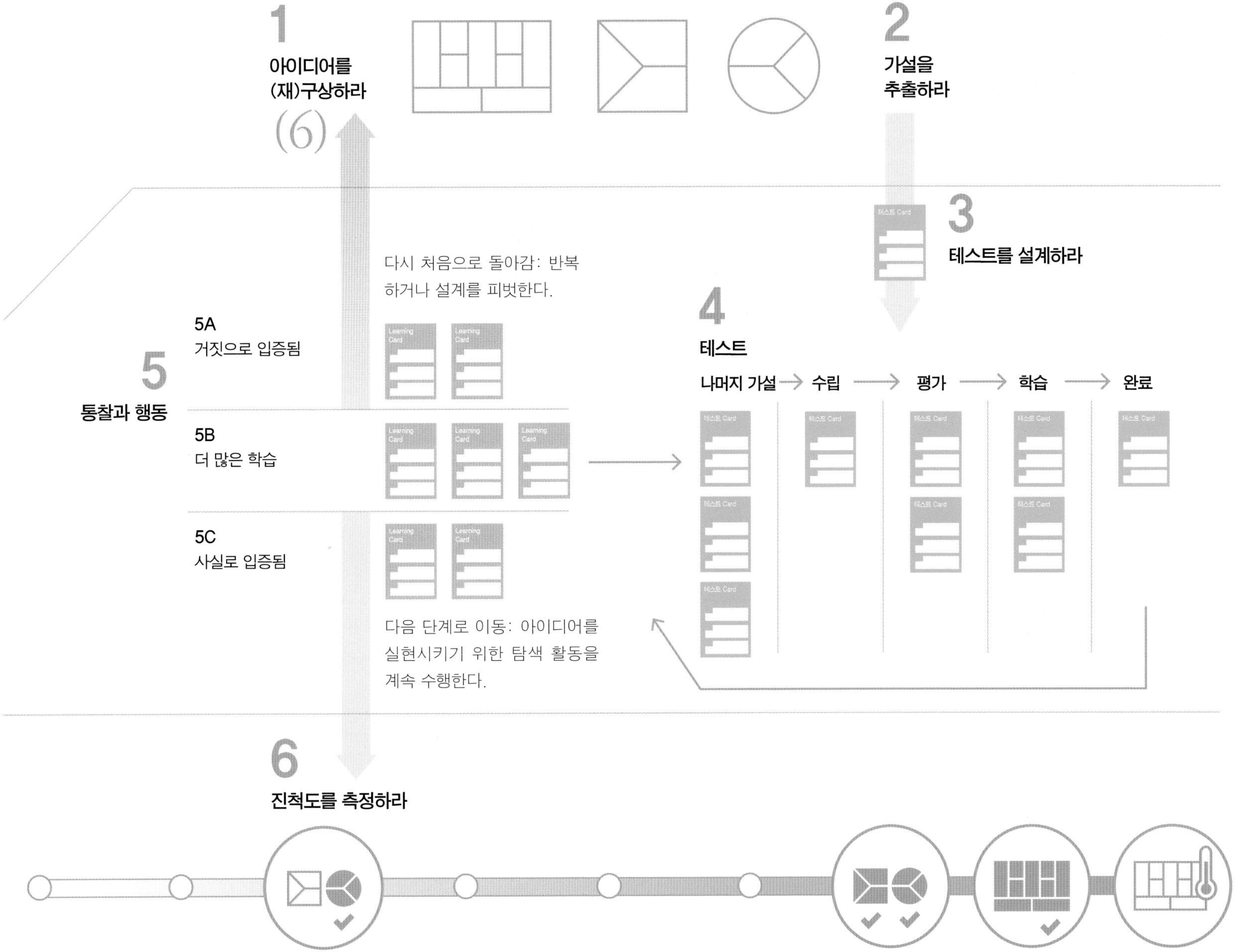
1
아이디어를
(재)구상하라
(6)
2
가설을
추출하라
3
테스트를 설계하라
테스트 Card
4
테스트
나머지 가설
수립
평가
학습
완료
5
통찰과 행동
5A
거짓으로 입증됨
5B
더 많은 학습
5C
사실로 입증됨
Learning Card
다시 처음으로 돌아감: 반복하거나 설계를 피벗한다.
다음 단계로 이동: 아이디어를 실현시키기 위한 탐색 활동을 계속 수행한다.
6
진척도를 측정하라

# 아울릿(Owlet): 체계적인 설계 및 테스트 활동을 통해 끊임없이 진보하는 회사

유아의 혈중 산소량, 심장박동, 수면 관련 데이터 무선 모니터링*

Owlet의 비즈니스 모델: 버전 0

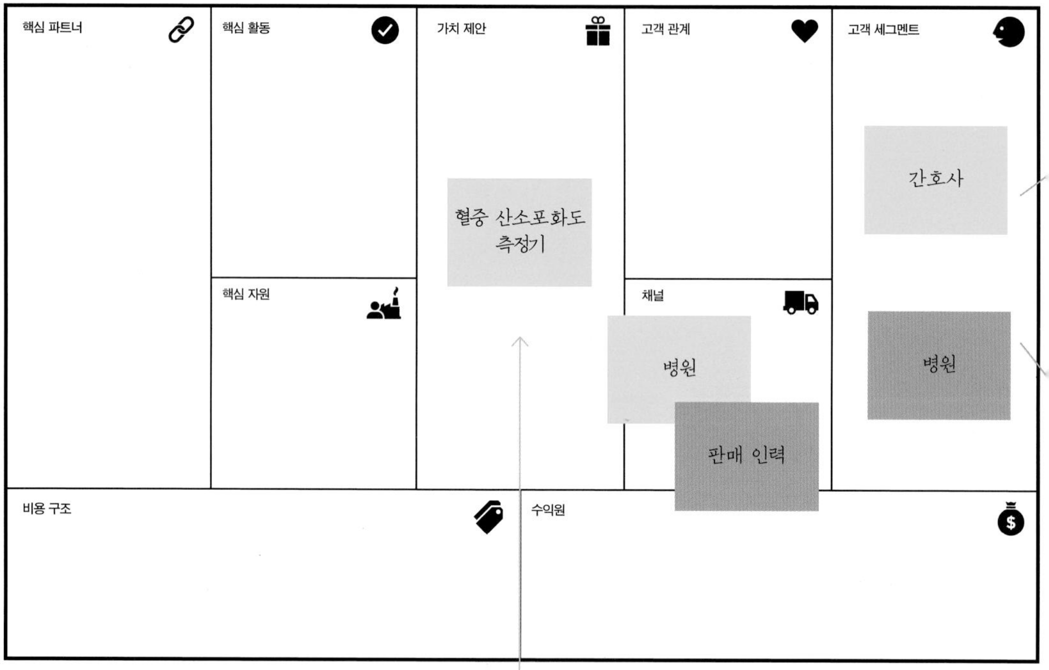


## 1

초기 아이디어

**기회**

장비와 모니터를 연결하는 코드 없이도 혈중 산소포화도를 모니터링할 수 있다.

온라인으로 아울릿 프레젠테이션 시청하기

*2013년도 국제 비즈니스 모델 경진대회(International Business Model Competition)에서 우승한 아울릿의 상황에 맞춰 구성한 사례임.

**테스트 1A: 간호사 인터뷰**

가설: 무선으로 혈중 산소포화도를 모니터링하는 것이 더 편리하다.

측정: 긍정 피드백 비율.

테스트: 간호사 인터뷰.

데이터: 58명의 간호사를 인터뷰한 결과, 93%가 무선 모니터링을 선호하는 것으로 나타남.

**사실로 입증됨: 1주일 소요, 비용 없음.**

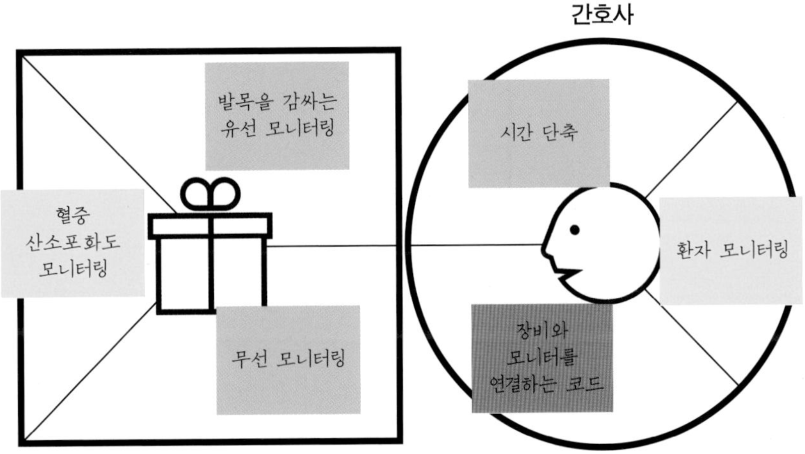

**테스트 1B: 병원 관리자 인터뷰**

가설: 무선으로 혈중 산소포화도를 모니터링하는 것이 더 편리하다.

측정: 긍정 피드백 비율.

테스트: 병원 관리자 인터뷰.

데이터: 무선 기기에 비용을 더 투자하겠다는 비율 – 0% '비용 효율성이 높지 않는 한, 사용의 편의성은 불만이 될 수 없다'.

**거짓으로 입증됨: 1주일 소요, 비용 없음**

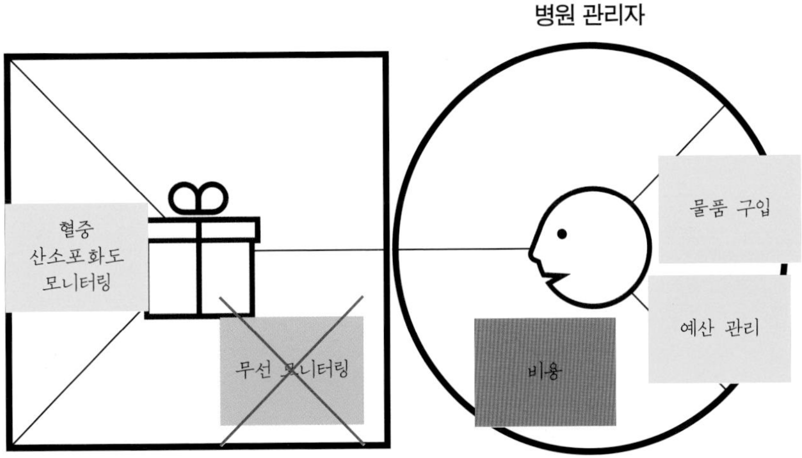

**피벗:**
고객 세그먼트를 변경하라

데이터: 영아 사망의 주된 원인은 영아돌연사증후군(Sudden Infant Death Syndrome)이다

1주일 후 첫 번째 피벗

**Owlet 비즈니스 모델: 버전 2**

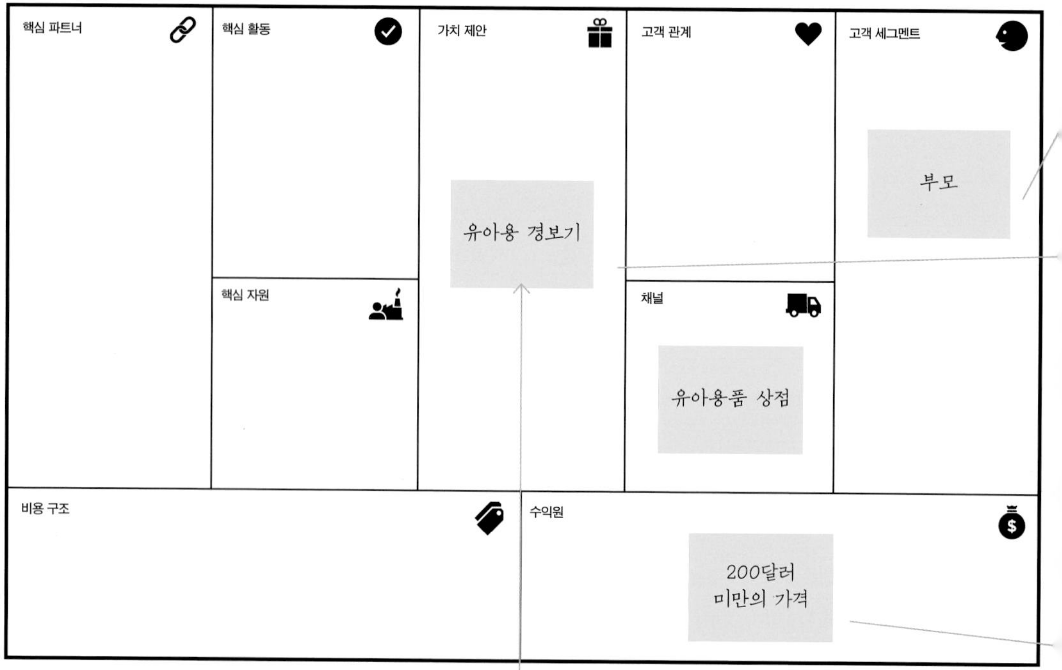


**피벗:**
고객 세그먼트를 간호사와 병원에서 아이를 걱정하는 부모로 변경한다

## 2

반복

### 부모들이 안심할 수 있다

유아의 심장박동, 산소 수치, 수면 패턴 관련 데이터를 수집한 후 블루투스를 통해 부모의 스마트폰으로 경고 메시지를 전송해주는 무선 모니터. 유아용품 상점을 통해 유통.

**테스트 2: 부모 인터뷰**

가설: 부모들은 유아용 무선 경보기를 채택, 구입할 준비가 되어 있다.

측정: 부모의 채택 비율.

테스트: 어머니들과의 인터뷰.

데이터: 105명의 인터뷰 응답자 중, 96%가 무선 모니터링을 채택.

"환상적인 제품이에요. 지금 당장 구입하고 싶어요!"

**사실로 입증됨**

**테스트 3: 최소 기능 제품 랜딩 페이지**

가설: 스마트 부츠는 모니터링 활동이 편리하고 사용하기도 쉽다.

측정: 긍정 평가 수.

테스트: 웹 사이트를 통해 동영상이 제공되는 최소 기능 제품.

데이터: 조회 수 17,000회, 페이스북 공유 5,500건, 부모, 유통업체, 조사 기관이 작성한 긍정 평가 500건.

**사실로 입증됨, 2주 소요, 비용 220달러**

**테스트 4: A/B 가격 테스트**

가설: 임대 VS. 판매 – 가격 200달러 이상.

측정: 판매 가격별 비율.

테스트: 웹 사이트에서 3회에 걸쳐 A/B 테스트 실시.

데이터: 1,170명을 상대로 테스트함. 최적가 – 299달러.

**사실로 입증됨, 8주 소요, 비용 30달러**

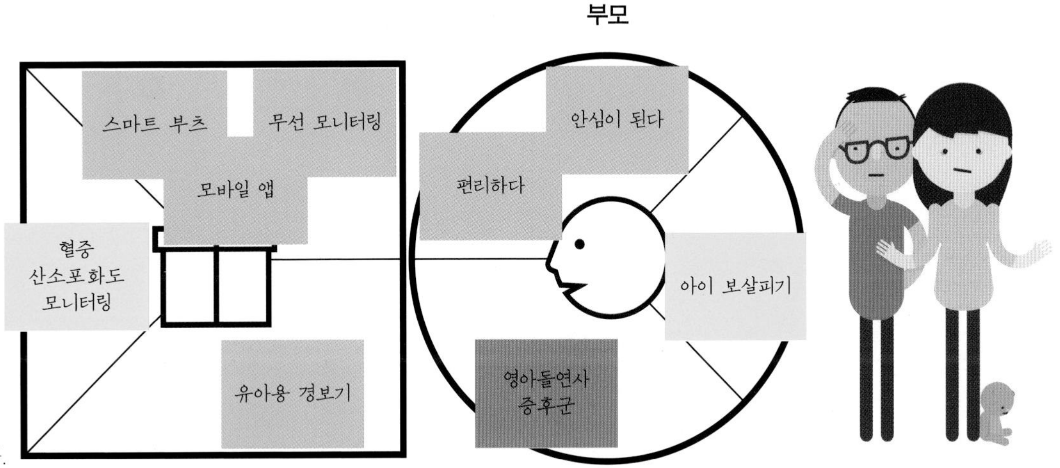


전망이 밝은
사업인 것 같다.
그러나…

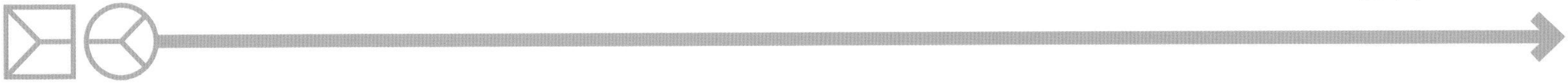

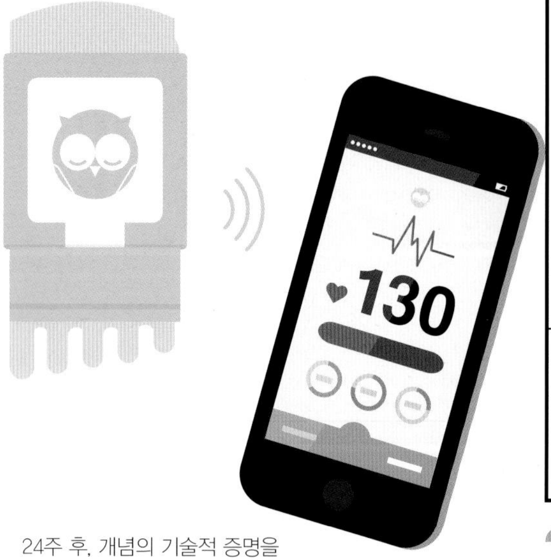


24주 후, 개념의 기술적 증명을 포함한 테스트 비용 1,150달러.

### 린 스타트-업 가동

유아용 경보기 - 전문가들에 따르면, 미국 식약청(FDA)의 허가를 받기까지 1년 동안 120,000~200,000달러의 비용이 소요될 것으로 예상함

Owlet 비즈니스 모델: 버전 3

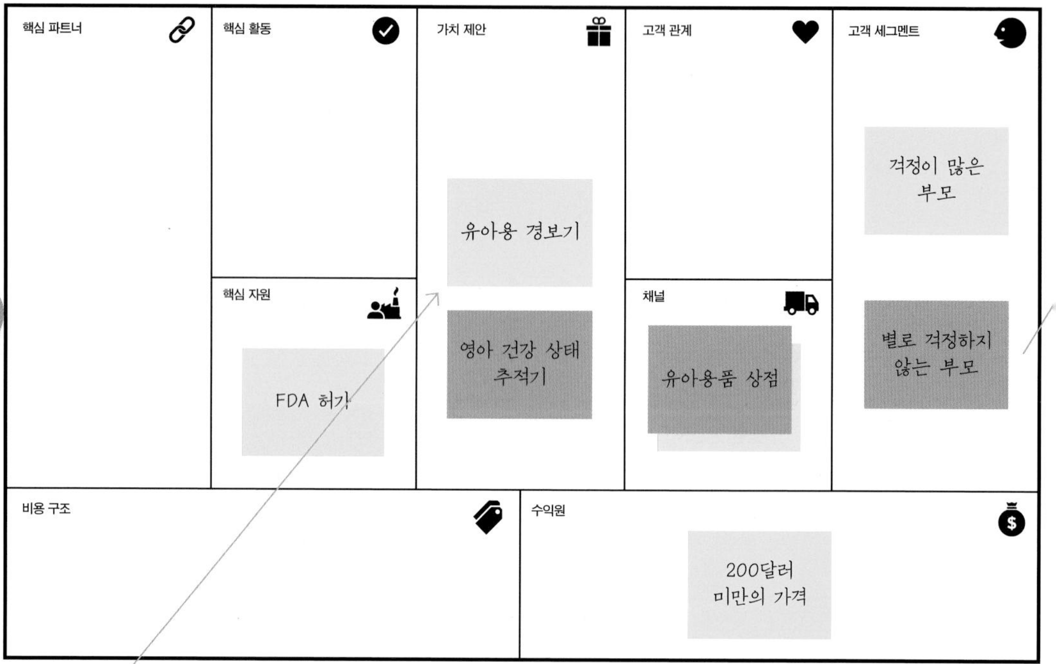


재입증해야 한다.

3

반복

### 안심할 수 있다, 그러나 이번에는 별로 걱정하지 않는 부모들을 대상으로 실시함

이번에 위험 부담을 줄이고 크기도 최소화한 영아 건강 상태(심장박동, 산소 수위, 수면 패턴) 추적기다. 다른 고객 세그먼트를 상대로 경보 기능이 없는 이 제품을 테스트한다. 이번 대상은 별로 걱정을 하지 않는 부모들이다.

## 테스트 5: 인터뷰/제안: '아울릿의 도전'

가설: 별로 걱정을 하지 않는 부모들은 경보 기능이 없는 영아용 무선 건강 상태 추적기를 채택, 구입할 준비가 되어 있다.
측정: 경보 기능이 없는 추적기를 채택하는 부모의 비율
테스트: 소매점에서 인터뷰 실시. 아울릿의 추적기와 다른 유사 시스템(비디오, 음성, 움직임) 중에서 선택하게 함.
데이터: 81명의 응답자 중에서 아울릿 추적기를 채택한 비율은 20%.

**사실로 입증됨, 3주 소요, 비용 0달러**

별로 걱정하지 않는 부모들

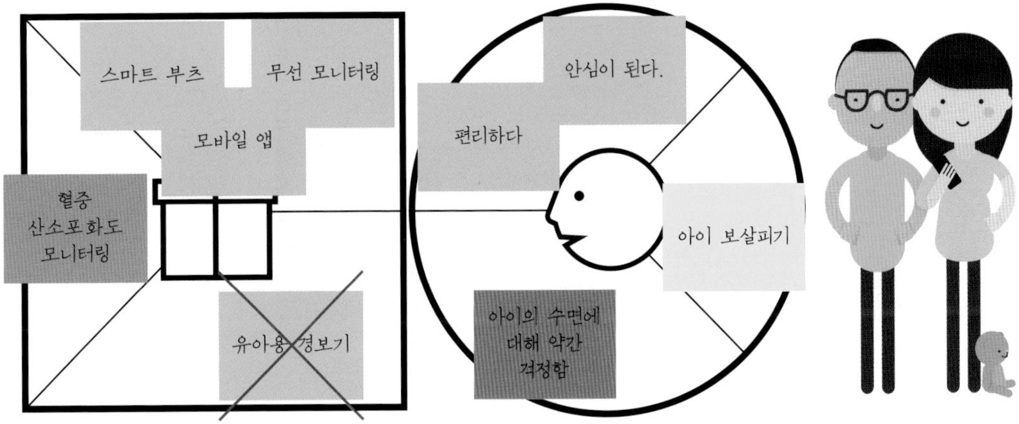


아울릿은 영아 건강 상태 추적기를 먼저 착수하고, 유아용 경보기는 FDA 허가를 받은 후에 출시하기로 결정했다

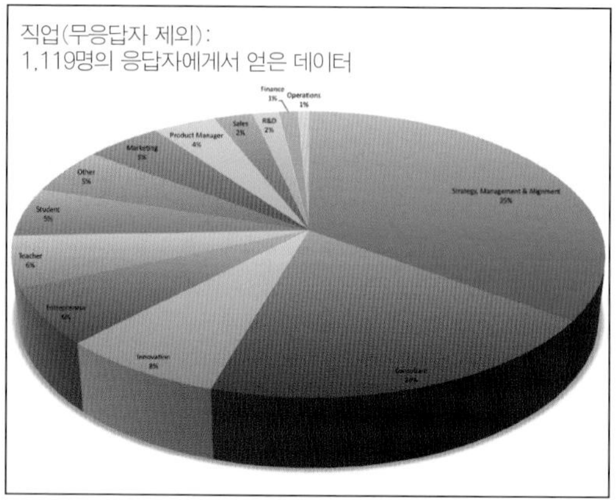

# 교훈

## 단계별 테스트

고객은 당신의 가치 제안에 대한 심판관이자, 배심원이자, 사형 집행가다. 따라서 현장에 나가 고객 개발 및 린 스타트-업 프로세스를 이용해서 당신의 아이디어를 직접 테스트해보아야 한다. 불확실성이 가장 높은 상태일 때 당신의 아이디어의 근간을 이루는 가설들을 테스트하기 위해서는 신속하고 비용이 저렴한 실험부터 실시해야 한다.

## 실험 도서관

고객이 하는 말은 실제로 그들이 하는 행동과는 상당한 차이가 있을 수 있다. 그러므로 고객이 하는 말에만 매달리지 말고 일련의 실험들을 실시해야 한다. 관심, 선호도, 비용 지불 의사를 입증하는 행동을 하도록 고객을 잘 유도하기 바란다.

## 종합하기

테스트도 실시하지 않은 채 아이디어에 착수하는 것은 희망 사항에 불과하고 착수하지도 않으면서 아이디어만 테스트하는 것은 취미 활동에 지나지 않는다. 테스트를 거친 아이디어에 맹렬한 기세로 달려드는 순간, 기업가로서의 당신의 삶은 변화를 맞게 될 것이다. 아이디어 단계에서부터 실제 사업이 도달할 때까지 당신의 진척 상황을 단계별로 계속 측정해나가기 바란다.

EXIT

Dashboard
Recent Campaigns
List Growth
Top 5

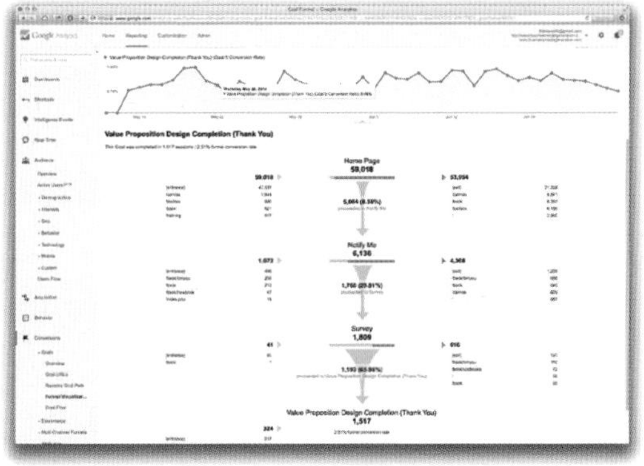
Value Proposition Design Completion (Thank You)

New Book Titles Test
26.71%
21.99%
23.97%
23.77%
25.09%
31.38%
863
26.69%
31.38%
26.71%
3,233
310
152

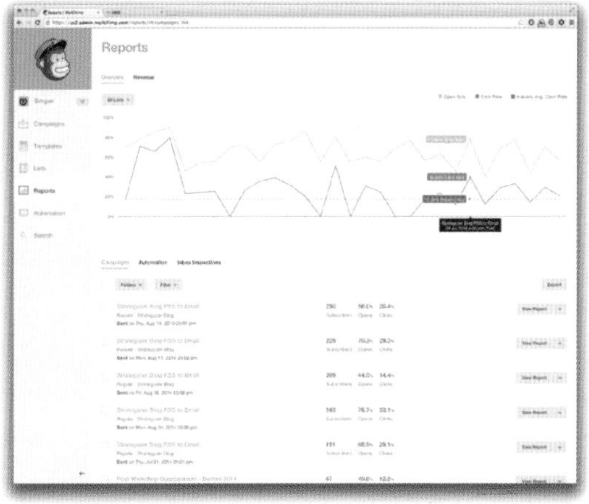
Reports

evo

lve

# 4

가치 제안과 비즈니스 모델 캔버스를 공유 언어로 사용해서 조직 내 모든 부분들이 서로 **조화**[p.260]를 이루게 해야 한다. **맹렬히 개선**[p.264]하고 **스스로를 끊임없이 재창조**[p.266]하기 위해서는 당신의 가치 제안과 비즈니스 모델에 대한 **평가와 모니터링 활동**[p.262]을 잠시도 멈춰서는 안 된다.

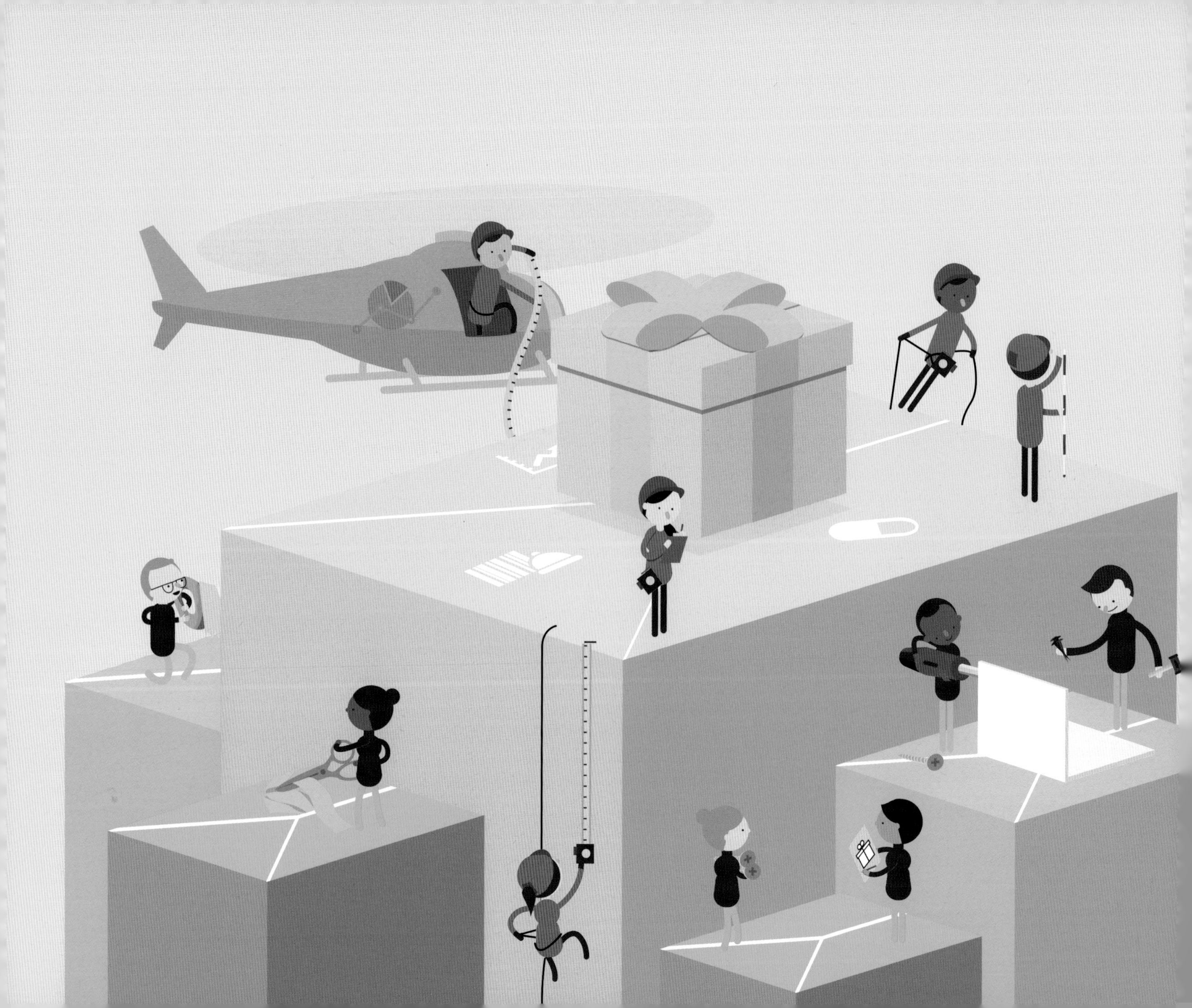

# 조화시키기

가치 제안 캔버스는 훌륭한 합의 도출 도구다. 당신이 초점을 맞추고 있는 고객 활동, 불만, 혜택에 대해 다른 이해관계자들과 커뮤니케이션을 하게 해주고 당신의 제품과 서비스가 고객의 불만과 혜택을 정확히 어떤 식으로 경감시키고 창출하는지를 설명해주기 때문이다.

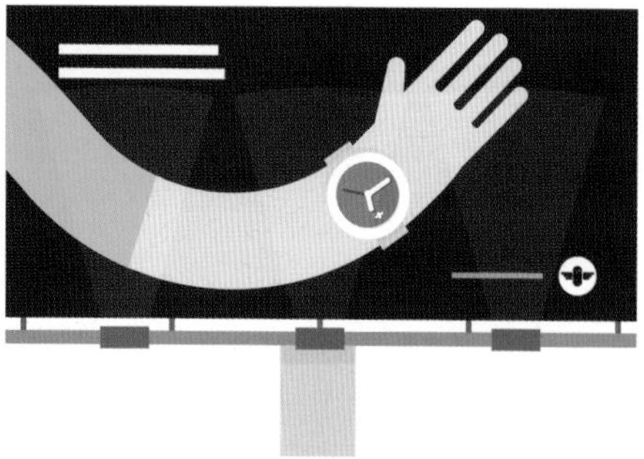

광고

제품 포장

설명 동영상

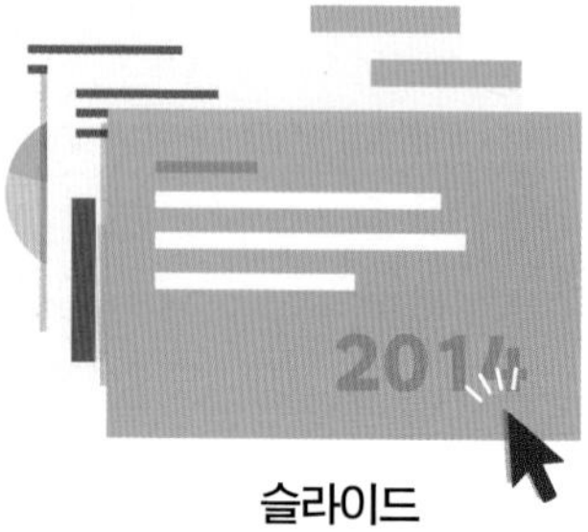


슬라이드

판매용 대본

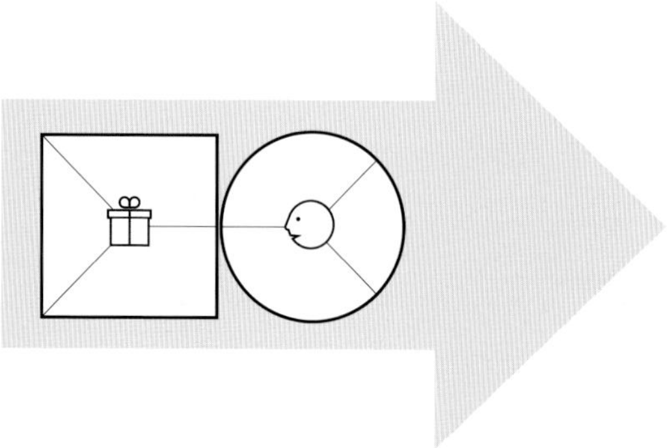

## 메시지가 서로 조화를 이루게 만들어라

# 내부 및 외부 이해 관계자들이 서로 조화를 이루게 하라

**마케팅**

당신의 제품과 서비스가 도움을 제공하려고 하는 고객 활동, 불만, 혜택을 바탕으로 마케팅 메시지를 고안한다. 광고에서부터 포장 디자인에 이르기까지 고객이 대면하게 될 메시지에 일관성이 있어야 한다. 특히 초점을 맞추려고 하는 불만 해결 방안과 혜택 창출 방안을 명확히 해야 한다.

**(채널)파트너**

(채널)파트너를 합류시키고 당신의 가치 제안에 대해 설명하라. 당신이 고안한 불만 해결 및 혜택 창출 방안을 강조하면서 고객이 당신의 제품과 서비스를 반길 수밖에 없는 이유를 이해시켜야 한다.

**주주**

주주들에게 당신이 정확히 어떤 식으로 고객 가치를 창출하려고 하는지 설명하라. 새로운 가치 제안이나 개선된 가치 제안이 어떤 식으로 당신의 비즈니스 모델을 강화하고 경쟁력을 창출할 것인지 명확히 설명해야 한다.

**판매**

판매원이 타깃으로 삼아야 할 세그먼트를 파악하고 고객 활동, 불만, 혜택에 대해 이해할 수 있게 해야 한다. 불만을 해결하고 혜택을 창출했을 때 당신의 가치 제안이 가장 설득력을 발휘할 수 있는 특성을 강조하라. 그리고 판매용 대본과 홍보용 슬라이드의 내용이 서로 조화를 이루게 해야 한다.

**직원**

당신이 타깃으로 삼은 고객은 누구이고 당신이 역점을 둘 활동, 불만, 혜택은 무엇인지 모든 직원들이 이해하고 있어야 한다. 당신의 제품과 서비스가 정확히 어떤 식으로 고객 가치를 창출하려고 하는지 개략적으로 설명한다. 그리고 해당 가치 제안과 비즈니스 모델이 어떤 식으로 부합되는지도 언급하기 바란다.

# 측정하고 모니터링하라

당신의 가치 제안을 시장에 선보인 다음에는 가치 제안 및 비즈니스 모델 캔버스를 이용해서 성과 지표를 만들고 계속 모니터링해야 한다. 고객 만족도, 가치 제안과 비즈니스 모델의 성과를 계속 확인하라.

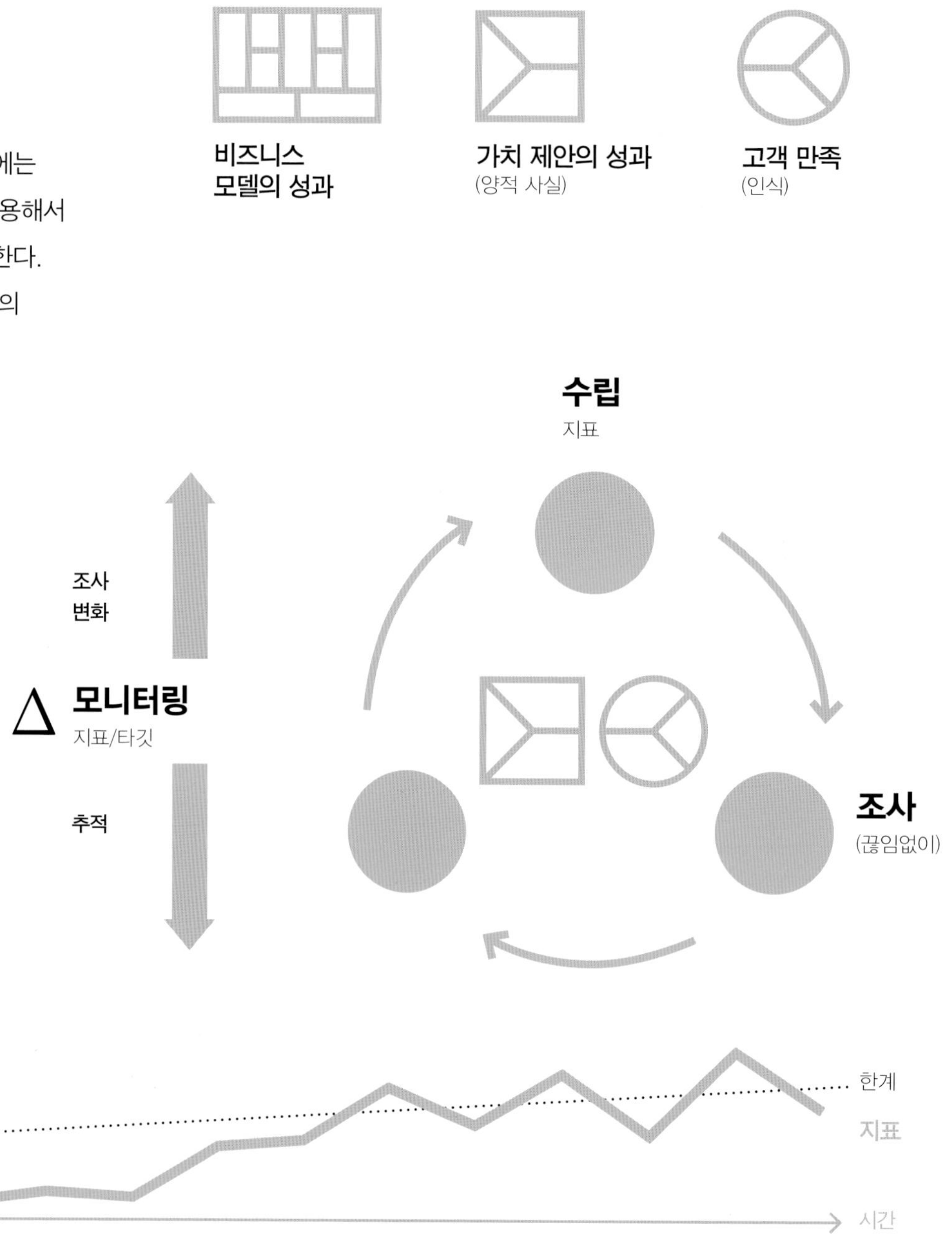

**타깃**

**지표**

**구성 요소**

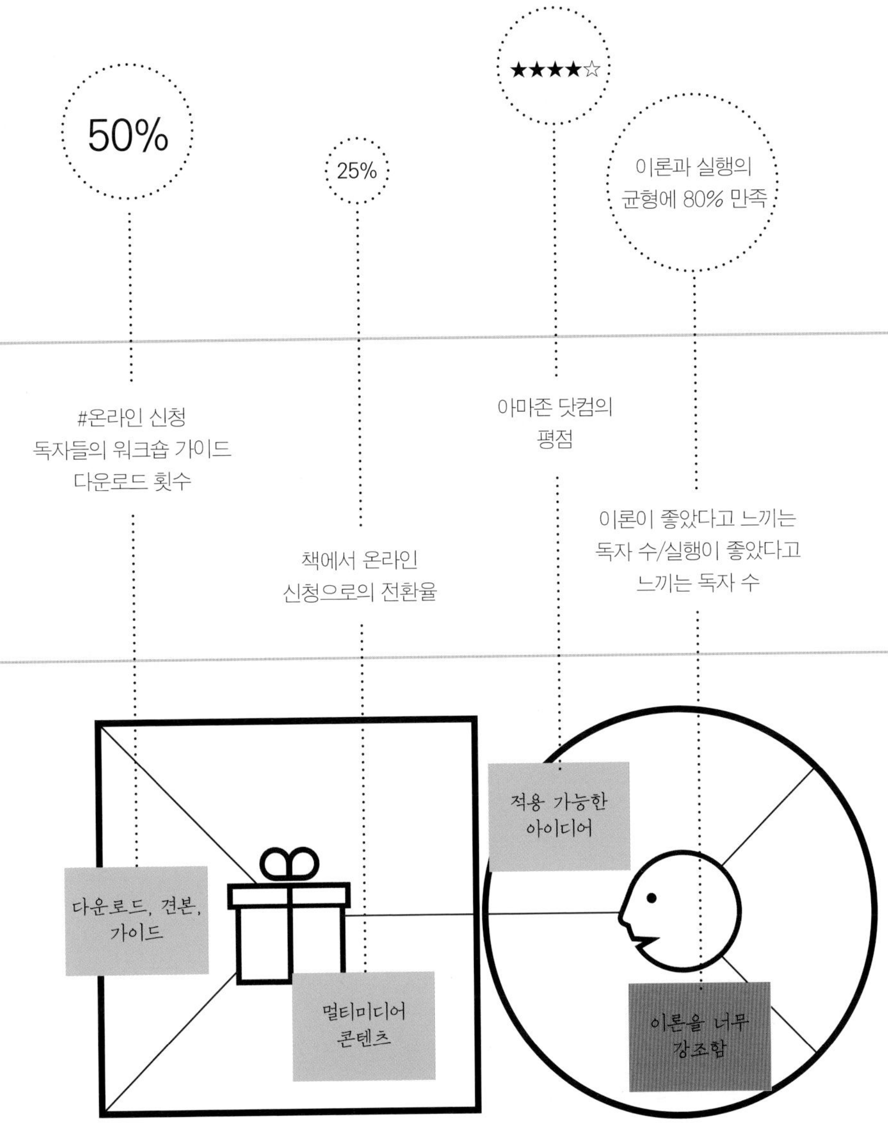
50%
25%
★★★★☆
이론과 실행의 균형에 80% 만족
#온라인 신청 독자들의 워크숍 가이드 다운로드 횟수
책에서 온라인 신청으로의 전환율
아마존 닷컴의 평점
이론이 좋았다고 느끼는 독자 수/실행이 좋았다고 느끼는 독자 수
다운로드, 견본, 가이드
멀티미디어 콘텐츠
적용 가능한 아이디어
이론을 너무 강조함

# 맹렬히 개선하라

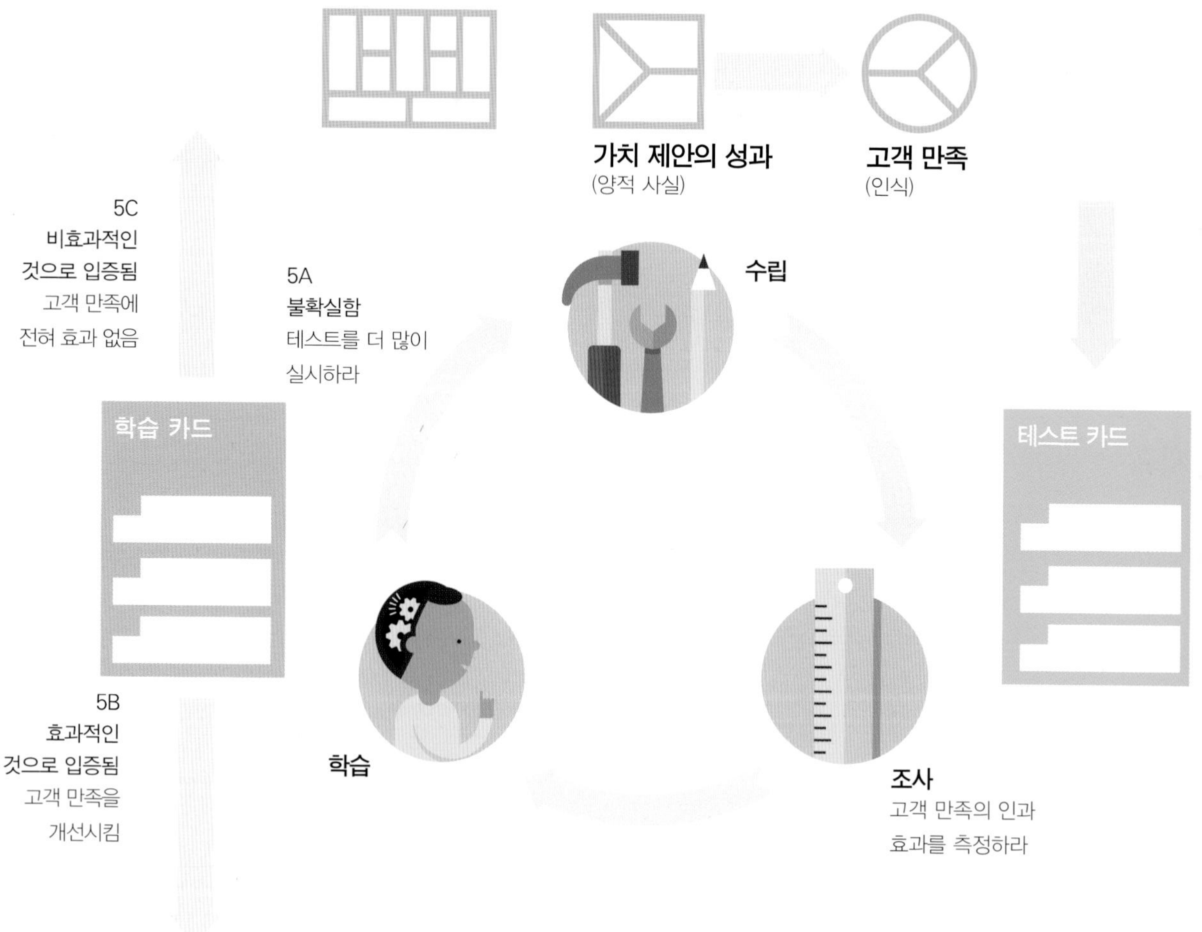


제품/서비스를 출시한 다음에는 테스트에서부터 모니터링까지 동일한 도구와 프로세스를 이용해서 당신의 가치 제안을 계속 개선시켜나가야 한다. 그리고 개선 상황을 가정한 시나리오를 수시로 테스트하면서 그것이 고객 만족에 미치는 효과를 계속 측정한다.

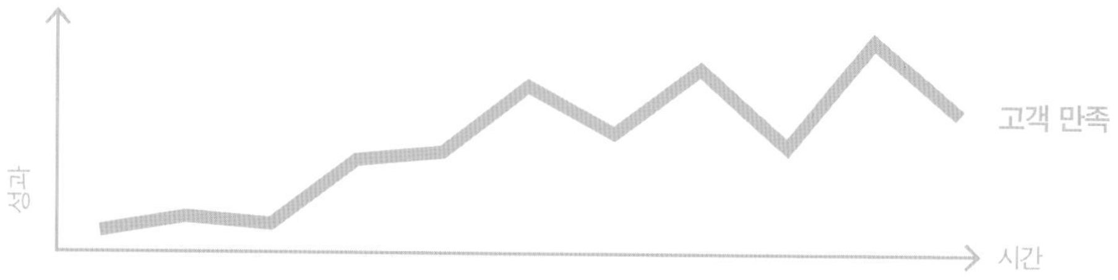

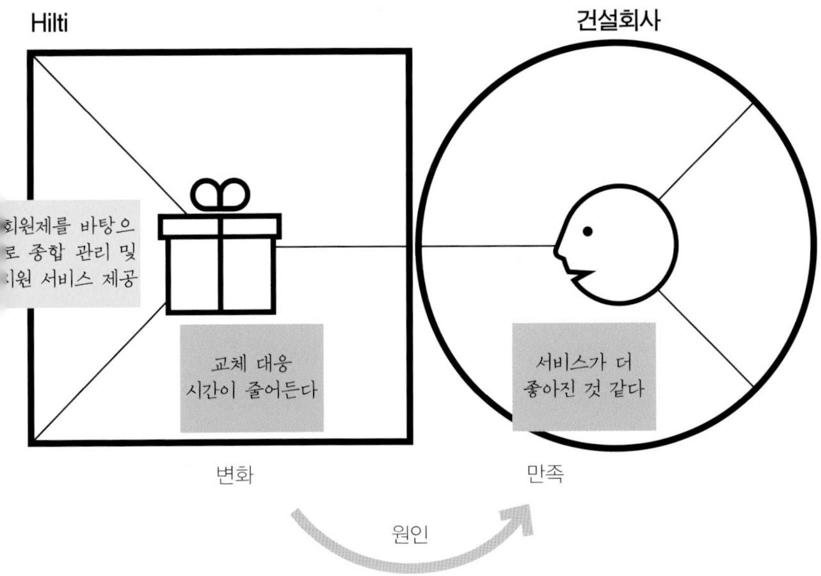


**테스트 카드** Strategyzer

테스트 명칭 | 마감 기한
실험 담당자 | 지속 기간

STEP 1: 가설
우리가 믿고 있는 것 파손된 공구들을 교체하는 데 걸리는 대응 시간을 줄여준다면 고객은 더 좋은 서비스를 받는다고 느낄 것이다.
중요도:

STEP 2: 테스트
가설을 입증하기 위해 우리가 해야 할 일
고객 한 명당 대응 시간을 평균 25%로 줄인다
테스트 비용: 데이터 신뢰도:

STEP 3: 측정
우리가 측정하는 것 실험 시작 시점과 끝나는 시점에서의 고객 만족도
필요 시간:

STEP 4: 기준
가설 입증 요건 고객 만족도 X% 증가



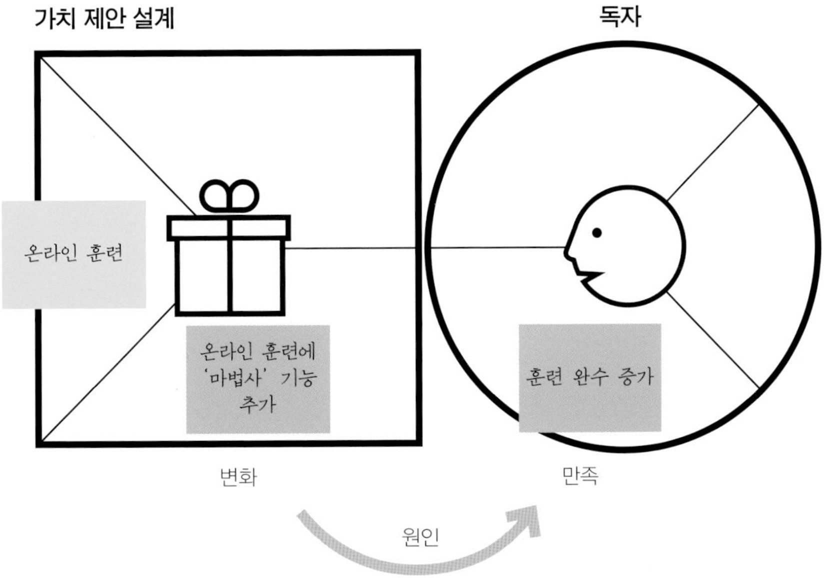


**테스트 카드** Strategyzer

테스트 명칭 | 마감 기한
실험 담당자 | 지속 기간

STEP 1: 가설
우리가 믿고 있는 것 우리가 '마법사' 기능의 가짓수를 늘린다면 더 많은 사람들이 훈련을 완수하게 될 것이다.
중요도:

STEP 2: 테스트
가설을 입증하기 위해 우리가 해야 할 일
하나의 훈련에 마법사 기능 추가하기
테스트 비용: 데이터 신뢰도:

STEP 3: 측정
우리가 측정하는 것 예전보다 훈련을 완수한 사람들의 수가 증가했는가?
필요 시간:

STEP 4: 기준
가설 입증 요건 훈련 완수 인원 X% 증가

# 자신을 끊임없이 재창조하라

성공한 기업들은 효과적인 비즈니스 모델에 맞춰 설득력 있는 가치 제안을 잘 창조해낸다. 그리고 그런 창조 활동을 끊임없이 수행한다. 그들은 사업을 성공적으로 수행하는 한편 새로운 가치 제안과 비즈니스 모델을 창조하는 데도 열심이다.

오늘날의 기업들은 콜롬비아 경영대학원 리타 맥그래스(Rita McGrath) 교수가 〈경쟁 우위의 종말(The End of Competitive Advantage)〉이라는 책에서 주장한 '일시적 경쟁 우위'를 민첩하게 개발해야 한다. 맥그래스 교수는 기업들이 지속 가능성이 점점 줄어드는 장기 경쟁 우위를 탐색하기보다 새로운 기회들에 신속하게, 그리고 지속적으로 대처할 수 있는 능력을 개발해야 한다고 주장했다.
이 책에 소개된 도구와 프로세스를 이용하면 당신 자신을 끊임없이 재창조하는 것은 물론 훌륭한 비즈니스 모델에 부합하는 새로운 가치 제안을 창조할 수 있게 된다.

일시적 경쟁 우위를 수립할 때 반드시 유념해야 할 다섯 가지:

- 새로운 가치 제안과 비즈니스 모델에 대한 탐색 활동도 기존 가치 제안과 비즈니스 모델의 실행과 마찬가지로 진지한 자세로 임해야 한다.
- 불확실한 아이디어에 야심차게 대규모로 투자하기보다 새로운 가치 제안과 비즈니스 모델을 계속 실험하는 활동에 투자해야 한다.
- 수행 중인 사업이 성공을 거두고 있을 때 재창조 활동에 나서야 한다. 위기가 닥쳐서 어쩔 수 없이 해야 하는 상황이 될 때까지 마냥 기다리면 안 된다.
- 새로운 아이디어와 기회를 위험 부담 높은 시도가 아니라 직원과 고객에게 힘을 불어넣고 하나로 결집시킬 수 있는 수단으로 여겨야 한다.
- 새로운 아이디어와 기회를 판단할 때는 관리자, 전략가, 전문가들의 의견이 아니라 고객 경험을 척도로 삼아야 한다.

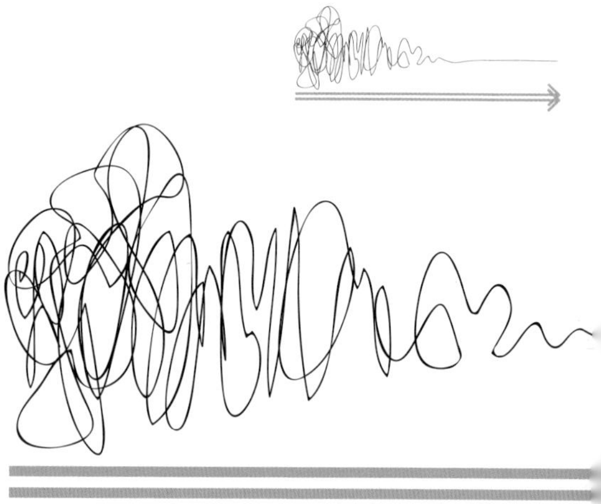

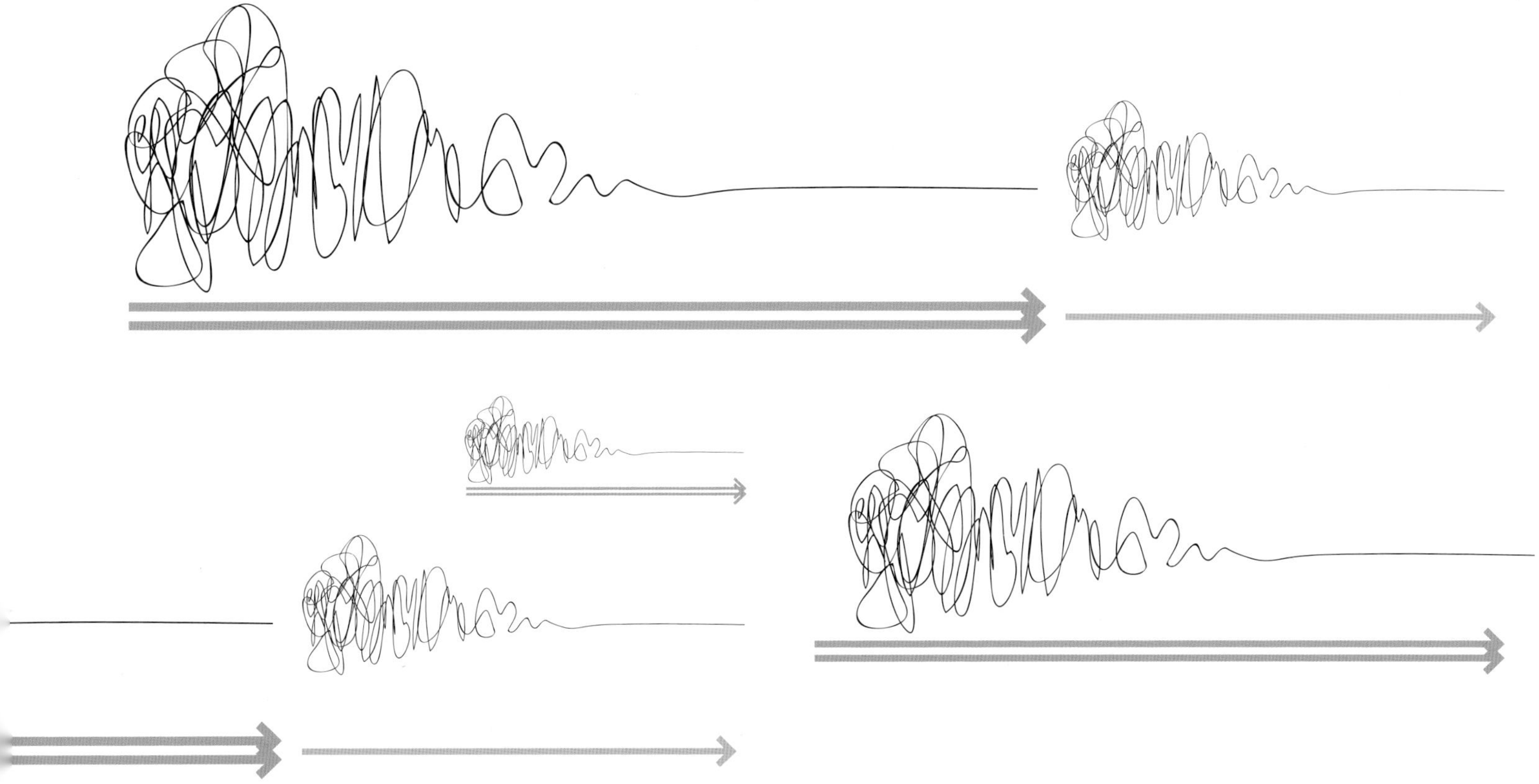

## 끊임없이 스스로에게 질문을 던져라

당신의 사업 환경에서 변화되고 있는 요소는 무엇인가? 시장이나 첨단 기술, 규제, 거시 경제, 경쟁 변화는 당신의 가치 제안과 비즈니스 모델에 어떤 의미를 갖는가? 그런 변화들이 새로운 가능성을 탐색할 수 있는 기회를 제공하는가? 아니면 당신을 무너뜨릴 수 있는 위협 요소로 작용하는가?

당신의 비즈니스 모델은 점점 효력을 잃고 있는가? 새로운 자원이나 활동을 추가해야 하는 상황인가? 기존 비즈니스 모델은 비즈니스 모델을 확대할 수 있는 기회를 제공하는가? 기존 비즈니스 모델을 강화할 수 있는가? 아니면 완전히 새로운 모델을 수립해야 하는가? 당신의 비즈니스 모델 포트폴리오는 미래의 상황과 잘 부합되는가?

오늘날의 기업들은 콜롬비아 경영대학원 리타 맥그래스(Rita McGrath) 교수가 〈경쟁 우위의 종말(The End of Competitive Advantage)〉이라는 책에서 주장한 '일시적 경쟁 우위'를 민첩하게 개발해야 한다. 맥그래스 교수는 기업들이 지속 가능성이 점점 줄어드는 장기 경쟁 우위를 탐색하기보다 새로운 기회들에 신속하게, 그리고 지속적으로 대처할 수 있는 능력을 개발해야 한다고 주장했다.

# 타오바오(Taobao): E-커머스의 재창조



알리바바 그룹(Alibaba Group)의 계열사 중 하나인 타오바오는 중국에 e-커머스 열풍을 일으킨 주인공이다. 신뢰에 바탕을 둔 인터넷 상거래 환경을 조성하는 등 중국에 새로운 상업 활동을 도입했다는 평가를 받고 있는 타오바오는 지난 10년간, 비즈니스 모델을 세 차례에 걸쳐 개선했는데 자사의 플랫폼을 비롯해서 중국 경제에 광범위하게 불어 닥친 변화들을 적극 수용함으로써 위기를 기회로 발전시켰다.

온라인에서 타오바오 사례 전체 내용 확인하기

**2003년**

새로운 C2C(Consumer-to-Consumer: 소비자 대 소비자간 전자 상거래) 플랫폼

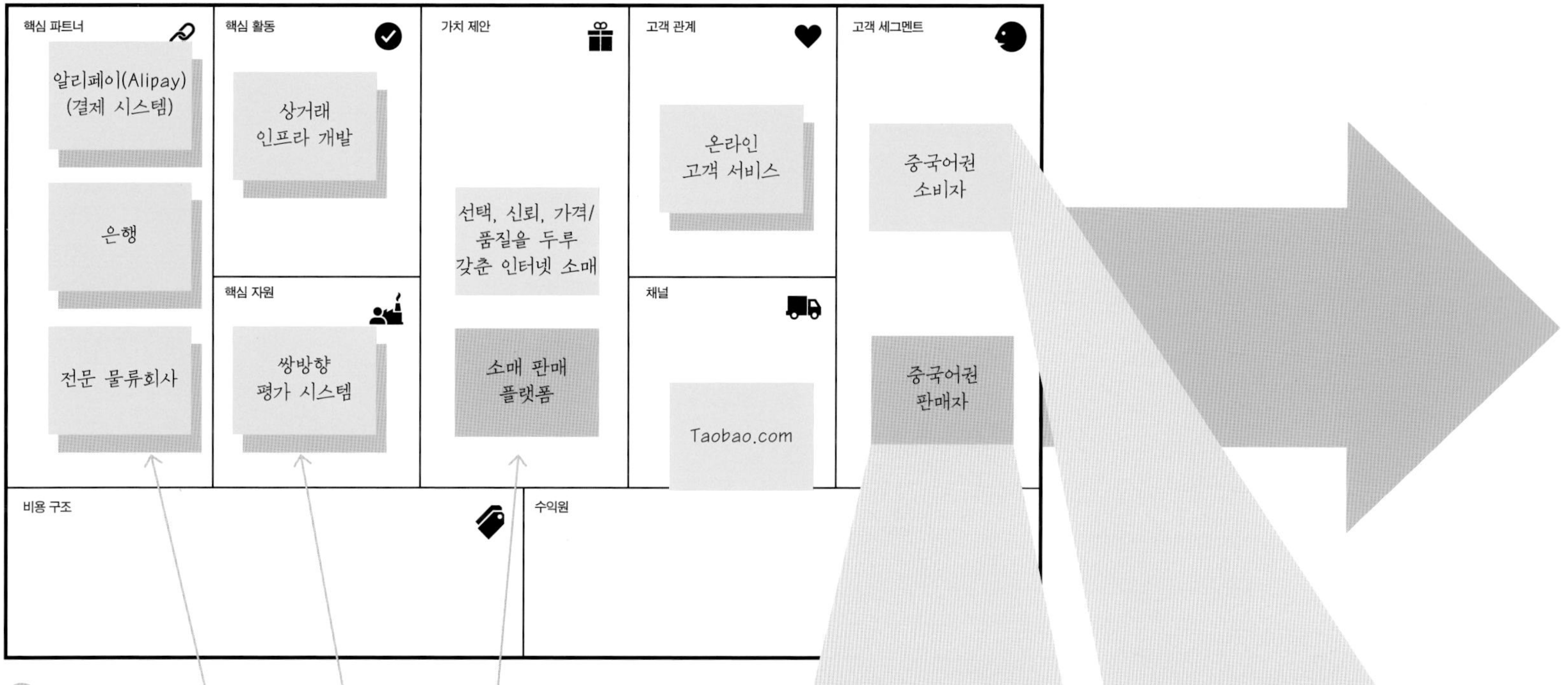


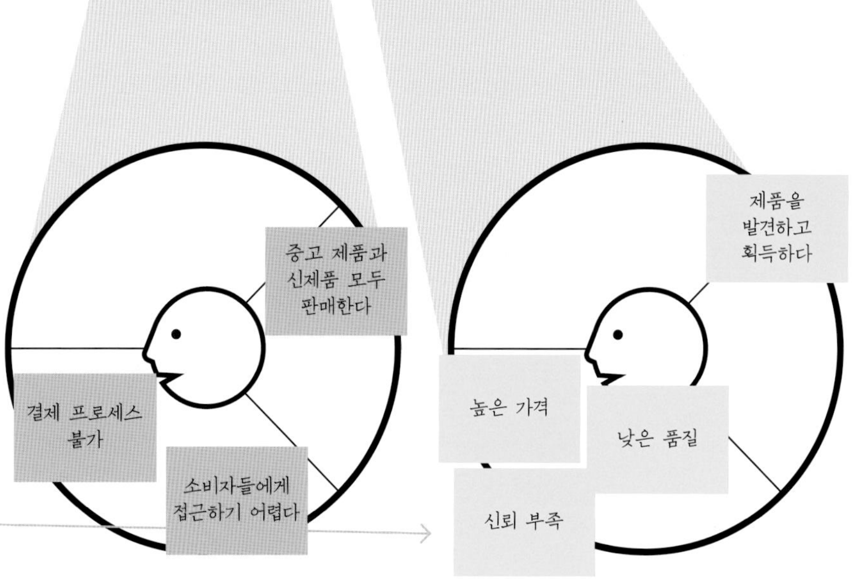


## 2

### 신뢰할 수 있는 플랫폼 창조

상거래와 제품 배송이 원활하게 이루어질 수 있도록 파트너들과 함께 결제 및 물류 인프라 개발 작업에 착수한다.

구매자와 판매자를 위해 새로운 가치 제안 창조.

평가 시스템의 도입으로 실물 경제에는 존재하지 않았던 구매자와 판매자 간 신뢰가 생겨난다.

## 1

### 중국 경제에 존재하는 상거래 활동의 장애물

사업을 수행하는 데 필요한 인프라 부족.

높은 가격, 낮은 품질,
신뢰 부족에 낙담한 소비자들.

## 2006년

### Taobao – 소규모 B2C(기업 VS. 소비자간 전자상거래)

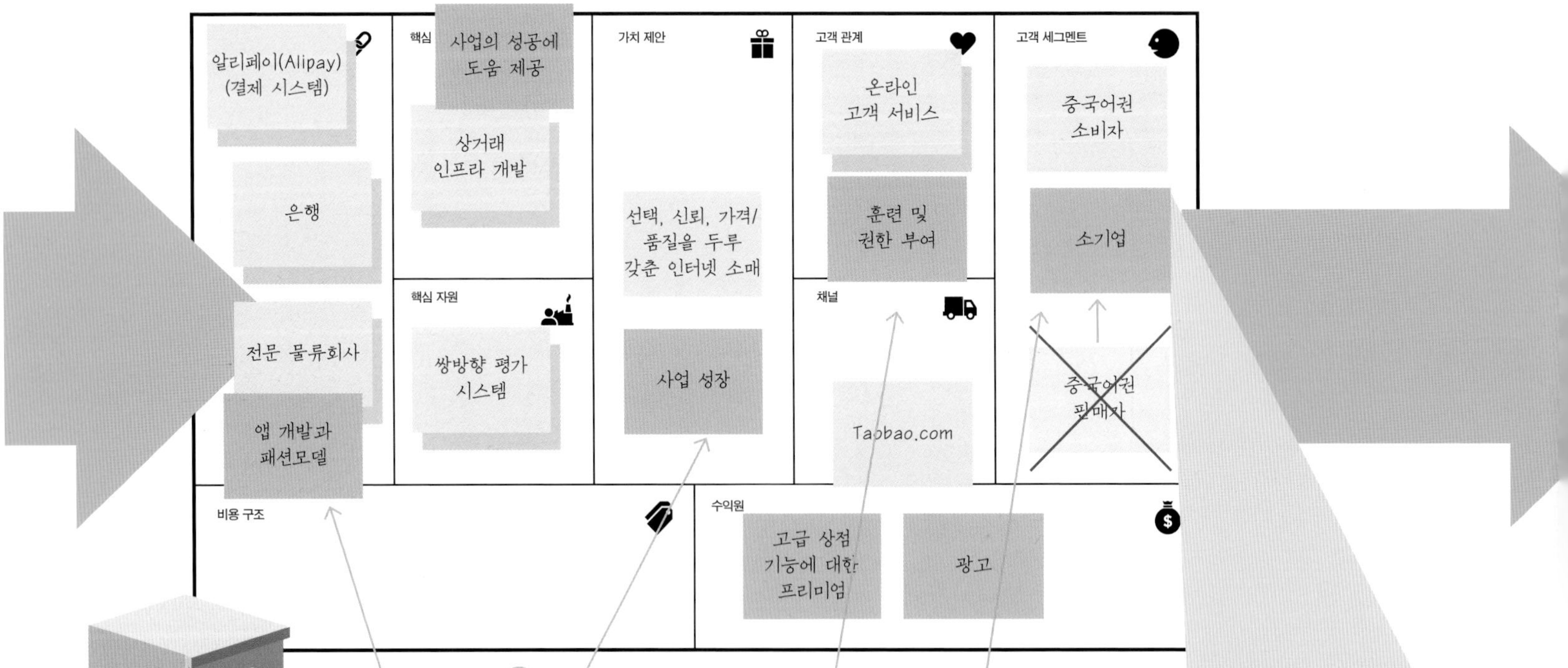


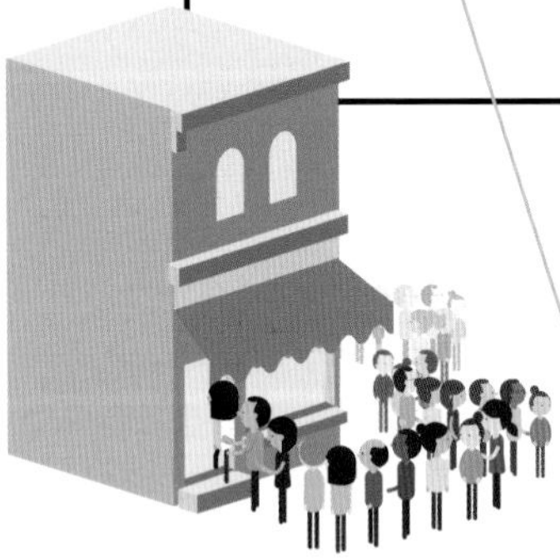

2

**소규모 회사 창업가들을 타깃으로 피벗**

초점을 바꾼 타오바오는 소기업 창업가들을 충족시킴으로써 이런 추세를 사업의 발판으로 활용한다.

1

**소규모 회사 창업가들의 탄생**

타오바오 플랫폼의 인기가 많아지면서 수백만 명의 구매자들이 소규모 회사의 창업 통로로 여기고 있다.

가치 제안 강화를 위해 제3의 서비스 제공자를 끌어들임.

창업가들이 플랫폼 여기저기 둘러보며 사업 관련 학습을 할 수 있도록 '타오바오 대학'을 만듦.

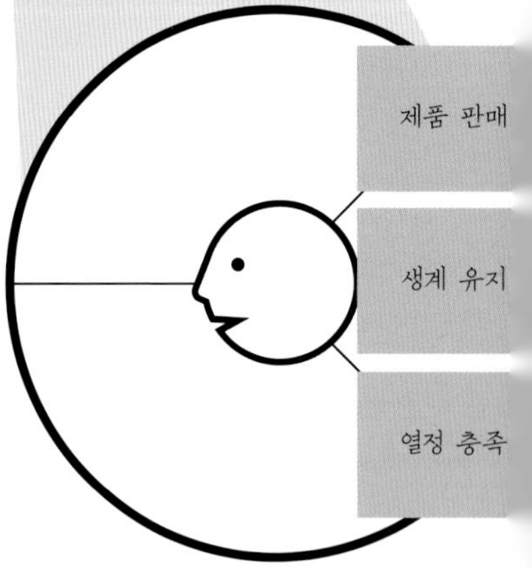

**2008년**

Taobao - 대규모 B2C

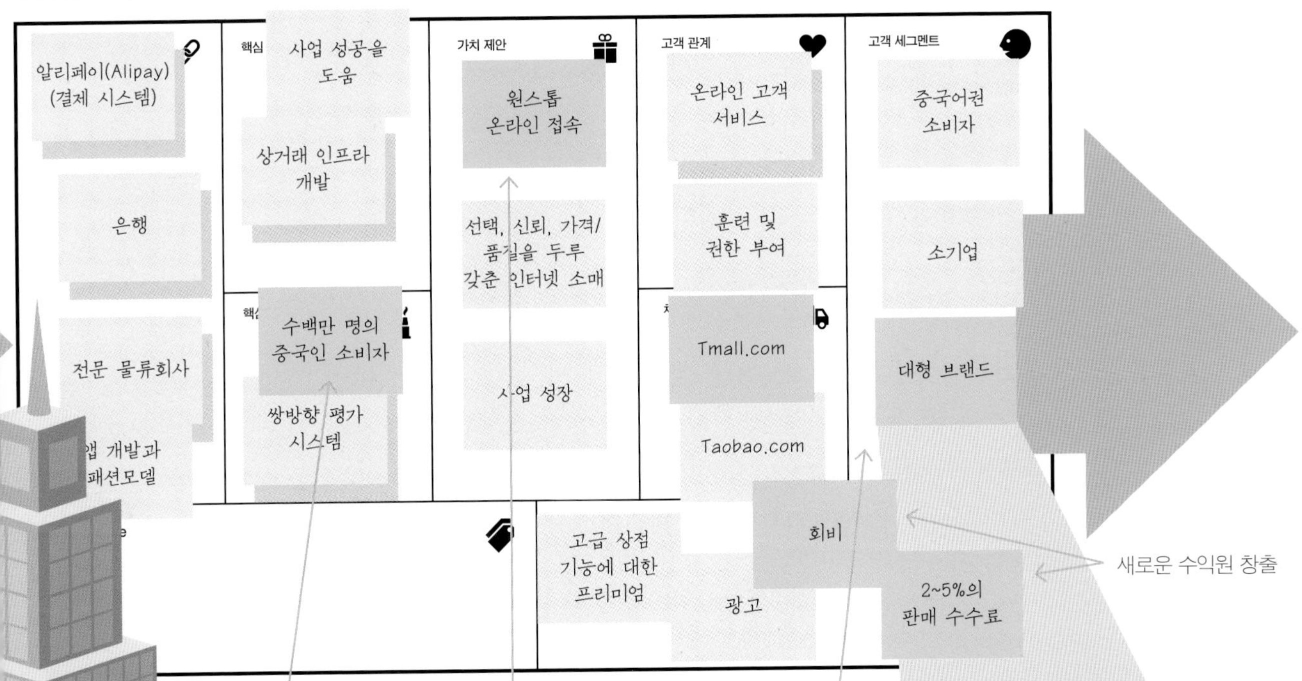

**1**

### 새로운 자산을 발견하다

타오바오는 자사의 비즈니스 모델이 엄청난 자산을 갖고 있음을 깨닫게 된다. 그것은 바로 수억 명에 달하는 중국인 소비자들이었다.

**2**

### 새로운 사업 착수

'새로운' 자산은 새로운 가치 제안의 기반이 된다.

…새로운 고객(거대 브랜드)에 부합하는…

…오프라인 상점을 여는 것보다 훨씬 빨리 중국인 소비자들에게 다가갈 수 있게 해준다.

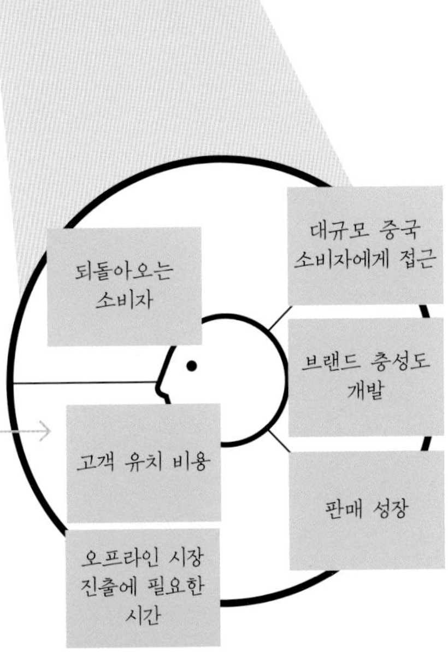


**2013년**

Taobao— ?

지난 10년간 단순한 e-커머스 플랫폼을 복잡한 생태계로 발전시킨 타오바오는 자사의 가치 제안과 비즈니스 모델을 계속해서 개선하고 재창조시켰기 때문에 이런 성과를 거둘 수 있었다. 하지만 휴대기기, 게임, 메시지 전송 기술이 급속도로 발전하는 상황에서 타오바오도 그런 성과에 안주할 수 없게 되었다. 타오바오 역시 끊임없이 발전을 거듭해야 하는 도전 과제를 안고 있다.

# 교훈

## 조화를 이끌어내라

가치 제안과 비즈니스 모델 캔버스는 조화를 이끌어낼 수 있는 훌륭한 도구다. 이것을 공유 언어로 사용해서 당신의 조직 내 여러 부서들 간에 더 나은 협업을 유도해야 한다. 그리고 당신의 고객과 사업에 부합하는 가치를 정확히 어떤 식으로 창출하려고 하는지 모든 이해관계자들에게 이해시켜야 한다.

## 측정하고 모니터링하고 개선하라

가치 제안의 성과를 추적하면서 시장 상황의 변화 속에서도 계속 고객 가치를 창출할 수 있어야 한다. 그리고 동일한 도구와 프로세스를 사용해서 당신이 설계한 가치 제안을 계속 개선시켜나가야 한다.

## 성공을 거두고 있을 때에도 계속 재창조하라

가치 제안과 비즈니스 모델의 재창조를 마냥 기다려서는 안 된다. 시장 여건의 변화로 인해 어쩔 수 없이 해야 하는 상황이 닥치기 전에 미리미리 착수해야 한다. 왜냐하면 그때가 되면 너무 늦을 수도 있기 때문이다. 기존의 가치 제안과 비즈니스 모델을 발전시켜나가는 동시에 새로운 가치 제안과 비즈니스 모델을 고안할 수 있는 조직 구조를 확립해야 한다.

after

word

# 용어 해설



**(비즈니스)가설**((Business) Hypothesis)
당신의 아이디어가 부분적으로 혹은 전부 효과를 거두기 위해 사실이어야 하지만 아직 입증되지 않은 것.

**비즈니스 모델**(Business Model)
조직이 가치를 창조하고, 전달하고, 포착하는 방법을 뒷받침해주는 근거.

**비즈니스 모델 캔버스**(Business Model Canvas)
수익성 높고 측정 가능한 비즈니스 모델을 설계, 테스트, 수립, 관리하는 전략 경영 도구.

**콜투액션**(Call to Action)
대상이 어떤 행동을 수행하도록 촉발하는 것. 한 개 또는 그 이상의 가설을 테스트하는 실험에 사용됨.

**고객 개발**(Customer Development)
스티브 블랭크가 고안한 4단계 프로세스. 비즈니스 모델의 근간을 이루는 가설을 고객과 이해관계자들을 상대로 계속 테스트함으로써 기업 활동의 위험 부담과 불확실성을 줄여나가는 활동이다.

**고객 혜택**(Customer Gains)
고객들이 소유하거나 기대하거나 열망하거나 달성하고자 하는 결과와 이점들.

**고객 통찰**(Customer Insight)
고객을 이해하는 데 사소한 또는 중요한 돌파구가 되어주는 것. 더 나은 가치 제안과 비즈니스 모델을 설계하는 데 도움이 된다.

**고객 불만**(Customer Pains)
어떤 활동을 훌륭히 수행하는 데 걸림돌이 되기 때문에 고객들이 회피하려고 하는 나쁜 결과, 위험부담, 장애물.

**고객 프로필**(Customer Profile)
가치 제안 캔버스의 오른쪽을 구성하는 업무 도구. 당신의 가치 창출 대상이 되는 고객 세그먼트(또는 이해관계자)의 활동, 불만, 혜택을 시각화해준다.

**환경 맵**(Environment Map)
당신이 가치 제안과 비즈니스 모델을 설계하고 관리하는 환경을 매핑하는 미래 전략 도구.

**증거**(Evidence)
가치 제안이나 비즈니스 모델, 환경에 대한 생각, (비즈니스) 가설, 고객 통찰이 옳은지, 그른지를 증명해주는 것.

**실험/테스트**(Experiment/Test)
가치 제안이나 비즈니스 모델 가설이 옳은 것인지, 그른 것인지를 입증하는 절차로, 증거를 도출한다.

### 적합성(Fit)
당신의 가치 맵을 구성하는 요소가 당신의 고객 세그먼트에게 중요한 활동, 불만, 혜택을 충족시키고, 상당수의 고객들이 그런 활동, 불만, 혜택을 충족시키기 위해 당신의 가치 제안을 받아들이는 것.

### 혜택 창출 방안(Gain Creators)
제품과 서비스가 어떤 식으로 혜택을 창출하고 고객들이 요구하거나, 기대하거나, 열망하거나 꿈꾸는 결과나 이점을 달성할 수 있도록 어떻게 도와줄 것인지에 대한 설명.

### 활동 수행(Jobs to Be Done)
고객이 자신들의 직장이나 생활 속에서 완수해야 하거나, 완수하고 싶어 하거나, 완수하길 갈망하는 것.

### 린 스타트-업(Lean Start-up)
에릭 리즈가 고안한 접근법. 개발, 테스트, 학습 활동을 끊임없이 반복함으로써 제품 개발 활동에서 낭비와 불확실성을 제거해나가는 과정. 고객 개발 프로세스를 기반으로 한다.

### 학습 카드(Learning Card)
조사와 실험에서 통찰을 포착하기 위한 전략적 학습 도구.

### 최소 기능 제품(Minimum Viable Product, MVP)
하나 또는 그 이상의 가설들이 옳은지, 그른지를 입증하기 위해 특별히 고안된 가치 제안 모형.

### 고통 해결 방안(Pain Relievers)
고객의 활동 수행을 가로막는 나쁜 결과, 위험 부담, 장애물을 제품과 서비스가 어떤 식으로 제거하거나 감소시켜서 고객 불만을 경감하려고 하는지에 대한 설명.

### 제품과 서비스(Products and Services)
당신의 가치 제안의 밑바탕을 이루는 것으로 당신의 매장에서 고객들이 직접 눈으로 확인할 수 있다.

### 진척도 상황판(Progress Board)
비즈니스 모델과 가치 제안 설계 프로세스를 관리하고 모니터링 할 수 있게 해주는 전략적 운영 도구. 성공적인 가치 제안과 비즈니스 모델 창조가 얼마나 진척을 거두고 있는지 확인할 수 있게 해준다.

### 프로토타이핑(Prototyping)(낮은/높은 완성도)
대안적 가치 제안과 비즈니스 모델의 바람직성, 타당성, 실현 가능성에 대해 알아보기 위해 신속하고 저렴하고 대략적으로 학습 모델을 만드는 활동.

### 테스트 카드(Test Card)
당신의 조사와 실험 활동을 설계하고 체계를 수립하기 위한 전략적 테스트 도구.

### 가치 맵(Value Map)
가치 제안 캔버스의 왼쪽을 구성하는 업무 도구. 당신의 제품과 서비스가 불만 경감과 혜택 창출을 통해 어떤 식으로 가치를 창출할 것인지를 명확히 보여준다.

### 가치 제안(Value Proposition)
고객이 당신의 제품과 서비스에 기대할 수 있는 이점들을 기술한다.

### 가치 제안 캔버스(Value Proposition Canvas)
제품과 서비스를 설계, 테스트, 수립, 관리하기 위한 전략적 운영 도구. 비즈니스 모델 캔버스와 완벽하게 결합된다.

### 가치 제안 설계(Value Proposition Design)
라이프 사이클 전 기간에 걸쳐 가치 제안을 설계, 테스트, 수립, 관리하는 프로세스.

용어 해설(Glossary) pdf 파일 받기

# 핵심 팀(Core Team)

**예스 피그누어**
감독 저자

**티리시 파파다코스**
디자이너

**그렉 버나다**
저자

**알렉스 오스터왈더**
주 저자
Strategyzer 공동 설립자

**앨런 스미스**
저자, 크리에이티브 디렉터
Strategyzer 공동 설립자

테간 미엘

사라 킴

브랜든 에인슬리

매트 맨쿠소

**실험 상호작용**
일러스트레이션팀

**Strategyzer 콘텐츠팀**
벤슨 가너, 나빌라 아마시

**Strategyzer 제작팀**
데이브 러프히드, 톰 필립, 조애누 엔지, 크리스 홉킨스,
매트 불록, 페데리코 갈린도

# 미리 초고를 읽고 도움을 주신 분들



우리는 우리 자신이 설교한 것을 그대로 실행에 옮기기 위해 우리 아이디어를 일반 대중에게 공개하기에 앞서 테스트를 실시했다. 전 세계 100명이 넘는 사람들이 사전 독자로 참여해서 우리의 초고를 면밀히 검토해주셨다. 그리고 그 중 60명 이상이 아이디어, 개념, 사진을 검토하며 적극적으로 참여했다. 제안을 제시하고, 꼼꼼히 원고를 교정해주고, 결점과 모순되는 부분들에 대해 솔직한 지적도 아끼지 않았다. 또한 우리는 시장에서 다양한 대안들을 테스트하기 전에 사전 독자들을 상대로 책 제목 선정 작업을 수차례 반복했다.

Gabrielle Benefield
Phil Blake
Jasper Bouwsma
Frederic Briguet
Karl Burrow
Manuel Jose Carvajal
Pål Dahl
Christian Doll
Joseph Dougherty
Todd Dunn
Reinhard Ematinger
Sven Gakstatter
Jonas Giannini
Claus Gladyszak
Boris Golob
Dave Gray
Gaute Hagerup
Natasha Hanshaw
Chris Hill
Luke Hohmann
Jay Jayaraman
Shyam Jha
Greg Judelman
James King
Hans Kok
Ryuta Kono
Jens Korte
Jan Kyhnau
Michael Lachapelle
Ronna Lichtenberg
Justin Lokitz
Ranjan Malik
Deborah Mills-Scofield
Nathan Monk
Mario Morales
Fabio Nunes
Jan Ondrus
Aloys Osterwalder
Matty Paquay
Olivier Perez Kennedy
Johan Rapp
Christian Saclier
Andrea Schrick
Gregoire Serikoff
Aron Solomon
Peter Sonderegger
Lars Spicker Olesen
Matt Terrell
James Thomas
Paris Thomas
Patrick Van Der Pijl
Emanuela Vartolomei
Mauricio
Reiner Walter
Matt Wanat
Lu Wang
Marc Weber
Judith Wimmer
Shin Yamamoto

# 핵심 참여자 소개

## 알렉스 오스터왈더

오스터왈더 박사는 전 세계적으로 베스트셀러가 되었던 〈비즈니스 모델의 탄생(Business Model Generation)〉의 주 저자이자 열정적인 사업가다. 그리고 쉴 새 없이 강연 요청이 몰려드는 인기 강연자이기도 하다. 전략적 경영과 혁신에 관한 도구와 콘텐츠 전문 소프트웨어 회사인 Strategyzer를 공동 설립했고 비즈니스 모델을 설계, 테스트, 수립, 관리할 수 있는 전략적 경영 도구인 비즈니스 모델 캔버스를 고안한 장본인이다. 이 방법은 현재 코카콜라, GE, P&G, 마스터카드, 에릭슨, 레고, 3M 같은 기업들에서 널리 사용되고 있다. 전 세계 유수 기업들은 물론 스탠포드, 버클리, MIT, 이에세(IESE, 스페인 바르셀로나에 있는 나바라(Navarra)대학교의 경영대학원, 역자 주), 국제경영개발원(IMD, 스위스 로잔에 위치한 세계적인 경영대학원, 역자 주) 같은 곳에서 기조연설자로 활발한 활동을 펼치고 있다. 트위터(@alexosterwalder)를 통해 그의 팔로어가 될 수 있다.

## 예스 피그누어

〈비즈니스 모델의 탄생(Business Model Generation)〉의 공동 저자이자 스위스 로잔대학교에서 경영 및 정보 시스템을 가르치고 있다. 미국, 캐나다, 싱가포르에서 객원 교수로 활동했고 대학, 대기업, 기업가 모임, 국제회의에 초빙되어 비즈니스 모델에 관해 자주 연설을 하고 있다.

## 그렉 버나다

사상가이자 창업가이인 그렉 버나다는 개인, 팀, 조직의 전략과 혁신의 촉진자로 활동하고 있다. 유능한 리더들을 상대로 종업원, 고객, 지역 사회가 그들 자신의 미래로 인식할 수 있는 미래 (재)설계 작업을 도와주는 것이다. 현재 콜게이트(Colgate), 폭스바겐, 하버드경영대학원, 캡제미니(Capgemini: 프랑스 정보통신 컨설팅 업체, 역자 주) 같은 업체들에서 프로젝트를 수행 중이다. 연설가로도 자주 활동하는 그렉은 중국 베이징에서 지속 가능성을 주제로 일련의 행사를 공동 개최했고 현재, 파리 유토피스(Utopies)의 고문으로 재직 중이다. 그에 앞서 세계 경제 포럼(World Economic Forum)에서 8년간 활동하면서 회원들이 국제 사회의 문제를 해결하는 데 앞장서도록 독려했다. 옥스퍼드 세이드(Saïd) 경영대학원을 졸업했고 Strategyzer의 공인 비즈니스 모델 코치다.

## 앨런 스미스

디자인과 비즈니스, 그리고 그 두 가지를 수행할 수 있는 방법에 깊이 탐닉하고 있다. 디자인 교육을 받은 사업가이기도 한 앨런은 영화, TV, 출판, 모바일, 웹 등 다양한 분야에서 활동하고 있다. 그 전에는 런던, 토론도, 제노바에 지점을 둔 세계적인 설계 에이전시, 더 무브먼트(The Movement)를 공동 설립하기도 했다. 알렉스 오스터왈더, 예스 피그누어와 함께 가치 제안 캔버스를 만들고 〈비즈니스 모델의 탄생〉의 획기적인 디자인을 창조했다. Strategyzer를 공동 설립하고 환상적인 팀원들과 함께 도구와 콘텐츠 제작에 참여하면서 고객이 원하는 제품/서비스를 만들 수 있도록 비즈니스맨들을 도와주고 있다. 트위터(@thinksmith)에서 그를 팔로할 수 있다.

## 티리시 파파다코스

디자이너이자 사진작가, 사업가이다. 런던의 센트럴 세인트 마틴(Central St. Martins) 예술대학에서 디자인 박사 학위를, 토론토의 요크대학교(York University)의 그래픽디자인학과에서 학사 학위를 받았다. 현재 모교에서 디자인을 가르치는 그녀는 각종 상을 휩쓴 여러 에이전시에서 활발한 활동을 펼치고 있으며 몇몇 사업을 추진하기도 했다. Strategyzer팀과는 세 차례 함께 작업해오고 있다. 인스타그램(@trishpapadakos)에서 그녀의 사진 작품들을 감상할 수 있다.

아무도 원치 않는 제품과
서비스에 매달리며
왜 당신의 시간과 에너지,
돈을 낭비하려고 하는가?
지금 당장 책을 뒤집어보라!